# ДЕСЯТЬ РАССКАЗОВ

## КНИГА ДЛЯ ЧТЕНИЯ

*Учебное пособие по русскому языку
как иностранному*

*2-е издание*

РУССКИЙ ЯЗЫК
КУРСЫ

Москва
2006

УДК 808.2 (075.8)-054.6
ББК 81.2Рус-923
  Ж85

Составитель *Н.Н. Жукова*

Редактор и консультант перевода лексики на английский язык — *Д.О. Немец-Игнашева*, профессор, доктор филологических наук (D. Nemec-Ignashev, Professor of Russian, Carleton College, USA)

**Жукова Н.Н.**
Ж85 **Десять рассказов.** Книга для чтения. Изд. 2-е. — М.: «Русский язык». Курсы, 2006. — 200 с.

ISBN 5-88337-072-1

Цель пособя — познакомить студентов-иностранцев с произведениями русских писателей-эмигрантов: Бунина, Аверченко, Тэффи и др. Все тексты снабжены переводом на английский язык той части лексики, которая выходит за объём Первого сертификационного уровня, проверочными заданиями, а также страноведческими и стилистическими комментариями.

Настоящее пособие предназначено учащимся, владеющим языком в пределах Первого сертификационного уровня и выше и интересующимся русской литературой, историей и культурой.

ISBN 5-88337-072-1

© Издательство «Русский язык». Курсы, 2005
Составление, предисловие, комментарий, задания, ключи, перевод, художественное оформление

# СОДЕРЖАНИЕ

# ПРЕДИСЛОВИЕ

Книга для чтения по русской зарубежной литературе познакомит иностранных учащихся с творчеством замечательных писателей, а также даст сведения из истории русской литературы и культуры XX века.

**Кому адресовано пособие**

Книга рассчитана на иностранных учащихся, лексический минимум которых соответствует Первому сертификационному уровню (общее владение) и выше.

**Основные цели пособия**

– развитие навыков чтения художественного текста;
– развитие речи на материале художественных текстов;
– расширение лексического запаса;
– углубление интереса к литературе и культуре изучаемого языка.

**Как построено пособие**

Книга состоит из 7 разделов, Приложения и Ключей к заданиям.

Каждая глава посвящена творчеству одного писателя и содержит краткую биографическую справку, один или два рассказа с лингвистическими и страноведческими комментариями и послетекстовыми заданиями.

В Приложении даны краткая хронология событий русской истории начала XX века и небольшие статьи по истории и периодизации русской эмиграционной литературы.

Ключи содержат ответы к заданиям на понимание текста и по лексическому контролю.

**Тексты**

В предлагаемом пособии художественные тексты не адаптированы, но отдельные рассказы приводятся с сокращениями. Особенности авторского стиля и языка в произведениях влияют на степень открытости / закрытости текста для инофона даже при условии знакомства с лексикой, поэтому наиболее сложные тексты отмечены знаком *.

Для облегчения работы с произведениями тексты разделены на небольшие части с законченным смысловым содержанием. Каждый текст снабжен небольшим вступлением с кратким содержанием сюжета. Биографические справки о творчестве писателя также помогут расширить знания учащихся.

## Как работать с пособием

Каждая глава носит законченный характер и является самостоятельным фрагментом в общей картине русской зарубежной литературы, которой посвящена эта книга. Исторические и культурные комментарии при необходимости повторяются. Это создает определенную свободу для выбора преподавателем или учащимся любого рассказа безотносительно к его месту в книге и хронологии.

Все слова, выходящие за границы лексического минимума Первого сертификационного уровня, даны или в английском переводе, или переведены с помощью знакомых синонимов. Интернациональная лексика также переводится, чтобы избежать ошибок в понимании и написании.

Каждый рассказ делится на небольшие части, за которыми следуют задания на понимание текста, говорение, письменные задания и проверочные.

Задания на понимание не столько проверяют то, насколько усвоен текст, сколько помогают его понять. Ответы на вопросы стимулируют разговорные навыки учащихся, позволяют обнаружить пробелы в понимании содержания. В пособии также приведены задания на проверку глубины и адекватности усвоения текста учащимися. Эти задания требуют самостоятельного объяснения и интерпретации отдельных эпизодов сюжета.

Задания, развивающие навыки говорения и письменной речи, не могут эффективно использоваться без контроля преподавателя. Однако задания по говорению сопровождаются ключевыми словами, которые должны помочь учащемуся самостоятельно составить рассказ по предложенной теме.

Небольшие комментарии к отдельным рассказам помогают почувствовать стилевые особенности текста.

# И.А. Бунин

Ива́н Алексе́евич Бу́нин (1870, Воро́неж — 1953, Пари́ж) уе́хал из Росси́и в 1920 г. изве́стным поэ́том и писа́телем. В эмигра́ции жил во Фра́нции. В 1933 г. за рома́н «Жизнь Арсе́ньева» получи́л Но́белевскую пре́мию. В тво́рчестве Бу́нина тради́ции ру́сской класси́ческой литерату́ры нашли́ своё разви́тие.

Одно́й из гла́вных тем в произведе́ниях писа́теля была́ те́ма любви́ как гла́вной зага́дки жи́зни челове́ка. В 40-х года́х он пи́шет кни́гу о любви́ — «Тёмные алле́и», в кото́рой 38 расска́зов даю́т разнообра́зные же́нские портре́ты и су́дьбы.

# ХОЛОДНАЯ ОСЕНЬ

Расска́з «Холо́дная о́сень» напи́сан в ма́е 1944 года. Это кра́ткая исто́рия жи́зни ру́сской эмигра́нтки. Она́ вспомина́ет са́мый гру́стный и в то же вре́мя са́мый счастли́вый ве́чер в сентябре́ 1914 го́да, когда́ проща́лась со свои́м женихо́м. По́сле э́того бы́ли война́, револю́ция, смерть родны́х, эмигра́ция, тяжёлая рабо́та.

## 1

В ию́не того́ го́да он гости́л у нас в име́нии — всегда́ счита́лся у нас свои́м челове́ком: поко́йный оте́ц его́ был дру́гом и сосе́дом моего́ отца́. Пятна́дцатого ию́ня уби́ли в Сара́еве[1] Фердина́нда[2]. У́тром шестна́дцатого привезли́ с по́чты газе́ты. Оте́ц вы́шел из кабине́та с моско́вской вече́рней газе́той в рука́х в столо́вую, где он, ма́ма и я ещё сиде́ли за ча́йным столо́м, и сказа́л:

> гости́ть – быть го́стем
> име́ние – estate
> счита́ться – to be considered
> поко́йный – late, deceased

— Ну, друзья́ мои́, война́! В Сара́еве уби́т австри́йский кронпри́нц. Э́то война́!

> Австри́йский кронпри́нц – Austrian Crown-Prince

На Петро́в день[3] к нам съе́халось мно́го наро́ду, — бы́ли имени́ны отца́, — и за обе́дом он был объя́влен мои́м женихо́м. Но девятна́дцатого ию́ля Герма́ния объяви́ла Росси́и войну́...

> имени́ны – name-day

В сентябре́ он прие́хал к нам всего́ на су́тки — прости́ться пе́ред отъе́здом на фронт (все тогда́ ду́мали, что война́ ко́нчится ско́ро, и сва́дьба на́ша была́ отло́жена до весны́). И вот наста́л наш проща́льный ве́чер. По́сле у́жина по́дали, по обыкнове́нию, самова́р, и, посмотре́в на запоте́вшие от его́ па́ра о́кна, оте́ц сказа́л:

> су́тки – 24 часа́

> отло́жен / отложи́ть – to postpone
> по обыкнове́нию – как обы́чно
> запоте́вший / запоте́ть – to fog
> пар – steam

— Удиви́тельно ра́нняя и холо́дная о́сень!

---

[1] Сара́ево (Sarajevo) – столи́ца Бо́снии (Bosnia).
[2] Фердина́нд – Franz-Ferdinand, Crown-prince of Austria.
[3] Петро́в день – 12 ию́ля (29 ию́ня) церко́вный пра́здник St. Peter's Day.

Мы в тот ве́чер сиде́ли ти́хо, лишь и́зредка обме́нивались незначи́тельными слова́ми, преувели́ченно споко́йными, скрыва́я свои́ та́йные мы́сли и чу́вства. С притво́рной простото́й сказа́л оте́ц и про о́сень. Я подошла́ к балко́нной две́ри и протёрла стекло́ платко́м: в саду́, на чёрном не́бе, я́рко и о́стро сверка́ли чи́стые ледяны́е звёзды. Оте́ц кури́л, отки́нувшись в кре́сло, рассе́янно гля́дя на висе́вшую над столо́м жа́ркую ла́мпу, ма́ма, в очка́х, стара́тельно зашива́ла под её све́том ма́ленький шёлковый мешо́чек, — мы зна́ли како́й, — и э́то бы́ло и тро́гательно и жу́тко. Оте́ц спроси́л:

— Так ты всё-таки хо́чешь е́хать у́тром, а не по́сле за́втрака?

— Да, е́сли позво́лите, у́тром, — отве́тил он. — О́чень гру́стно, но я ещё не совсе́м распоряди́лся по до́му.

Оте́ц лего́нько вздохну́л:

— Ну, как хо́чешь, душа́ моя́. То́лько в э́том слу́чае нам с ма́мой пора́ спать, мы непреме́нно хоти́м проводи́ть тебя́ за́втра...

Ма́ма вста́ла и перекрести́ла своего́ бу́дущего сы́на, он склони́лся к её руке́, пото́м к руке́ отца́. Оста́вшись одни́, мы ещё немно́го по́были в столо́вой, — я взду́мала раскла́дывать пасья́нс, — он мо́лча ходи́л из угла́ в у́гол, пото́м спроси́л:

— Хо́чешь, пройдёмся немно́го?

На душе́ у меня́ де́лалось всё тяжеле́е, я безразли́чно отозвала́сь:

— Хорошо́...

Одева́ясь в прихо́жей, он продолжа́л что́-то ду́мать, с ми́лой усме́шкой вспо́мнил стихи́ Фе́та[1]:

Кака́я холо́дная о́сень!
Наде́нь свою́ шаль и капо́т...

незначи́тельный – insignificant
преувели́ченно – exaggeratedly
скрыва́я / скрыва́ть – to conceal
та́йный – secret
притво́рный – feigned
протере́ть – to wipe off
плато́к – handkerchief
о́стро – sharply
сверка́ть – to glitter
отки́нувшись / отки́нуться – to sit back
рассе́янно – absent-mindedly
гля́дя / гляде́ть – смотре́ть
стара́тельно – painstakingly
зашива́ть – to stitch
шёлковый – silk
мешо́чек / мешо́к – purse
тро́гательно – touching
жу́тко – awful

гру́стно – sad
распоряди́ться – to make arrangements
вздохну́ть – to sigh

непреме́нно – обяза́тельно
проводи́ть – to see off

перекрести́ть – to make the sign of the cross over
склони́ться – to bow, bend over

раскла́дывать пасья́нс – to play solitaire

безразли́чно – indifferently
отозва́ться – отве́тить

прихо́жая – entrance way
усме́шка – ironic smile

шаль – shawl
капо́т – cloak

---

[1] А.А. Фет (1820–1892) – ру́сский поэ́т.

— Капота нет, — сказала я. — А как дальше?

— Не помню. Кажется, так:

> Смотри — меж чернеющих сосен
> Как будто пожар восстаёт...

меж – между
сосна – pine-tree
пожар – fire
восставать – здесь: подниматься

— Какой пожар?

— Восход луны, конечно. Есть какая-то деревенская осенняя прелесть в этих стихах. «Надень свою шаль и капот...» Времена наших дедушек и бабушек... Ах, Боже мой, Боже мой!

восход – rise
прелесть – charm

— Что ты?

— Ничего, милый друг. Всё-таки грустно. Грустно и хорошо. Я очень, очень люблю тебя...

Одевшись, мы прошли через столовую на балкон, сошли в сад. Сперва было так темно, что я держалась за его рукав. Потом стали обозначаться в светлеющем небе чёрные сучья, осыпанные минерально блестящими звёздами. Он, приостановясь, обернулся к дому:

сперва – сначала
рукав – sleeve
обозначаться – здесь: показываться
сук / сучья – branch
осыпанный / осыпать – to sprinkle with
блестящий – glittering
обернуться – to turn round

— Посмотри, как совсем особенно, по-осеннему светят окна дома. Буду жив, вечно буду помнить этот вечер...

светить – to shine with light

Я посмотрела, и он обнял меня в моей швейцарской накидке. Я отвела от лица пуховый платок, слегка отклонила голову, чтобы он поцеловал меня. Поцеловав, он посмотрел мне в лицо.

обнять – to embrace
швейцарский – Swiss
накидка – wrap
отвести – здесь: to draw away
пуховый платок – fluffy wool headscarf
слегка – slightly
отклонить – to bend
блестеть – to shine

— Как блестят глаза, — сказал он. — Тебе не холодно? Воздух совсем зимний. Если меня убьют, ты всё-таки не сразу забудешь меня?

Я подумала: «А вдруг правда убьют? И неужели я всё-таки забуду его в какой-то срок — ведь всё в конце концов забывается?» И поспешно ответила, испугавшись своей мысли:

срок – период времени

поспешно – hastily
испугавшись / испугаться – to take fright

— Не говори так! Я не переживу твоей смерти!

Он, помолчав, медленно выговорил:

— Ну что ж, éсли убью́т, я бу́ду ждать тебя́ там. Ты поживи́, пора́дуйся на све́те, пото́м приходи́ ко мне.

Я го́рько запла́кала...

У́тром он уéхал. Ма́ма наде́ла ему́ на шéю тот роково́й мешо́чек, что зашива́ла вéчером, — в нём был золото́й образо́к, кото́рый носи́ли на войнé её отéц и дед, — и мы все перекрести́ли его́ с каки́м-то поры́вистым отча́янием. Гля́дя ему́ вслéд, постоя́ли на крыльцé в том отупéнии, кото́рое всегда́ быва́ет, когда́ прово́дишь кого́-нибудь на до́лгую разлу́ку, чу́вствуя то́лько удиви́тельную несовмéстность мéжду на́ми и окружа́вшим нас ра́достным, со́лнечным, сверка́ющим и́зморозью на травé у́тром. Постоя́в, вошли́ в опустéвший дом. Я пошла́ по ко́мнатам, заложи́в ру́ки за́ спину, не зна́я, что тепéрь дéлать с собо́й и зарыда́ть ли мне и́ли запéть во весь го́лос...

го́рько – bitterly

роково́й – fateful

образо́к – ма́ленькая ико́на
поры́вистый – impetuous
отча́яние – despair
гля́дя / гляде́ть вслед – to follow
   with one's eyes
крыльцо́ – porch
отупе́ние – numbness
разлу́ка – separation
несовме́стность – incongruence
окружа́вший / окружа́ть – to surround
и́зморозь – dewdrops / frost

зарыда́ть – to break into sobs

## Работаем с текстом

Определите, какие из высказываний соответствуют истине.

1. Она впервые встретилась со своим женихом в июне того года.
2. Когда отец прочитал в газете об убийстве австрийского кронпринца, он сказал, что будет война.
3. Свадьбу отложили, потому что думали, что война скоро кончится.
4. Вечером, перед отъездом жениха на фронт, много говорили.
5. Он предложил погулять по саду, потому что был тёплый вечер.
6. Он вспомнил стихи, потому что они начинались со слов: «Какая холодная осень!»
7. Он просил никогда не забывать его, если его убьют.
8. Он уехал солнечным радостным утром.

Ответьте на вопросы.

1. Что случилось в июне 1914 г.?
2. Какое событие произошло на Петров день?
3. Почему свадьбу отложили до весны?
4. Почему в прощальный вечер все мало говорили?
5. Какие стихи он вспомнил, одеваясь в прихожей?
6. О чём он собирался помнить всю жизнь?

7. О чём он попросил свою невесту?
8. Что чувствовала героиня после отъезда жениха?

*Можете ли вы назвать имя отца героини?*

Найдите в тексте три примера того, что героиня чувствовала тревогу, расставаясь с женихом.

**Учимся говорить**

Расскажите, что произошло в этой части рассказа, используя слова:

гостить; жених; объявить войну; отъезд на фронт; прощальный вечер; холодная осень; чистые звёзды; молча ходить из угла в угол; стихи Фета; пойти в сад; по-осеннему; помнить этот вечер; поцеловать; убить; забыть не сразу; ждать там; солнечное утро; опустевший дом.

**Учимся писать**

Напишите письмо подруге от лица героини о последнем вечере перед отъездом жениха на фронт.

**Слова урока**

покойный; именины; пар; рассеянно; безразлично; шаль; восход; грустно; отчаяние; вслед; разлука.

| | | | | | |
|---|---|---|---|---|---|
| вздохнуть | св | *как?* | // | вздыхать | нсв |
| глядеть | нсв | *на кого? на что?* | // | поглядеть | св |
| зашивать | нсв | *что? как?* | // | зашить | св |
| испугаться | св | *кого? чего? за кого? за что?* | // | пугаться | нсв |
| обернуться | св | *—; куда? к кому? к чему? чем?* | // | оборачиваться | нсв |
| обнять | св | *кого? что? за что?* | // | обнимать | нсв |
| окружать | нсв | *кого? что?* | // | окружить | св |
| перекрестить | св | *кого? что? как?* | // | — | |
| проводить | св | *кого? куда?* | // | провожать | нсв |
| протереть | св | *что? чем?* | // | протирать | нсв |
| распорядиться | св | *где? / + inf.* | // | распоряжаться | нсв |
| сверкать | нсв | *где? как?* | // | сверкнуть | св |
| светить | нсв | *как?* | // | — | |
| скрывать | нсв | *кого? что?* | // | скрыть | св |
| считаться | нсв | *кем? чем?* | // | — | |

# 2

Уби́ли его́ — како́е стра́нное сло́во! — че́рез ме́-
сяц, в Гали́ции[1]. И вот прошло́ с тех пор це́лых три́д-
цать лет. И мно́гое, мно́гое пережи́то бы́ло за э́ти
го́ды, ка́жущиеся таки́ми до́лгими, когда́ внима́тель-
но ду́маешь о них, перебира́ешь в па́мяти всё то вол-
ше́бное, непоня́тное, непостижи́мое ни умо́м, ни сер́-
дцем, что называ́ется про́шлым. Весно́й восемна́дца-
того го́да[2], когда́ ни отца́, ни ма́тери уже́ не́ было в
живы́х, я жила́ в Москве́, в подва́ле у торго́вки на
Смоле́нском ры́нке, кото́рая всё издева́лась надо
мно́й: «Ну, ва́ше сия́тельство, как ва́ши обстоя́тель-
ства?» Я то́же занима́лась торго́влей, продава́ла, как
мно́гие продава́ли тогда́, солда́там в папа́хах и рас-
стёгнутых шине́лях ко́е-что из оста́вшегося у меня́, —
то како́е-нибудь коле́чко, то кре́стик, то мехово́й во-
ротни́к, поби́тый мо́лью, и вот тут, торгу́я на углу́
Арба́та и ры́нка, встре́тила челове́ка ре́дкой, прекра́с-
ной души́, пожило́го вое́нного в отста́вке, за кото́ро-
го вско́ре вы́шла за́муж и с кото́рым уе́хала в апре́ле
в Екатеринода́р[3]. Е́хали мы туда́ с ним и его́ племя́н-
ником, ма́льчиком лет семна́дцати, то́же пробира́в-
шимся к доброво́льцам, чуть не две неде́ли, — я ба́-
бой, в лаптя́х, он в истёртом каза́чьем зипуне́, с от-
пу́щенной чёрной с про́седью бородо́й, — и про́были
на Дону́ и на Куба́ни[4] бо́льше двух лет. Зимо́й, в ура-
га́н, отплы́ли с несме́тной толпо́й про́чих бе́женцев
из Новоросси́йска[5] в Ту́рцию, и на пути́, в мо́ре, муж
мой у́мер в тифу́. Бли́зких у меня́ оста́лось по́сле того́
на всём све́те то́лько тро́е: племя́нник му́жа, его́ мо-
ло́денькая жена́ и их де́вочка, ребёнок семи́ ме́сяцев.

перебира́ть в па́мяти – to sift in
  one's memory
волше́бный – enchanting
непостижи́мый – incomprehensible

подва́л – basement
торго́вка – street-seller woman
издева́ться – to tease
ва́ше сия́тельство – your Highness
обстоя́тельство – circumstance
торго́вля – street-trade
папа́ха – tall fur hat
расстёгнутый / расстегну́ть – un-
  buttoned
шине́ль – overcoat
коле́чко – кольцо́
кре́стик / крест – crucifix
мехово́й воротни́к – fur collar
поби́тый мо́лью – eaten by moth

пожило́й – elderly
вое́нный в отста́вке – retired officer
племя́нник – nephew
пробира́вшийся / пробира́ться –
  е́хать и́ли идти́ куда́-то та́йно

доброво́льцы – volunteers
ба́ба – дереве́нская же́нщина
ла́пти – bast shoes
истёртый – worn
каза́чий – Cossack
зипу́н – крестья́нское пальто́
с отпу́щенной…бородо́й – with a
  long… beard
про́седь – grey streaks
урага́н – hurricane
несме́тный – innumerable
толпа́ – crowd
бе́женец – refugee
тиф – typhus
свет – здесь: земля́, мир

---

[1] Гали́ция – райо́н в Центра́льной Евро́пе на грани́це По́льши (Poland) и Украи́ны (Ukraine).
[2] Весна́ восемна́дцатого – весна́ 1918 г., по́сле револю́ции 1917 г.
[3] Екатеринода́р – по́сле 1920 г. Краснода́р, го́род на ю́ге Росси́и, центр Бе́лой а́рмии.
[4] Дон, Куба́нь – райо́ны на ю́ге Росси́и, в кото́рых жи́ло мно́го казако́в. Це́нтры Бе́лой а́рмии.
[5] Новоросси́йск – порт на Чёрном мо́ре.

Но и племя́нник с жено́й уплы́ли че́рез не́которое вре́-
мя в Крым[1], к Вра́нгелю[2], оста́вив ребёнка на мои́х
рука́х. Там они́ и пропа́ли бе́з вести. А я ещё до́лго
жила́ в Константино́поле[3], зараба́тывая на себя́ и на
де́вочку о́чень тяжёлым чёрным трудо́м. Пото́м, как
мно́гие, где то́лько не скита́лась я с ней! Болга́рия, Сер-
бия, Че́хия, Бе́льгия, Пари́ж, Ни́цца... Де́вочка давно́
вы́росла, оста́лась в Пари́же, ста́ла совсе́м францу́жен-
кой, о́чень ми́ленькой и соверше́нно равноду́шной ко
мне, служи́ла в шокола́дном магази́не во́зле Мадле́н,
холёными ру́чками с сере́бряными ногтка́ми завёр-
тывала коро́бки в атла́сную бума́гу и завя́зывала их
золоты́ми шнуро́чками; а я жила́ и всё ещё живу́ в
Ни́цце чем Бог пошлёт... Была́ я в Ни́цце в пе́рвый
раз в девятьсо́т двена́дцатом году́ — и могла́ ли ду́-
мать в те счастли́вые дни, чем не́когда ста́нет она́ для
меня́!

Так и пережила́ я его́ смерть, опроме́тчиво сказа́в
когда́-то, что я не переживу́ её. Но, вспомина́я всё то,
что я пережила́ с тех пор, всегда́ спра́шиваю себя́: да,
а что же всё-таки бы́ло в мое́й жи́зни? И отвеча́ю себе́:
то́лько тот холо́дный осе́нний ве́чер. Уже́ли он был
когда́-то? Всё-таки был. И э́то всё, что бы́ло в мое́й
жи́зни, — остально́е нену́жный сон. И я ве́рю, горячо́
ве́рю: где́-то там он ждёт меня́ — с той же любо́вью и
мо́лодостью, как в тот ве́чер. «Ты поживи́, пора́дуйся
на све́те, пото́м приходи́ ко мне...» Я пожила́, пора́-
довалась, тепе́рь уже́ ско́ро приду́.

пропа́сть бе́з вести – to be missing in action

зараба́тывая / зараба́тывать – to earn

скита́ться – to wander

Болга́рия и др. – Bulgaria, Serbia, Czech, Belgium, Paris, Nice

ми́ленькая – ми́лая

равноду́шный – indifferent

служи́ть – рабо́тать

холёный – manicured

ногото́к / но́готь – finger nail

завёртывать – to wrap up

атла́сный – satin

завя́зывать – to tie

шнуро́чек / шнуро́к – string

опроме́тчиво – rashly

уже́ли / неуже́ли – really

горячо́ – ardently

---

[1] Крым – the Crimea.
[2] Вра́нгель П.Н. (1878–1928) – баро́н, один из гла́вных руководи́телей Бе́лой а́рмии.
[3] Константино́поль – Istanbul – са́мый большо́й го́род в Ту́рции (Turkey), до XV ве́ка столи́ца Виза́нтии (Byzantine Empire).

## Работаем с текстом

Определите, какие из высказываний соответствуют истине.

1. Она вспоминает о прошлом через тридцать лет.
2. Очень много было пережито за эти годы.
3. Она жила в Москве в маленькой квартире.
4. Она продавала вещи на рынке, чтобы жить.
5. Она вышла замуж в Екатеринодаре.
6. Муж умер в море, на пути в Турцию.
7. Племянник мужа и его жена оставили ей свою дочь.
8. Они любили путешествовать, поэтому много ездили по Европе.
9. Девочка очень любила её.

Ответьте на вопросы.

1. Где жила героиня весной восемнадцатого года?
2. Чем занималась героиня?
3. За кого она вышла замуж?
4. Почему героиня с мужем уехали в Екатеринодар?
5. Что случилось с мужем героини?
6. Где жила героиня в эмиграции?
7. Когда она была в Ницце первый раз?
8. Что героиня считает самым важным в её жизни?

**Как вы понимаете фразу: «*Ехали мы в Екатеринодар… я бабой в лаптях…*»**

## Учимся говорить

Расскажите о важных событиях в жизни героини после смерти жениха, используя слова:

убит через месяц; прошло тридцать лет; думать о прошлом; жить в Москве; продавать кое-что; встретить человека; выйти замуж; уехать на Дон; отплыть в Турцию; умереть; оставить ребёнка; зарабатывать чёрным трудом; стать француженкой; жить в Ницце; пережить смерть; холодный осенний вечер; ненужный сон.

## Учимся писать

Напишите историю жизни героини, дайте ей имя, фамилию. Например:

(*Она) родилась в 1895 году в богатой семье. В 1912 году вместе с родителями ездила во Францию, ей очень понравилась Ницца. (…)*

## Слова урока

перебирать в памяти; подвал; торговля; расстегнуть; пожилой; племянник; толпа; пропасть без вести; равнодушный; неужели.

| | | | | | |
|---|---|---|---|---|---|
| завёртывать | нсв | *что? чем?* | // | завернуть | св |
| завязывать | нсв | *что? чем?* | // | завязать | св |
| зарабатывать | нсв | *что? чем? на что? для кого?* | // | заработать | св |
| издеваться | нсв | *над кем? над чем?* | // | — | |
| служить | нсв | *где? кем? чем?* | // | — | |

**Проверьте себя**

| | |
|---|---|
| 1. имение | а. чувство невозможности что-нибудь сделать/изменить |
| 2. именины | б. подземная часть дома |
| 3. племянник | в. большое количество людей в одном месте |
| 4. жених | г. процесс, при котором продают и покупают |
| 5. отчаяние | д. день святого, имя которого дали человеку |
| 6. подвал | е. сын сестры или брата |
| 7. торговля | ж. большой дом в деревне |
| 8. толпа | з. тот, кто скоро будет мужем |

**Поставьте слова в скобках в правильную форму, используя предлоги *из-за*, *благодаря*, *от*.**

1. Война началась (убийство австрийского кронпринца). 2. Свадьба была отложена (война). 3. После ужина подали самовар и окна в комнате запотели (пар). 4. (Холод) казалось, что звёзды сверкали ярче. 5. Она не знала, что делать с собой (отъезд жениха). 6. После смерти родителей она жила только (торговля мелкими вещами). 7. Они смогли доехать до Екатеринодара (крестьянская одежда). 8. Её муж умер в море (тиф). 9. Она смогла вырастить девочку (тяжёлый чёрный труд).

## Задания ко всему тексту

В этом рассказе Бунин не даёт имён своим героям, ограничиваясь только местоимениями «Он» и «Она». Как вы думаете, чем это вызвано:

– рассказ идёт от лица героини, и она «не захотела» называть ни своего имени, ни имени своего жениха;
– автор хотел показать универсальность этой трагической истории.

# В ПАРИЖЕ

Э́тот расска́з — из кни́ги «Тёмные алле́и». Исто́рия встре́чи двух эмигра́нтов — пожило́го генера́ла и молодо́й же́нщины, кото́рые о́чень одино́ки. Они́ наде́ются на сча́стье, но со сме́ртью генера́ла умира́ют и все наде́жды.

пожило́й – elderly
генера́л – general
одино́кий – solitary

## 1

Когда́ он был в шля́пе, — шёл по у́лице и́ли стоя́л в ваго́не метро́, — и не ви́дно бы́ло, что его́ ко́ротко стри́женные краснова́тые во́лосы о́стро серебря́тся, по све́жести его́ худо́го, бри́того лица́, по прямо́й вы́правке худо́й, высо́кой фигу́ры в дли́нном непромока́емом пальто́, ему́ мо́жно бы́ло дать не бо́льше сорока́ лет. То́лько све́тлые глаза́ его́ смотре́ли с сухо́й гру́стью, и говори́л и держа́лся он как челове́к, мно́го испыта́вший в жи́зни. Одно́ вре́мя он арендова́л фе́рму в Прова́нсе[1], наслы́шался е́дких прованса́льских шу́ток и в Пари́же люби́л иногда́ вставля́ть их с усме́шкой в свою́ всегда́ сжа́тую речь. Мно́гие зна́ли, что ещё в Константино́поле[2] его́ бро́сила жена́ и что живёт он с тех пор с постоя́нной ра́ной в душе́. Он никогда́ и никому́ не открыва́л та́йны э́той ра́ны, но иногда́ нево́льно намека́л на неё, — неприя́тно шути́л, е́сли разгово́р каса́лся же́нщин:

стри́женный / стричь – to crop, cut
о́стро – sharply
серебри́ться – to gleam silver
пряма́я вы́правка – erect posture
фигу́ра – figure
непромока́емый – waterproof
грусть – sadness
держа́ться – вести́ себя́
испыта́вший / испыта́ть – to experience
арендова́ть – to rent
фе́рма – farm
е́дкий – pungent
вставля́ть – to insert
усме́шка – ирони́чная (ironic) улы́бка
сжа́тый – abrupt

ра́на – wound

нево́льно – involuntarily
намека́ть – to hint

каса́ться – to touch upon

— Rien n'est plus difficile que de reconnaître un bon melon et une femme de bien[3].

Одна́жды, в сыро́й пари́жский ве́чер по́здней о́сенью, он зашёл пообе́дать в небольшу́ю ру́сскую столо́вую в одно́м из тёмных переу́лков во́зле у́лицы

сыро́й – дождли́вый

переу́лок – ма́ленькая у́лица

---

[1] Прова́нс / Прованса́льский – Provence – райо́н на ю́го-восто́ке Фра́нции.

[2] Константино́поль – Istanbul– са́мый большо́й го́род в Ту́рции (Turkey), до XV ве́ка столи́ца Византи́и (Byzantine Empire).

[3] Rien… (франц.) – Нет ничего́ бо́лее тру́дного, как узна́ть хоро́ший арбу́з (water-melon) и поря́дочную (че́стную) же́нщину.

Пасси [1]. При столо́вой бы́ло не́что вро́де гастроно-
ми́ческого магази́на — он бессозна́тельно останови́л-
ся пе́ред его́ широ́ким окно́м, за кото́рым бы́ли вид-
ны́ на подоко́ннике ро́зовые буты́лки ко́нусом с ря-
би́новкой и жёлтые куба́стые с зубро́вкой, блю́до с
засо́хшими жа́реными пирожка́ми, блю́до с посере́в-
шими ру́блеными котле́тами, коро́бка халвы́, коро́б-
ка шпро́тов, да́льше сто́йка, уста́вленная заку́сками,
за сто́йкой хозя́йка с неприя́зненным ру́сским лицо́м.
В магази́не бы́ло светло́, и его́ потяну́ло на э́тот свет
из тёмного переу́лка с холо́дной и то́чно са́льной
мостово́й. Он вошёл, поклони́лся хозя́йке и прошёл в
ещё пусту́ю, сла́бо освещённую ко́мнату, прилега́в-
шую к магази́ну, где беле́ли накры́тые бума́гой сто́-
лики. Там он не спеша́ пове́сил свою́ се́рую шля́пу и
дли́нное пальто́ на рога́ стоя́чей ве́шалки, сел за сто́-
лик в са́мом да́льнем углу́ и, рассе́янно потира́я ру́ки,
стал чита́ть бесконе́чное перечисле́ние заку́сок и ку́-
шаний.

бессозна́тельно – unconsciously
подоко́нник – window-sill
ко́нусом – cone-shaped
ряби́новка – mountain-ash vodka
куба́стый – square, cube-shaped
зубро́вка – Buffalo-gross vodka
засо́хший / засо́хнуть – to dry out
посере́вший / посере́ть – to turn grey
ру́бленый – minced
котле́та – cutlet
халва́ – halva
шпро́ты – sprats
сто́йка – counter
неприя́зненный – unfriendly
потяну́ть – to draw
са́льный – greasy
мостова́я – pavement
поклони́ться – to bow
сла́бо – здесь: dimly
освещённый / освеща́ть – to illumi-
    nate
прилега́вший – adjacent
накры́тый / накры́ть – covered / to
    cover with tablecloth, tableware
рог – horn
ве́шалка – hat-and-coat-stand
рассе́янно – absent-mindedly
потира́я / потира́ть – to rub
перечисле́ние – list, rundown
заку́ски – hors d'oeuvres, appetizers
ку́шанье – dish

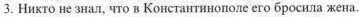

**Работаем
с текстом**

Определите, какие из высказываний соответствуют истине.

1. Ему можно было дать больше сорока лет.
2. Одно время он арендовал ферму в Провансе и любил вставлять в свою речь провансальские шутки.
3. Никто не знал, что в Константинополе его бросила жена.
4. Однажды он зашёл пообедать в небольшую русскую столовую.
5. За стойкой с закусками стояла хозяйка с весёлым русским лицом.
6. Он повесил шляпу и пальто и сел за столик в дальнем углу.

Ответьте на вопросы.

1. Почему герою можно было дать не больше сорока лет?
2. Почему он неприятно шутил, если разговор касался женщин?
3. Куда он зашёл пообедать?

---

[1] Пасси – Passy – улица в Париже, где жило много русских эмигрантов.

**Учимся говорить**

Расскажите, что вы узнали о герое рассказа (его портрет, история), используя слова:

можно дать не больше сорока; жить с раной в душе; неприятно шутить; парижский вечер; поздней осенью; русская столовая; сесть за столик; в самом дальнем углу.

Найдите в тексте две причины, по которым герой зашёл пообедать в русскую столовую.

**Учимся писать**

Напишите, что вы думаете о герое рассказа: его характере, жизни.

**Слова урока**

непромокаемый; грусть; рана; бессознательно; закуски.

| | | | | | | |
|---|---|---|---|---|---|---|
| вставлять | нсв | *что? во что?* | // | вставить | св |
| засохнуть | св | — | // | засыхать | нсв |
| испытать | св | *что? кого?* | // | испытывать | нсв |
| касаться | нсв | *кого? чего?* | // | коснуться | св |
| накрыть | св | *кого? что? чем?* | // | накрывать | св |
| намекать | нсв | *кому? о чём? о ком?* | // | намекнуть | св |
| освещать | нсв | *кого? что? чем?* | // | осветить | св |
| посереть | св | — | // | сереть | нсв |
| потянуть | св | *кого? что? куда?* | // | тянуть | нсв |
| стричь | нсв | *что? кого?* | // | подстричь | св |

# 2

Вдруг его угол осветился, и он увидал безучастно-вежливо подходящую женщину лет тридцати, с чёрными волосами на прямой пробор и чёрными глазами, в белом переднике с прошивками и в чёрном платье.

— Bonsoir, monsieur[1],— сказала она приятным голосом.

Она показалась ему так хороша, что он смутился и неловко ответил:

— Bonsoir... Но вы ведь русская?

— Русская. Извините, образовалась привычка говорить с гостями по-французски.

— Да разве у вас много бывает французов?

безучастно – emotionally distant

с волосами на прямой пробор – with hair parted in the center
передник – apron
прошивка – embroidered appliqués

смутиться – to feel embarrassed / to embarrass
неловко – awkwardly

образоваться – появиться
привычка – habit

---

[1] Bonsoir, monsieur (франц.). – Добрый вечер, сударь.

— Дово́льно мно́го, и все спра́шивают непреме́нно зубро́вку, блины́, да́же борщ. Вы что́-нибудь уже́ вы́брали?

— Нет, тут сто́лько всего́... Вы уж са́ми посове́туйте что́-нибудь.

Она́ ста́ла перечисля́ть зау́ченным то́ном:

— Ны́нче у нас щи фло́тские, битки́ по-каза́цки... мо́жно име́ть отбивну́ю теля́чью котле́тку и́ли, е́сли жела́ете, шашлы́к по-ка́рски...

— Прекра́сно. Бу́дьте добры́ дать щи и битки́.

Она́ подняла́ висе́вший у неё на по́ясе блокно́т и записа́ла на нём кусо́чком карандаша́. Ру́ки у неё бы́ли о́чень бе́лые и благоро́дной фо́рмы, пла́тье поно́шенное, но, ви́дно, из хоро́шего до́ма[1].

— Во́дочки жела́ете?

— Охо́тно. Сы́рость на дворе́ ужа́сная.

— Закуси́ть что прика́жете? Есть чу́дная дуна́йская сельдь, кра́сная икра́ неда́вней полу́чки, коркуно́вские огу́рчики малосо́льные...

Он опя́ть взгляну́л на неё: о́чень краси́в бе́лый пере́дник с про́шивками на чёрном пла́тье, краси́во выда́ются под ним гру́ди си́льной молодо́й же́нщины... по́лные гу́бы не накра́шены, но свежи́, на голове́ про́сто свёрнутая чёрная коса́, но ко́жа на бе́лой руке́ холёная, но́гти блестя́щие и чуть ро́зовые,— ви́ден маникю́р...

— Что я прикажу́ закуси́ть? — сказа́л он, улыба́ясь. — Е́сли позво́лите, то́лько селёдку с горя́чим карто́фелем.

— А вино́ како́е прика́жете?

— Кра́сное. Обыкнове́нное, — како́е у вас всегда́ даю́т к столу́.

Она́ отме́тила на блокно́те и переста́вила с сосе́днего стола́ на его́ стол графи́н с водо́й. Он закача́л голово́й:

---

[1] Пла́тье из хоро́шего до́ма – пла́тье из хоро́шего магази́на.

— Нет, мерси́, ни воды́, ни вина́ с водо́й никогда́
не пью. L'eau gâte le vin comme la charette le chemin et la
femme — l'âme [1].

— Хоро́шего же вы мне́ния о нас! — безразли́чно
отве́тила она́ и пошла́ за во́дкой и селёдкой. Он по-
смотре́л ей вслед — на то, как ро́вно она́ держа́лась,
как колеба́лось на ходу́ её чёрное пла́тье... Да, ве́жли-
вость и безразли́чие, все пова́дки и движе́ния скро́м-
ной и досто́йной служащей. Но дороги́е хоро́шие ту́ф-
ли. Отку́да? Есть, вероя́тно, пожило́й, состоя́тельный
«ami» [2]... Он давно́ не́ был так оживлён, как в э́тот ве́-
чер, благодаря́ ей, и после́дняя мысль возбуди́ла в нём
не́которое раздраже́ние. Да, из го́ду в год, изо дня́ в
день, вта́йне ждёшь то́лько одного́, — счастли́вой
любо́вной встре́чи, живёшь, в су́щности, то́лько на-
де́ждой на э́ту встре́чу — и всё напра́сно...

безразли́чно – indifferently

посмотре́ть вслед – to follow with
   one's eyes
ро́вно держа́ться – to maintain an
   even bearing
колеба́ться – to quiver
пова́дка – habit, mark
скро́мный – modest
досто́йный – worthy
служащий / служащая – employee
пожило́й – elderly
состоя́тельный – wealthy
оживлён / оживлённый – animated
возбуди́ть – to rouse
раздраже́ние – irritation

напра́сно – in vain

## Работаем с текстом

**Определите, какие из высказываний соответствуют истине.**

1. Он увидел женщину лет тридцати с чёрными волосами и чёрными глазами.
2. Она показалась ему очень красивой.
3. Она извинилась, что говорит с гостями по-русски.
4. Он удивился, что в русскую столовую приходит много французов.
5. Она помогла ему выбрать блюда.
6. На ней было новое и недорогое чёрное платье.
7. Он всегда пил вино с водой.
8. Она держалась вежливо и безразлично.
9. В этот вечер он был очень оживлён.

**Ответьте на вопросы.**

1. Почему герой смутился, когда женщина поздоровалась с ним?
2. Почему женщина говорила по-французски в русской столовой?
3. Что он заказал на ужин?
4. Почему он подумал, что у женщины есть состоятельный друг?
5. Почему он был оживлён в этот вечер?

---

[1] L'eau... (франц.) – Вода портит (to spoil) вино так же, как повозка (horse-drawn vehicle) дорогу и как женщина душу.

[2] Ami (франц.) – друг.

**Учимся говорить**

Расскажите, что вы узнали о героине (её портрет, характер), используя слова:

женщина лет тридцати; чёрные глаза; говорить с гостями по-французски; выбрать; щи; сельдь с горячим картофелем; белые руки; дорогие хорошие туфли; вежливость и безразличие; ждать счастливой любовной встречи.

Докажите примерами, что женщина, работающая в столовой, заинтересовала героя.

**Учимся писать**

Напишите небольшую историю о том, как вы встретились / познакомились с каким-нибудь новым человеком: как и где это произошло, почему вы помните об этой встрече до сих пор.

**Слова урока**

неловко; привычка; блины; накрасить губы; кожа; ногти; безразличие; скромный; достойный; пожилой; раздражение; напрасно.

| | | | | | |
|---|---|---|---|---|---|
| взглянуть | св | *на кого? на что? как?* | // | — | |
| возбудить | св | *кого? что? в ком?* | // | возбуждать | нсв |
| закусить | св | *что? чем?* | // | закусывать | нсв |
| колебаться | нсв | — | // | заколебаться | св |
| накрасить | св | *кого? что? чем?* | // | красить | нсв |
| перечислять | нсв | *что? кого? как?* | // | перечислить | св |
| смутиться | св | —; *от чего?* | // | смущаться | нсв |

# 3

На другóй день он опя́ть пришёл и сел за свой сто́лик. Она́ была́ сперва́ занята́, принима́ла зака́з двух францу́зов и вслух повторя́ла, отмеча́я на блокно́те:

*принима́ть зака́з – to take an order*
*вслух – aloud*

— Caviar rouge, salade russe... Deux chachlyks [1]...

Пото́м вы́шла, верну́лась и пошла́ к нему́ с лёгкой улы́бкой, уже́ как к знако́мому:

— До́брый ве́чер. Прия́тно, что вам у нас понра́вилось.

Он ве́село приподня́лся:

— До́брого здоро́вья. О́чень понра́вилось. Как вас велича́ть прика́жете?

*велича́ть – звать*

— О́льга Алекса́ндровна. А вас, позво́льте узна́ть?

*позво́льте... – разреши́те...*

---

[1] Caviar rouge... (франц.) — красная икра, салат по-русски, два шашлыка.

— Никола́й Плато́ныч.

Они́ пожа́ли друг дру́гу ру́ки, и она́ подняла́ блокно́т:

пожа́ть ру́ки – to shake hands

— Ны́нче у нас чу́дный рассо́льник. По́вар у нас замеча́тельный, на я́хте у вели́кого кня́зя Алекса́ндра Миха́йловича служи́л.

рассо́льник – суп с солёными огурца́ми
по́вар – cook
я́хта – yacht
вели́кий князь – Grand Duke
служи́ть – работать

— Прекра́сно, рассо́льник так рассо́льник... А вы давно́ тут рабо́таете?

— Тре́тий ме́сяц.

— А ра́ньше где?

— Ра́ньше была́ продавщи́цей в Printemps.

— Ве́рно, и́з-за сокраще́ний лиши́лись ме́ста?

— Да, по до́брой во́ле не ушла́ бы.

продавщи́ца / продаве́ц – sales-woman
сокраще́ние – staff lay-off
лиши́ться – потеря́ть
во́ля – здесь: жела́ние

Он с удово́льствием поду́мал, что, зна́чит, де́ло не в «ami»,— и спроси́л:

— Вы заму́жняя?

— Да.

— А муж ваш что де́лает?

— Рабо́тает в Югосла́вии. Бы́вший уча́стник бе́лого движе́ния[1]. Вы, вероя́тно, то́же?

Югосла́вия – Yugoslavia
бы́вший – former

— Да, уча́ствовал и в вели́кой[2] и в гражда́нской войне́.

— Э́то сра́зу ви́дно. И, вероя́тно, генера́л, — сказа́ла она́, улыба́ясь.

— Бы́вший. Тепе́рь пишу́ исто́рии э́тих войн по зака́зам ра́зных иностра́нных изда́тельств... Как же э́то вы одна́?

изда́тельство – publishing house

— Так вот и одна́...

На тре́тий ве́чер он спроси́л:

— Вы лю́бите синема́[3]?

Она́ отве́тила, ста́вя на стол ми́сочку с борщо́м:

ми́сочка / ми́ска – bowl

— Иногда́ быва́ет интере́сно.

---

[1] Бе́лое движе́ние – Бе́лая армия, так называ́ли армию, кото́рая объедини́ла проти́вников революции.
[2] Вели́кая война́ – Первая мировая война 1914–1918 гг.
[3] Синема́ (франц. cinéma) – кино.

— Вот тепе́рь идёт в синема́ «Etoile» како́й-то, гово́рят, замеча́тельный фильм. Хоти́те пойдём посмо́трим? У вас есть, коне́чно, выходны́е дни?

— Мерси́[1]. Я свобо́дна по понеде́льникам.

— Ну вот и пойдём в понеде́льник. Ны́нче что? Суббо́та? Зна́чит, послеза́втра. Идёт?

*Идёт? – Is that all right?*

— Идёт. За́втра вы, очеви́дно, не придёте?

*очеви́дно – obviously*

— Нет, е́ду за́ город, к знако́мым. А почему́ вы спра́шиваете?

— Не зна́ю... Э́то стра́нно, но я уж ка́к-то привы́кла к вам.

Он благода́рно взгляну́л на неё и покрасне́л:

— И я к вам. Зна́ете, на све́те так ма́ло счастли́вых встреч...

*на све́те – in the world*

И поспеши́л переме́ни́ть разгово́р:

*поспеши́ть – to hasten*
*перемени́ть – измени́ть*

— Ита́к, послеза́втра. Где же нам встре́титься? Вы где живёте?

— Во́зле метро́ Motte-Picquet.

— Ви́дите, как удо́бно,— прямо́й путь до Etoile. Я бу́ду ждать вас там при вы́ходе из метро́ ро́вно в во́семь с полови́ной.

— Мерси́.

Он шутли́во поклони́лся:

*поклони́ться – to bow*

— C'est moi qui vous remercie[2]. Уложи́те дете́й,— улыба́ясь, сказа́л он, что́бы узна́ть, нет ли у неё ребёнка,— и приезжа́йте.

— Сла́ва Бо́гу, э́того добра́ у меня́ нет,— отве́тила она́ и пла́вно понесла́ от него́ таре́лки.

*Сла́ва Бо́гу! – Thank God!*
*пла́вно – gracefully*

Он был и растро́ган и хму́рился, идя́ домо́й. «Я уже́ привы́кла к вам...» Да, мо́жет быть, э́то и есть долгожда́нная счастли́вая встре́ча. То́лько по́здно, по́здно. Le bon Dieu envoie toujours des culottes à ceux qui n'ont pas de derrière[3]...

*растро́ган / растро́гать – to touch*
*хму́риться – to frown*

---

[1] Мерси́ (франц. merci) – спасибо.
[2] C'est... (франц.) – Это я вас благодарю.
[3] Le bon... (франц.) – Милосердный (merciful) господь (Бог) всегда дает штаны (брюки) тем, у кого нет зада (backside)...

**Работаем с текстом**

Определите, какие из высказываний соответствуют истине.

1. Он пришёл в столовую через день.
2. Она поздоровалась с ним как со знакомым.
3. Она сказала, что повар раньше работал на яхте у великого князя.
4. Ольга Александровна работала раньше продавщицей в магазине, но там ей не понравилось.
5. Её муж работал в Югославии.
6. Николай Платонович пишет историю Первой мировой и Гражданской войн.
7. Она согласилась пойти в кино, хотя кино не любила.
8. Ему не понравилось, что она уже привыкла к нему.
9. Они договорились встретиться в понедельник у метро в половине девятого.

Ответьте на вопросы.

1. Как она встретила его на следующий день?
2. Где Ольга Александровна работала раньше?
3. Чем занимается бывший генерал?
4. Куда генерал пригласил Ольгу Александровну?
5. Какие слова Ольги Александровны обрадовали генерала?

**Учимся говорить**

Расскажите, что нового вы узнали о героях (их истории), используя слова:

опять прийти; принимать заказ; как к знакомому; пожать друг другу руки; продавщица; (быть) замужем; участник белого движения; бывший генерал; писать истории войн; на третий вечер; идёт замечательный фильм; возле метро.

**Учимся писать**

Напишите, о чём говорили герои, используйте косвенную речь (indirect speech). Например:

– Добрый вечер…
– Доброго здоровья… — *Они поздоровались* и т. д.

**Слова урока**

вслух; повар; продавщица; сокращение; издательство; – Идёт?; на свете; переменить разговор; – Слава Богу!; хмуриться.

| | | | | | |
|---|---|---|---|---|---|
| переменить | св | *что?* | // | переменять | нсв |
| пожать | св | *кому? что?* | // | жать | нсв |
| поклониться | св | *кому? чему?* | // | кланяться | нсв |
| поспешить | св | *+ inf. / к кому? куда?* | // | спешить | нсв |

# 4

Ве́чером в понеде́льник шёл дождь, мгли́стое не́бо над Пари́жем му́тно красне́ло. Наде́ясь поу́жинать с ней на Монпарна́се[1], он не обе́дал, зашёл в кафе́ на Chaussée de la Muette, съел са́ндвич с ветчино́й, вы́пил кру́жку пи́ва и, закури́в, сел в такси́. У вхо́да в метро́ Etoile останови́л шофёра и вы́шел под дождь на тротуа́р. Из метро́ несло́ ба́нным ве́тром, гу́сто и черно́ поднима́лся по ле́стницам наро́д, раскрыва́я на ходу́ зо́нтики, газе́тчик ре́зко выкри́кивал во́зле него́ назва́ния вече́рних вы́пусков. Внеза́пно в подыма́в-шейся толпе́ показа́лась она́. Он ра́достно дви́нулся к ней навстре́чу:

— О́льга Алекса́ндровна...

Наря́дно и мо́дно оде́тая, она́ свобо́дно, не так, как в столо́вой, подняла́ на него́ черно́-подведённые глаза́, да́мским движе́нием подала́ ру́ку, на кото́рой ви-се́л зо́нтик, подхвати́в друго́й подо́л дли́нного вече́р-него пла́тья,— он обра́довался ещё бо́льше: «Вече́р-нее пла́тье,— зна́чит, то́же ду́мала, что по́сле синема́ пое́дем куда́-нибудь»,— и отверну́л край её перча́тки, поцелова́л кисть бе́лой руки́.

— Бе́дный, вы до́лго жда́ли?

— Нет, я то́лько что прие́хал. Идём скоре́й в такси́...

И с давно́ не испы́танным волне́нием он вошёл за ней в полутёмную па́хнущую сыры́м сукно́м каре́ту. На поворо́те каре́ту си́льно качну́ло, вну́тренность её на мгнове́ние освети́л фона́рь,— он нево́льно под-держа́л её за та́лию, почу́вствовал за́пах пу́дры от её щеки́, увида́л её кру́пные коле́ни под вече́рним чёр-ным пла́тьем, блеск чёрного гла́за и по́лные в кра́с-ной пома́де гу́бы: совсе́м друга́я же́нщина сиде́ла те-пе́рь во́зле него́.

мгли́стый – hazy
му́тно – dimly

са́ндвич – sandwich
ветчина́– ham
кру́жка – mug

тротуа́р – sidewalk
ба́нный – здесь: горя́чий
гу́сто – thickly
газе́тчик – челове́к, кото́рый про-
    даёт газе́ты
ре́зко – sharply
выкри́кивать – to shout out
вы́пуск – issue
толпа́ – crowd
показа́ться – to appear

наря́дно – smartly

подведённый / подводи́ть – здесь:
    to make up with eyeliner

подхвати́в / подхвати́ть – to hold up
подо́л – hem
отверну́ть – to fold back
край – edge
кисть – hand
испы́танный / испыта́ть – experien-
    ced / to experience
волне́ние – excitement
па́хнущий / па́хнуть – to smell
сукно́ – broadcloth
каре́та – coach, здесь: ста́рое на-
    зва́ние автомоби́ля
поворо́т – turn
качну́ть – to sway
вну́тренность – interior
мгнове́ние – moment
освети́ть – to illuminate
фона́рь – street-lamp
нево́льно – instinctively
поддержа́ть – to support
та́лия – waist
за́пах – smell
пу́дра – powder
кру́пный – strong
коле́но – knee
блеск – glitter
пома́да – lipstick

---

[1] Монпарна́с (Montparnasse) – райо́н в Пари́же.

В тёмном за́ле, гля́дя на сия́ющую белизну́ экра́на, по кото́рой ко́со лета́ли и па́дали в облака́х аэропла́ны, они́ ти́хо перегова́ривались:

— Вы одна́ и́ли с како́й-нибудь подру́гой живёте?

— Одна́. В су́щности, ужа́сно. Оте́льчик чи́стый, тёплый, но, зна́ете, из тех, куда́ мо́жно зайти́ на́ ночь и́ли на часы́ с деви́цей... Шесто́й эта́ж, ли́фта, коне́чно, нет, на четвёртом этаже́ кра́сный ко́врик на ле́стнице конча́ется... Но́чью, в дождь стра́шная тоска́. Раскро́ешь окно́ — ни души́ нигде́, совсе́м мёртвый го́род, Бог зна́ет где́-то внизу́ оди́н фона́рь под дождём... А вы, коне́чно, холосто́й и то́же в оте́ле живёте?

— У меня́ небольша́я кварти́рка в Пасси́. Живу́ то́же оди́н. Да́вний парижа́нин. Одно́ вре́мя жил в Прова́нсе, снял фе́рму, хоте́л удали́ться от всех и ото всего́, жить труда́ми рук свои́х — и не вы́нес э́тих трудо́в. Взял в помо́щники одного́ казачка́, оказа́лся пья́ница, мра́чный, стра́шный во хмелю́ челове́к, завёл кур, кро́ликов — до́хнут, мул одна́жды чуть не загры́з меня́,— о́чень зло́е и у́мное живо́тное... И, гла́вное, по́лное одино́чество. Жена́ меня́ ещё в Константино́поле бро́сила.

— Вы шу́тите?

— Ничу́ть. Исто́рия о́чень обыкнове́нная. Qui se marie par amour a bonnes nuits et mauvais jours[1]. А у меня́ да́же и того́ и друго́го бы́ло о́чень ма́ло. Броси́ла на второ́й год заму́жества.

— Где же она́ тепе́рь?

— Не зна́ю...

Она́ до́лго молча́ла. По экра́ну дура́цки бе́гал в огро́мных башмака́х и в котелке́ на́бок како́й-то подража́тель Ча́плина[2].

— Да, вам, ве́рно, о́чень одино́ко,— сказа́ла она́.

---

[1] Qui se marie... (франц.) – Кто женится по любви, тот имеет хорошие ночи и скверные (плохие) дни.
[2] Ча́плин (Charles Chaplin, 1889–1977) – английский и американский актёр и режиссёр.

---

сия́ющий / сия́ть – to shine, glisten
белизна́ – whiteness
экра́н – screen
ко́со – slantwise
о́блако – cloud

оте́льчик / оте́ль – hotel

ко́врик – ковёр
тоска́ – misery

холосто́й – bachelor

снять – здесь: to rent
удали́ться – to distance oneself
вы́нести – to stand, to bear
казачо́к – каза́к
пья́ница – drunkard
мра́чный – morose
хмель – intoxication
заводи́ть – здесь: to raise
кро́лик – rabbit
до́хнуть – (разг.) умира́ть
мул – mule
загры́зть – to bit smb. to death
одино́чество – solitude
бро́сить – to abandon

дура́цки – crazily
башмаки́ – боти́нки
котело́к – bowler-hat
на́бок – on one side
подража́тель – imitator

— Да. Но что ж, надо терпеть. Patience — médecine des pauvres[1].

— Óчень грустная médecine.

— Да, невесёлая. До того,— сказал он, усмехаясь,— что я иногда даже в «Иллюстрированную Россию»[2] заглядывал,— там, знаете, есть такой отдел, где печатается нечто вроде брачных и любовных объявлений: «Русская девушка из Латвии скучает и желала бы переписываться с чутким русским парижанином, прося при этом прислать фотографическую карточку... Серьёзная дама шатенка, не модерн, но симпатичная, вдова с девятилетним сыном, ищет переписки с серьёзной целью с трёзвым господином не моложе сорока лет, материально обеспеченным шофёрской или какой-либо другой работой, любящим семейный уют. Интеллигентность не обязательна...» Вполне её понимаю — не обязательна.

— Но разве у вас нет друзей, знакомых?

— Друзей нет. А знакомства плохая утеха.

— Кто же ваше хозяйство ведёт?

— Хозяйство у меня скромное. Кофе варю себе сам, завтрак готовлю тоже сам. К вечеру приходит femme de ménage[3].

— Бедный! — сказала она, сжав его руку.

И они долго сидели так, рука с рукой, соединённые сумраком, близостью мест, делая вид, что смотрят на экран. Он наклонился к ней:

— Знаете что? Поедемте куда-нибудь на Монпарнас, например, тут ужасно скучно и дышать нечем...

Она кивнула головой и стала надевать перчатки.

Снова сев в полутёмную карету и глядя на искристые от дождя стёкла, то и дело загоравшиеся разноцветными алмазами от фонарных огней и переливав-

---

терпеть – to be patient

грустный – sorrowful

усмехаясь / усмехаться – to chuckle

заглядывать – смотреть
отдел – section
брачный – marriage
Латвия – Latvia
скучать – to be bored
чуткий – sensitive
парижанин – житель Парижа

шатенка / шатен – brown-haired
модерн – modern, здесь: модный тип
вдова – widow
трёзвый – sober
обеспеченный – secure, well-off

уют – comfort

утеха – consolation
вести хозяйство – to run a household

сжав / сжать – to press
соединённый / соединить – united / to unite
сумрак – darkness
делать вид – to pretend
наклониться – to lean towards

кивнуть – to nod

искристый – sparkling
загоравшийся / загораться – to glow

алмаз – diamond

---

[1] Patience... (франц.) – Терпение – медицина бедных.
[2] «Иллюстрированная Россия» – журнал, который выходил в Париже (1924–1939).
[3] Femme de ménage (франц.) – приходящая домашняя работница.

шихся в чёрной вышине́ то кро́вью, то рту́тью рек-
ла́м, он опя́ть отверну́л край её перча́тки и продол-
жи́тельно поцелова́л ру́ку. Она́ посмотре́ла на него́
то́же стра́нно искря́щимися глаза́ми с у́гольно-кру́п-
ными ресни́цами и любо́вно-гру́стно потяну́лась к
нему́ лицо́м, по́лными, с сла́дким пома́дным вку́сом
губа́ми.

переливавшийся / переливаться –
    to change shades of color
вышина́ – height
ртуть – mercury
рекла́ма – advertisement
продолжи́тельно – долго
у́гольно – здесь: чёрно
ресни́цы – eyelashes
потяну́ться – здесь: to lean

## Работаем с текстом

Определите, какие из высказываний соответствуют истине.
1. Он надеялся поужинать с ней, поэтому не обедал.
2. Он приехал к метро на такси.
3. Она была красиво и модно одета, в вечернем длинном платье.
4. Они почти не разговаривали, глядя на экран.
5. Она жила в маленьком отеле с подругой.
6. У него была небольшая квартира.
7. Он не смог жить на ферме, потому что был одинок.
8. Она посоветовала ему почитать брачные объявления в газетах.
9. Им понравился фильм, но в зале было нечем дышать.

Ответьте на вопросы.
1. Где генерал ждал Ольгу Александровну?
2. Почему генерал обрадовался, увидев Ольгу Александровну в вечернем платье?
3. Почему в такси генералу показалось, что Ольга Александровна стала другой женщиной?
4. Где жила Ольга Александровна?
5. Почему генерал читал брачные объявления?
6. Куда они решили поехать из кино?

## Учимся говорить

Расскажите, что нового вы узнали о героях.  Используйте в рассказе слова:
остановить шофёра; выйти под дождь; модно одетая; вечернее платье; в тёмном зале тихо переговариваться; чистый отельчик; небольшая квартирка; очень одиноко; любовные объявления; желать переписываться; вести хозяйство; сидеть рука с рукой; ужасно скучно.

Найдите в тексте причины, почему они ушли из кино. Докажите, что были другие причины, чтобы уйти из кинотеатра.

## Учимся писать

Напишите, что вы думаете о знакомствах через газеты.

| **Слова урока** | ветчина; кружка; край; испытать волнение; поворот; фонарь; запах; колено; экран; облако; набок; отдел; вести хозяйство. | | |

| бросить | св | *кого? что?* | // | бросать | нсв |
|---|---|---|---|---|---|
| выкрикивать | нсв | *что? как?* | // | выкрикнуть | св |
| делать вид | нсв | *перед кем? перед чем?* | // | сделать вид | св |
| загораться | нсв | *—* | // | загореться | св |
| наклониться | св | *к кому? к чему? над кем? над чем?* | // | наклоняться | нсв |
| не вынести | св | *кого? что?* | // | не выносить | нсв |
| пахнуть | нсв | *чем?* | // | запáхнуть | св |
| поддержать | св | *кого? что? за что? в чём?* | // | поддерживать | нсв |
| показаться | св | *кому?* | // | казаться | нсв |
| скучать | нсв | *с кем? от чего?* | // | заскучать | св |
| снять | св | *что? у кого?* | // | снимать | нсв |
| соединить | св | *кого? что? с кем? с чем?* | // | соединять | нсв |
| терпеть | нсв | *кого? что?* | // | — | |

# 5

В кафе́ «Coupole» на́чали с у́стриц и анжу́, пото́м заказа́ли куропа́ток и кра́сного бордо́. За ко́фе с жёлтым шартре́зом о́ба слегка́ охмеле́ли. Мно́го кури́ли, пе́пельница была́ полна́ её окрова́вленными оку́рками. Он среди́ разгово́ра смотре́л на её разгоре́вшееся лицо́ и ду́мал, что она́ вполне́ краса́вица.

— Но скажи́те пра́вду,— говори́ла она́,— ведь бы́ли же у вас встре́чи за э́ти го́ды?

— Бы́ли. Но вы дога́дываетесь, како́го ро́да. Ночны́е оте́ли... А у вас?

Она́ помолча́ла:

— Была́ одна́ о́чень тяжёлая исто́рия... Нет, я не хочу́ говори́ть об э́том. Мальчи́шка, сутенёр в су́щности... Но как вы разошли́сь с жено́й?

— Посты́дно. То́же был мальчи́шка, краса́вец гречо́нок, чрезвыча́йно бога́тый. И в ме́сяц-два не оста́лось и следа́ от чи́стой, тро́гательной де́вочки,

у́стрица – oyster
анжу́ – францу́зское вино́
куропа́тка – partridge
бордо́ – францу́зское кра́сное вино́
шартре́з – францу́зское вино́
охмеле́ть – to get drunk
пе́пельница – ash-tray
окрова́вленный – blood-stained
оку́рок – end of cigarette
разгоре́вшийся / разгоре́ться – to grow heated, warm

дога́дываться – to guess

сутенёр – souteneur, pimp
в су́щности – really
разойти́сь – to separate
посты́дно – shamefully
гречо́нок / грек – Greek
чрезвыча́йно – extremely
след – trace
тро́гательный – touching

кото́рая про́сто моли́лась на Бе́лую а́рмию, на всех на нас. Ста́ла у́жинать с ним в са́мом дорого́м кабаке́ в Пера́[1], получа́ть от него́ гига́нтские корзи́ны цвето́в... «Не понима́ю, неуже́ли ты мо́жешь ревнова́ть меня́ к нему́? Ты весь день за́нят, мне с ним ве́село, он для меня́ про́сто ми́лый ма́льчик и бо́льше ничего́...» Ми́лый ма́льчик! А само́й два́дцать лет. Нелегко́ бы́ло забы́ть её, — пре́жнюю, екатеринода́рскую[2]...

Когда́ по́дали счёт, она́ внима́тельно просмотре́ла его́ и не веле́ла дава́ть бо́льше десяти́ проце́нтов на прислу́гу. По́сле э́того им обо́им показа́лось ещё страннне́е расста́ться че́рез полчаса́.

— Пое́демте ко мне,— сказа́л он печа́льно.— Посиди́м, поговори́м ещё...

— Да, да,— отве́тила она́, встава́я, беря́ его́ по́д руку и прижима́я её к себе́.

Ночно́й шофёр, ру́сский, привёз их в одино́кий переу́лок, к подъе́зду высо́кого до́ма, во́зле кото́рого в металли́ческом све́те га́зового фонаря́ сы́пался дождь на жестяно́й чан с отбро́сами. Вошли́ в освети́вшийся вестибю́ль, пото́м в те́сный лифт и ме́дленно потяну́лись вверх, обня́вшись и ти́хо целу́ясь. Он успе́л попа́сть ключо́м в замо́к свое́й две́ри, пока́ не пога́сло электри́чество, и ввёл её в прихо́жую, пото́м в ма́ленькую столо́вую, где в лю́стре ску́чно зажгла́сь то́лько одна́ ла́мпочка. Ли́ца у них бы́ли уже́ уста́лые. Он предложи́л ещё вы́пить вина́.

— Нет, дорого́й мой,— сказа́ла она́,— я бо́льше не могу́.

Он стал проси́ть:

— Вы́пьем то́лько по бока́лу бе́лого, у меня́ стои́т за окно́м отли́чное пуи́.

---

моли́ться – to pray

каба́к (разг.) – рестора́н

корзи́на – basket

ревнова́ть – to be jealous of

пре́жний – former

счёт – bill

веле́ть – to give on order or command

прислу́га – waiter

расста́ться – to part

прижима́я / прижима́ть – to press

переу́лок – ма́ленькая у́лица
подъе́зд – entrance

сы́паться – to trickle
жестяно́й чан – tin can
отбро́сы – garbage
вестибю́ль – vestibule
те́сный – narrow
потяну́ться – здесь: пое́хать
обня́вшись / обня́ться – to embrace
попа́сть – to get into
замо́к – lock
пога́снуть – to put out
лю́стра – chandelier
зажже́чься – to burn
ла́мпочка – bulb

бока́л – wine glass

пуи́ – францу́зское вино́

---

¹ Пера́ – райо́н в Константино́поле (Стамбу́ле).
² Екатеринода́рский / Екатеринода́р – ста́рое назва́ние (до 1920 г.) го́рода Краснода́ра (Юг Росси́и). Центр Бе́лой а́рмии.

— Пейте, ми́лый, а я пойду́ разде́нусь и помо́юсь.
И спать, спать. Мы не де́ти, вы, я ду́маю, отли́чно
зна́ли, что раз я согласи́лась е́хать к вам... И вообще́,
заче́м нам расстава́ться?

Он от волне́ния не мог отве́тить, мо́лча провёл её
в спа́льню, освети́л её и ва́нную ко́мнату, дверь в ко-
то́рую была́ из спа́льни откры́та. Тут ла́мпочки горе́-
ли я́рко, всю́ду шло тепло́ от то́пок, меж тем как по
кры́ше бе́гло и ме́рно стуча́л дождь. Она́ то́тчас ста́ла
снима́ть че́рез го́лову дли́нное пла́тье.

Он вы́шел, вы́пил подря́д два бока́ла ледяно́го,
го́рького вина́ и не мог удержа́ть себя́, опя́ть пошёл в
спа́льню. В спа́льне, в большо́м зе́ркале на стене́ на-
про́тив, я́рко отража́лась освещённая ва́нная ко́мна-
та. Она́ стоя́ла спино́й к нему́, вся го́лая, бе́лая, кре́п-
кая, наклони́вшись над умыва́льником, мо́я ше́ю и
гру́ди.

— Нельзя́ сюда́! — сказа́ла она́ и, наки́нув купа́ль-
ный хала́т, не закры́в налиты́е гру́ди, бе́лый си́льный
живо́т и бе́лые туги́е бёдра, подошла́ и как жена́ об-
няла́ его́. И как жену́ о́бнял и он её, всё её прохла́дное
те́ло, целу́я ещё вла́жную грудь, па́хнущую туале́тным
мы́лом, глаза́ и гу́бы, с кото́рых она́ уже́ вы́терла
кра́ску...

Че́рез день, оста́вив слу́жбу, она́ перее́хала к нему́.

Одна́жды зимо́й он уговори́л её взять на своё и́мя
сейф в Лио́нском креди́те и положи́ть туда́ всё, что
им бы́ло зарабо́тано:

— Предосторо́жность никогда́ не меша́ет, — гово-
ри́л он. — L'amour fait danser les ânes[1], и я чу́вствую
себя́ так, то́чно мне два́дцать лет. Но ма́ло ли что мо́-
жет быть...

---

волне́ние – excitement

освети́ть – to switch on lights

то́пка – heater
бе́гло – бы́стро
ме́рно – evenly
стуча́ть – to top

ледяно́й – icy

отража́ться – to be reflected
го́лый – naked
кре́пкий – strong
наклони́вшись / наклони́ться – to
   lean over
умыва́льник – wash-basin
наки́нув / наки́нуть – to throw on
купа́льный хала́т – bathrobe
налито́й – plump
туго́й – tight
бедро́ – hip
обня́ть – to embrace
прохла́дный – cool
вла́жный – damp
па́хнущий / па́хнуть – smelling / to
   smell
вы́тереть – to wipe off
кра́ска – make-up

уговори́ть – to persuade

зарабо́тано / зарабо́тать – to earn

предосторо́жность – precaution

---

[1] L'amour fait danser... (франц.) – Любо́вь заставля́ет (заставля́ть – to force) да́же ослов (осёл – donkey)
танцева́ть.

На тре́тий день Па́схи он у́мер в ваго́не метро́, — чита́я газе́ту, вдруг отки́нул к спи́нке сиде́нья го́лову, завёл глаза́...

Когда́ она́, в тра́уре, возвраща́лась с кла́дбища, был ми́лый весе́нний день, ко́е-где плы́ли в мя́гком пари́жском не́бе весе́нние облака́, и всё говори́ло о жи́зни ю́ной, ве́чной — и о её, ко́нченой.

До́ма она́ ста́ла убира́ть кварти́ру. В коридо́ре, в плака́ре[1], увида́ла его́ да́внюю ле́тнюю шине́ль, се́рую, на кра́сной подкла́дке. Она́ сняла́ её с ве́шалки, прижа́ла к лицу́ и, прижима́я, се́ла на́ пол, вся дёргаясь от рыда́ний и вскри́кивая, моля́ кого́-то о поща́де.

Па́сха – Easter
отки́нуть – to toss back
спи́нка – back
сиде́нье – seat

в тра́уре – in mourning
кла́дбище – cemetery

ве́чный – everlasting
шине́ль – overcoat
подкла́дка – lining
снять – to take down
прижима́я / прижима́ть – to press
дёргаясь / дёргаться – to convulse
рыда́ние – sob
вскри́кивая / вскри́кивать – to shout
    imploringly
моля́ / моли́ть – to pray
поща́да – mercy

## Работаем с текстом 🔑

Определите, какие из высказываний соответствуют истине.

1. В ресторане они пили французское вино, много курили.
2. Она не хотела говорить о своих встречах в прошлом.
3. Он со смехом рассказал о том, как развёлся с женой.
4. После ресторана им показалось странным расстаться через полчаса.
5. Он пригласил её к себе домой.
6. Он много говорил от волнения.
7. Она переехала к нему через несколько дней.
8. Она уговорила его положить все деньги на своё имя.
9. Он знал, что скоро умрёт, потому что плохо себя чувствовал в последнее время.

Ответьте на вопросы.

1. О чём думал генерал среди разговора в ресторане?
2. О чём они говорили?
3. Почему генерал разошёлся с женой?
4. На какой вопрос Ольги Александровны генерал не мог ответить от волнения?
5. Почему Ольга Александровна оставила службу?
6. Почему генерал уговорил Ольгу Александровну положить всё, что им было заработано, в сейф на её имя?

[1] Плака́р (франц. placard) – стенной шкаф.

**Учимся говорить**

Расскажите о событиях этой части.

в кафе; смотреть на лицо; красавица; разойтись с женой; чистая девочка; нелегко забыть; казалось странно расстаться через полчаса; подъезд высокого дома; тихо целоваться; предложить выпить вина; снимать длинное платье; обнять как жену; переехать к нему; умереть в вагоне метро.

Найдите в тексте причины, почему генералу и Ольге Александровне показалось странным расстаться через полчаса.

**Учимся писать**

Напишите маленький рассказ от лица героини о том, как она познакомилась с генералом и что случилось потом.

**Слова урока**

в сущности; не осталось и следа; прежний; счёт; замок; лампочка; ледяной; отражаться; голый; умывальник; сиденье.

| | | | | | |
|---|---|---|---|---|---|
| вытереть | св | *что? чем?* | // | вытирать | нсв |
| догадываться | нсв | *о чём?* | // | догадаться | св |
| заработать | св | *что? на что? для кого? для чего?* | // | зарабатывать | нсв |
| заставлять | нсв | *кого? / +inf.* | // | заставить | св |
| молить | нсв | *кого? о чём?* | // | — | |
| молиться | нсв | *кому? за кого? за что?* | // | помолиться | св |
| накинуть | св | *что? на что* | // | накидывать | нсв |
| обняться | св | *с кем?* | // | обниматься | нсв |
| отражаться | нсв | *в чём? в ком?* | // | отразиться | св |
| погаснуть | св | *—* | // | гаснуть | нсв |
| попасть | св | *чем? во что?* | // | попадать | нсв |
| прижимать | нсв | *кого? что? к кому? к чему?* | // | прижать | св |
| разойтись | св | *с кем?* | // | расходиться | нсв |
| расстаться | св | *с кем? с чем?* | // | расставаться | нсв |
| ревновать | нсв | *кого? к кому? к чему?* | // | — | |
| снять | св | *что? с чего?* | // | снимать | нсв |
| стучать | нсв | *по чему? чем? во что?* | // | постучать | св |

**Проверьте себя**

| | |
|---|---|
| 1. усмешка | а. документ (обычно в ресторане), по которому надо платить |
| 2. переулок | б. часть стула, на которой сидят |
| 3. вешалка | в. ироничная улыбка |
| 4. закуска | г. на это вешают одежду |
| 5. привычка | д. готовить еду – его профессия |
| 6. повар | е. лёгкая еда, которую подают перед обедом |
| 7. поворот | ж. небольшая, узкая улица |
| 8. подъезд | з. вход в здание |
| 9. счёт | и. место, с которого можно поехать или пойти по другой улице |
| 10. замо́к | к. то, что закрывает дверь с помощью ключа |
| 11. сиденье | л. обычное, постоянное действие. |

## Задания ко всему тексту

1. Найдите в тексте описание городского пейзажа (ч. 1, 4, 5). Какое настроение он создаёт?

2. В тексте присутствуют знаки-символы, которые создают чувство тревоги. Можете ли вы назвать их?

3. Почему автор закончил рассказ так трагически?

4. Какой финал вы ожидали? Предложите свой вариант.

# А.Т. Аверченко

Арка́дий Тимофе́евич Аве́рченко (1881, Севасто́-
поль — 1925, Пра́га). Созда́тель и реда́ктор знаме-
ни́того в России сатири́ческого и юмористи́ческого
журна́ла «Сатирико́н», в ка́ждый но́мер кото́рого пи-
са́л по расска́зу. Его́ называ́ли «королём сме́ха». В
середи́не 1918 г. журна́л был закры́т. Аве́рченко сна-
ча́ла уезжа́ет на Украи́ну, а зате́м эмигри́рует в Ту́р-
цию. Он жил в Константино́поле[1], зате́м перее́хал в
Пра́гу (Че́хия). В Росси́и опубликова́л 40 книг. В
эмигра́ции продолжа́л мно́го писа́ть, выступа́ть с ле́к-
циями. В 1923 г. в Берли́не вы́шла кни́га «Запи́ски
Простоду́шного. Я в Евро́пе». Гла́вный геро́й его́
эмигра́нтских расска́зов — интеллиге́нтный бе́женец
из Росси́и, спаса́ющийся от го́лода любо́й рабо́той в
чужи́х города́х. Аве́рченко нахо́дит и в э́той траги́-
ческой ситуа́ции смешны́е сто́роны.

реда́ктор – editor

сатири́ческий – satirical

коро́ль – king

Ту́рция – Turkey

Че́хия – Czech
опубликова́ть – to publish

запи́ски – notes
простоду́шный – open-hearted, ingenuous
интеллиге́нтный – cultured
бе́женец – refugee

---

[1] Константино́поль – ста́рое назва́ние Стамбула (Istanbul).

# ОККУ́ЛЬТНЫЕ ТА́ЙНЫ ВОСТО́КА

Расска́з о том, как мно́го интере́сного мо́жно узна́ть о своём про́шлом и бу́дущем, е́сли пойти́ к хирома́нту.

хирома́нт – chiromancer, palm-reader

## 1

Прехоро́шенькая да́ма пови́сла на пу́говице моего́ пиджака́ и мелоди́чно прощебета́ла:

— Пойдёмте к хирома́нту!

— Чего́-о-о?

— Я говорю́ вам — иди́те к хирома́нту! Э́тот оккульти́зм така́я пре́лесть. И вам про́сто ну́жно пойти́ к хирома́нту! Э́ти хирома́нты в Константино́поле таки́е замеча́тельные!

— Ни за что не пойду́, — уве́систо возрази́л я. — Ноги́ мое́й не бу́дет... и́ли, верне́е, руки́ мое́й не бу́дет у хирома́нта.

— Ну а е́сли я вас поцелу́ю, — пойдёте?

Когда́ како́й-либо вопро́с перено́сится на серьёзную делову́ю по́чву, он начина́ет меня́ сра́зу интересова́ть.

— Соли́дное предложе́ние,— заду́мчиво сказа́л я.— А когда́ пойти́?

— Сего́дня же. Сейча́с.

— Ава́нс бу́дет?

Фи́рма оказа́лась соли́дная, не стесня́ющаяся затра́тами.

Пошёл.

Ри́мские патри́ции, кото́рым надоеда́ло жить, пе́ред те́м как приня́ть яд, про́бовали его́ на свои́х раба́х.

Е́сли раб умира́л легко́ и безболе́зненно, патри́ций споко́йно сле́довал его́ приме́ру.

пови́снуть – to hang
пу́говица – button
мелоди́чно – melodiously
прощебета́ть – to twitter

оккульти́зм – occultism
(Это) пре́лесть – it's lovely, charming

уве́систо – здесь: categorically
возрази́ть – to object

делово́й – practical
по́чва – ground

соли́дный – solid
заду́мчиво – ponderingly

ава́нс – advance
фи́рма – firm
стесня́ющийся / стесня́ться – to stint/ restrict oneself
затра́ты – outlays, expenditures

ри́мский – Roman
патри́ций – patrician
надое́сть – to become tiresome
яд – poison
раб – slave
безболе́зненно – painlessly

сле́довать – to follow

Я реши́л поступи́ть по э́тому испы́танному при́нципу: посмотре́ть снача́ла, как гада́ют друго́му, а пото́м уже́ и самому́ шагну́ть за таи́нственную заве́су бу́дущего.

Óколо ру́сского посо́льства всегда́ толчётся ма́сса пра́здной пу́блики.

Я подошёл к воро́там посо́льства, облюбова́л молодо́го челове́ка в вое́нной шине́ли без пого́н, подошёл, попроси́л прикури́ть и пря́мо приступи́л к де́лу.

— Быва́ли вы когда́-нибудь у хирома́нта? — спроси́л я.

— Не быва́л. А что?

— Вы сейча́с ничего́ не де́лаете?

— Буква́льно ничего́. Тре́тий ме́сяц ищу́ рабо́ту.

— Так пойдём к хирома́нту. Это бу́дет сто́ить две ли́ры.

— Что вы, ми́лый! Две ли́ры[1]!!!! Отку́да я их возьму́? У меня́ нет и пятна́дцати пиа́стров[2]!

— Чуда́к вы! Не вы бу́дете плати́ть, а я вам заплачу́ за беспоко́йство две ли́ры. То́лько при усло́вии: чтоб я прису́тствовал при гада́нии!

Молодо́й челове́к зарумя́нился, неизве́стно почему́ помя́лся, огляде́л свои́ ру́ки, вздохну́л и сказа́л:

— Ну что ж... Пойдём.

поступи́ть – здесь: to act
испы́танный – tried, tested
при́нцип – principle
гада́ть – здесь: to tell fortunes
шагну́ть – to step
таи́нственный – mysterious
заве́са – veil
толо́чься – to throng / crowd
ма́сса – a lot of
пра́здный – idle
пу́блика – здесь: лю́ди
воро́та – gate
облюбова́ть – to take a fancy
шине́ль – overcoat
пого́ны – epaulettes
прикури́ть – to light a cigarette
приступи́ть к делу – to get down to business

буква́льно – literally

Чуда́к вы! – You're an odd one!
беспоко́йство – trouble
прису́тствовать – to be present
гада́ние – fortune-telling
зарумя́ниться – to flush
помя́ться – to hesitate
огляде́ть – to glance over
вздохну́ть – to sigh

**Работаем с текстом**

Определите, какие из высказываний соответствуют истине.

1. Рассказчик согласился пойти к хироманту, потому что хорошенькая дама обещала его поцеловать.
2. Римские патриции давали яд рабам, которые им надоели.
3. Рассказчик решил сначала посмотреть, как гадают другому.
4. Он пригласил пойти к хироманту молодого человека, который работал в русском посольстве.
5. Рассказчик сказал, что молодой человек должен заплатить хироманту две лиры.

---

[1] Ли́ра – lira (деньги в Турции).
[2] Пиа́стр – piastre / piaster (деньги в Турции).

Ответьте на вопросы.

1. Какое солидное предложение сделала хорошенькая дама рассказчику?
2. Что делали римские патриции, которым надоело жить?
3. Где рассказчик решил найти своего «раба»?
4. Почему молодой человек отказывался идти к хироманту?

## Учимся говорить

Расскажите, что произошло в этой части рассказа, используя слова:

прехорошенькая дама; идти к хироманту; поцеловать; посмотреть, как гадают другому; русское посольство; молодой человек; искать работу; стоить две лиры.

Найдите причины, по которым рассказчик сначала хотел посмотреть, как гадают другому.

## Учимся писать

Напишите, как, по вашему мнению, относится рассказчик к гаданию.

## Слова урока

пуговица; это прелесть; деловой; задумчиво; масса; буквально; беспокойство.

| | | | | | |
|---|---|---|---|---|---|
| вздохнуть | св | *как?* | // | вздыхать | нсв |
| возразить | св | *кому?* | // | возражать | нсв |
| надоесть | св | *кому? чем?* | // | надоедать | нсв |
| напечатать | св | *что? где?* | // | печатать | нсв |
| оглядеть | св | *кого? что?* | // | оглядывать | нсв |
| опубликовать | св | *что? кого? где?* | // | опубликовывать | нсв |
| прикурить | св | *что? у кого?* | // | прикуривать | нсв |
| присутствовать | нсв | *где? с кем?* | // | — | |
| следовать | нсв | *за кем? за чем? куда?* | // | последовать | св |

## Проверьте себя

Передайте содержание этого диалога с помощью слов: *повторить; согласиться; удивиться; отказаться; предложить; попросить; спросить; сказать; ответить.*

— Пойдёмте к хироманту!

— Чего-о-о?

— Я говорю вам — идите к хироманту! Этот оккультизм такая прелесть. И вам просто нужно пойти к хироманту! Эти хироманты в Константинополе такие замечательные!

— Ни за что не пойду. Ноги моей не будет... или, вернее, руки моей не будет у хироманта.

— Ну а если я вас поцелую, — пойдёте?

— Солидное предложение. А когда пойти?

— Сегодня же. Сейчас.

Пошёл.

# 2

Хиромант принял нас очень любезно.

— Хиромантия, — приветливо заявил он, — очень точная наука. Это не то что какие-нибудь там бобы или кофейная гуща. Садитесь.

На столе лежал человеческий череп.

Я приблизился, бесцельно потыкал пальцем в пустую глазницу и рассеянно спросил:

— Ваш череп?

— Конечно, мой. А то чей же.

— Очень симпатичное лицо. Обаятельная улыбка. Скажите, он вам служит для практических целей или просто как изящная безделушка?

— Помилуйте! Это череп одного халдейского мага из Мемфиса.

— А вы говорите — ваш. Впрочем, дело не в этом. Погадайте-ка сему молодому человеку.

Мой новый знакомый застенчиво протянул хироманту правую руку, но тот отстранил её и сказал:

— Левую.

— Да разве не всё равно — что правая, что левая?

— Отнюдь. Исключительно по левой руке. Итак, вот передо мной ваша левая рука... Ну, что ж я вам скажу?.. Вам пятьдесят два года.

— Будет, — мягко возразил мой «патрицианский раб». — Пока только двадцать четыре.

— Вы ошибаетесь. Вот эта линия показывает, что вам уже немного за пятьдесят. Затем... проживёте вы до... до... чёрт знает, что такое!

— А что? — заинтересовался я.

— Никогда я не видел более удивительной руки и более замечательной судьбы. Знаете ли, до каких пор вы проживёте, судя по этой совершенно бесспорной линии?

— Ну?

— До двухсот сорока лет!

---

принять – to receive
любезно – amiable
приветливо – welcomingly
заявить – to declare
точный – exact
бобы – beans
кофейная гуща – coffee dregs, от идиомы «гадать на бобах / кофейной гуще» – to read tea-leaves or coffee dregs
череп – skull
приблизиться – to come closer, approach
потыкать – to point, sticle
глазница – eye-socket
рассеянно – absent-mindedly
обаятельный – charming
служить – to serve
изящный – fine, delicate
безделушка – knick-knack
Помилуйте! – здесь: Как вы могли это подумать / сказать!
халдейский – Chaldean
маг – magus, wise man
впрочем – though
сей – этот
застенчиво – shyly
протянуть – to extend
отстранить – to push away

отнюдь – hardly
исключительно – exclusively
итак – and so, thus

линия – line

Чёрт знает, что такое! – What in the world is this!

судя по – judging by
совершенно – quite
бесспорный – incontestable

— Поря́дочно! — зави́стливо кря́кнул я.

— Не ошиба́етесь ли вы? — медо́вым го́лосом заме́тил облада́тель замеча́тельной руки́.

— Я го́лову гото́в прозакла́дывать!

Он наклони́лся над руко́й ещё ни́же.

— Нет, э́ти ли́нии!!! Что́-то из ря́ду вон выходя́щее!!! Вот смотри́те — сюда́ и сюда́. В недалёком про́шлом вы занима́ли после́довательно два короле́вских престо́ла: оди́н о́коло тридцати́ лет, друго́й о́коло сорока́.

— Позво́льте, — ро́бко возрази́ла короно́ванная осо́ба. — Со́рок и три́дцать лет — э́то уже́ се́мьдесят. А вы говори́ли, что мне и всего́-то пятьдеся́т два.

— Я не зна́ю, ничего́ не зна́ю! — в отча́янии крича́л хирома́нт, хвата́ясь за́ голову. — Это пе́рвый слу́чай в мое́й пятнадцатиле́тней пра́ктике! Ва́ша прокля́тая рука́ меня́ с ума́ сведёт!

Он ру́хнул в кре́сло, и голова́ его́ бесси́льно упа́ла на стол ря́дом с халде́йским че́репом.

— А что случи́лось? — уча́стливо спроси́л я.

— А то и случи́лось, — со сто́ном вскрича́л хирома́нт, — что когда́ э́тот господи́н сиде́л на пе́рвом тро́не, то он был умерщвлён загово́рщиками! Тут сам чёрт ничего́ не разберёт! Умерщвлён, а сиди́т. Разгова́ривает!!! Привели́ вы мне клие́нта, не́чего сказа́ть!

— Бы́ли вы умерщвлены́ на пе́рвом тро́не? — стро́го спроси́л я.

— Ей-бо́гу, нет. Ви́дите ли... Я служи́л капита́ном в Ма́рковском полку́[1], а что каса́ется престо́ла...

— Да ведь э́та ли́ния — вот она́! — в бе́шенстве вскрича́л хирома́нт, ты́ча карандашо́м в ми́рную капита́нскую ладо́нь. — Вот оди́н престо́л, вот друго́й престо́л! А э́то вот что? Что э́то? Я́сно: умерщвлён чужи́ми рука́ми!

---

[1] Ма́рковский полк в Гражда́нской войне́ был ча́стью Бе́лой а́рмии.

---

поря́дочно – здесь: мно́го
зави́стливо – enviously
кря́кнуть – to grunt
медо́вый – honeyed
облада́тель – owner
прозакла́дывать – to wager
наклони́ться – to bend, lean

из ря́ду вон выходя́щее – необы́чное

занима́ть – to hold, occupy
после́довательно – successively
короле́вский – royal
престо́л – throne

Позво́льте... – ве́жливая фо́рма вопро́са, про́сьбы
ро́бко – timidly
короно́ванная осо́ба – crowned head
отча́яние – despair
хвата́ясь / хвата́ться – to grab by

прокля́тый – damned
свести́ с ума́ (идио́ма) – to drive smb. mad
ру́хнуть – здесь: упа́сть
бесси́льно – weakly

уча́стливо – with sympathy

стон – moan

трон – throne
умерщвлён / умертви́ть – уби́т / уби́ть
загово́рщик – conspirator
разобра́ть – здесь: поня́ть

стро́го – severely

ей-бо́гу – (разг.) really
служи́ть – to serve
капита́н – captain
полк – regiment
что каса́ется – as concerns
бе́шенство – rage
ты́ча / ты́кать – to stick, stab
ладо́нь – palm

## Работаем с текстом

**Определите, какие из высказываний соответствуют истине.**

1. Человеческий череп на столе был черепом хироманта.
2. Хиромант отказался гадать по правой руке.
3. Хиромант сказал, что молодому человеку было уже 52 года.
4. Хиромант первый раз видел такую руку за пять лет практики.
5. Хиромант ясно видел, что молодой человек был убит, когда в первый раз был королём.

**Ответьте на вопросы.**

1. Чей череп стоял на столе хироманта?
2. Сколько лет было молодому человеку и какой возраст определил ему хиромант?
3. До каких лет должен был прожить молодой человек по мнению хироманта?
4. Сколько лет молодой человек занимал два королевских престола?
5. Что случилось с молодым человеком, когда он сидел на первом троне?

## Учимся говорить

**Расскажите, что увидел хиромант на руке молодого человека, используя слова:**

точная наука; правая рука; гадать по левой руке; пятьдесят два года; прожить до; удивительная рука; замечательная судьба; ошибаться; хвататься за голову; свести с ума.

**Приведите три подтверждения тому, что у молодого человека была удивительная рука.**

## Учимся писать

**Напишите о чувствах и поведении хироманта, рассказчика и молодого человека.**

## Слова урока

принять; приветливо; точный; приблизиться; исключительно; итак; совершенно; отчаяние; робко; служить (в армии); что касается; ладонь.

| | | | | | |
|---|---|---|---|---|---|
| занимать | нсв | *что?* | // | занять | св |
| заявить | св | *что? кому?* | // | заявлять | нсв |
| наклониться | св | *к кому? к чему? над кем? над чем?* | // | наклоняться | нсв |
| приблизиться | св | *к кому? к чему?* | // | приближаться | нсв |
| принять | св | *кого? что? где?* | // | принимать | нсв |
| протянуть | св | *что? кому?* | // | протягивать | нсв |
| свести с ума | св | *кого? чем?* | // | сводить с ума | нсв |
| служить | нсв | *где? кем? кому? чему?* | // | — | |
| хвататься | нсв | *за что? за кого?* | // | схватиться | св |

**Проверьте себя**

Измените предложения с прямой речью в косвенную речь (indirect speech) с помощью союзов *что* или *чтобы*.

1. — Хиромантия,— заявил хиромант,— очень точная наука.
2. Рассказчик попросил: «Погадайте-ка сему молодому человеку».
3. Мой новый знакомый застенчиво протянул хироманту правую руку, но тот отстранил её и сказал: «Левую».
4. — Вам пятьдесят два года.
   — Будет,— мягко возразил молодой человек.— Пока только двадцать четыре.
5. Хиромант наклонился ещё ниже: «Вот смотрите — сюда и сюда».
6. — Я не знаю, ничего не знаю! — в отчаянии кричал хиромант.— Ваша проклятая рука меня с ума сведёт.

# 3

— Да вы не волну́йтесь, — примири́тельно сказа́л я. — Вы же са́ми сказа́ли, что его́ вели́чество прожи-вёт две́сти со́рок лет. Чего́ же тут трево́житься по пу-стяка́м? Вы лу́чше погляди́те, когда́ и от чего́ он ум-рёт по-настоя́щему, так сказа́ть — на́чисто.

примири́тельно – reconciliatorily
его́ вели́чество – His Majesty

трево́житься – to get upset
пустя́к – trifle

на́чисто – здесь: completely

— Отчего́ он умрёт?.. Позво́льте-ка ва́шу ру́ку... Хирома́нт ястреби́ным взо́ром впи́лся в капита́нскую ладо́нь, и сно́ва испу́г я́сно отрази́лся на его́ лице́.

— Ну что? — нетерпели́во спроси́л я.

— Я так и ду́мал, что бу́дет кака́я-нибудь га́дость,— в отча́янии застона́л хирома́нт.

позво́льте-ка – да́йте
ястреби́ный – hawklike
взор – gaze
впи́ться – to delve
испу́г – fright
отрази́ться – to be reflected
нетерпели́во – impatiently
га́дость – nastiness
застона́ть – to begin to moan

— И́менно?

и́менно – здесь: What do you mean?

— Вы зна́ете, отчего́ он умрёт? От ро́дов.

Мы на мину́ту оцепене́ли.

ро́ды – (child)birth
оцепене́ть – to stiffen, be stunned

— Не ошиба́етесь ли вы? Е́сли приня́ть во внима́ние его́ пол, а та́кже тот прекло́нный во́зраст, кото́рый...

приня́ть во внима́ние – to take into consideration
пол – sex
прекло́нный – advanced, old

— «Кото́рый, кото́рый»! Ничего́ не «кото́рый»! Я не мальчи́шка, что́бы меня́ дура́чить, и вы не маль-чи́шка, что́бы я мог вам врать. Я че́стно говорю́ то́ль-ко то, что ви́жу, а ви́жу я тако́е, что и э́того молодо́го челове́ка, и меня́ на́до отпра́вить в сумасше́дший дом! Э́то сам дья́вол написа́л на ва́шей ладо́ни э́ти анти-христовы письмена́!

дура́чить – to play tricks on

врать – to lie

сумасше́дший дом – lunatic asylum
дья́вол – devil
анти́христ – Antichrist
письмена́ – здесь: слова́, зна́ки

— Ну уж и дья́вол, — смущённо пробормота́л молодо́й челове́к. — Э́то счита́ется одно́й из са́мых соли́дных фирм: Кна́ус и Ге́нкельман, Берли́н, Фри́дрихштрассе, три́ста со́рок пять.

Мы о́ба вы́пучили на него́ глаза́.

— Господа́, не серди́тесь на меня́... Но ведь я же вам дава́л снача́ла пра́вую ру́ку, а вы не захоте́ли. А ле́вая, коне́чно... Я и сам не зна́ю, что они́ на ней вы́тиснули...

— Кто-о? — взреве́л хирома́нт.

— Опя́ть же Кна́ус и Ге́нкельман, Берли́н, Фри́дрихштрассе, три́ста со́рок пять. Ви́дите ли, когда́ мне под Первозва́новкой оторва́ло кисть ле́вой руки́, то мой дя́дя, кото́рый жил в Берли́не, как представи́тель фа́брики иску́сственных коне́ч...

Че́реп халде́йского мудреца́ полете́л ми́мо моего́ плеча́ и, кля́цнув зуба́ми, зацепи́лся че́люстью за шине́ль капита́на. За че́репом полете́ли две восковы́е све́чи и кака́я-то дре́вняя кни́га, обтя́нутая свино́й ко́жей.

— Бежи́м, — шепну́л я капита́ну, — а то он так озвере́л, что уби́ть мо́жет.

Бежа́ли, схвати́вшись за́ руки, по у́зкому гря́зному переу́лку. Отдыша́лись.

— Легко́ отде́лались, — одобри́тельно засмея́лся я. — Скажи́те, кой чёрт подде́л вас не призна́ться сра́зу, что ва́ша ле́вая ла́па рези́новая?

— Да я, со́бственно, боя́лся потеря́ть две ли́ры. Вы зна́ете, когда́ пять дней подря́д пита́ешься одни́ми бу́бликами... А тепе́рь, коне́чно, сам понима́ю, что у́хнули мои́ две ли́рочки.

— Ну нет, — великоду́шно сказа́л я. — Вам, ва́ше вели́чество, ещё две́сти пятна́дцать лет жить оста́лось, так уж де́нежки-то ой-ой как нужны́. Получа́йте.

*  *  *

Встре́тил да́му. Ту са́мую.

— Ну что, бы́ли?

---

смущённо – embarrassed
пробормота́ть – to mutter
счита́ться – to be considered

вы́пучить – to make bulge out

вы́тиснуть – to print

взреве́ть – гро́мко закрича́ть

оторва́ть – to tear off
кисть (руки́) – hand
представи́тель – representative
иску́сственный – artificial
коне́чность – limb
мудре́ц – sage
кля́цнув / кля́цнуть / кля́цнуть – to chatter, clatter
зацепи́ться – to get caught
че́люсть – jaw
восково́й – wax
свеча́ – candle
обтя́нутый / обтяну́ть – to wrap
свина́я ко́жа – pigskin
шепну́ть – to whisper
озвере́ть – to grow vicious
схвати́вшись / схвати́ться – to catch hold of
отдыша́ться – to catch one's breath
отде́латься (легко́) – to get off lightly
одобри́тельно – approvingly
кой – како́й
подде́ть – здесь: to tempt
призна́ться – to confess
ла́па – paw, здесь: рука́ (иронично)
рези́новый – rubber
со́бственно – actually
пита́ться – есть
бу́блик – bread-ring
у́хнуть – to be wasted
великоду́шно – generously

— Коне́чно, был. Ава́нс отрабо́тал че́стно.

— Ну что же? — с лихора́дочным любопы́тством спроси́ла она́. — Что же он вам сказа́л?

лихора́дочный – feverish
любопы́тство – curiosity

— А вы ве́рите всему́, что они́ предска́зывают? — лука́во спроси́л я.

предска́зывать – to predict
лука́во – slyly

— Ну коне́чно.

— Так он сказа́л, что с вас причита́ется ещё це́лый во́рох поцелу́ев.

причита́ться – to be due
во́рох – heap
поцелу́й – kiss

До чего́ э́ти же́нщины суеве́рны, до чего́ дове́рчивы.

суеве́рный – superstitious
дове́рчивый – trusting

## Работаем с текстом

**Определите, какие из высказываний соответствуют истине.**

1. Рассказчика очень интересовало, как молодой человек умрёт по-настоящему.
2. Будущая смерть молодого человека заставила хироманта долго смеяться.
3. Молодой человек должен был умереть от родов.
4. Хиромант думал, что его самого и клиентов надо отправить в сумасшедший дом.
5. Молодой человек сказал, что дьявол написал на его руке такие странные линии.
6. Этот дьявол работал в Берлине в одной солидной фирме.
7. Дядя молодого человека был представителем фирмы искусственных конечностей.
8. У молодого человека кисть левой руки была резиновой.
9. Молодой человек боялся потерять две лиры, поэтому пошёл к хироманту.

**Ответьте на вопросы.**

1. Отчего должен был умереть молодой человек, по мнению хироманта?
2. Кто написал на ладони молодого человека «антихристовы письмена», по мнению хироманта?
3. Что случилось с левой рукой молодого человека?
4. Что бросил хиромант в рассказчика и молодого человека?
5. Почему молодой человек не сказал, что его левая рука резиновая?

## Учимся говорить

**Расскажите, что случилось в последней части рассказа, используя слова:**

волноваться; умереть по-настоящему; умереть от ро́дов; честно говорить; отправить в сумасшедший дом; солидная фирма; оторвать кисть левой руки; бежать по узкому переулку; бояться потерять две лиры.

Докажите, что хиромант очень рассердился.

**Учимся писать**

Напишите, как вы думаете, возможно ли узнать своё будущее. Объясните ваше мнение.

**Слова урока**

взор; испуг; нетерпеливо; пол; кисть; представитель; искусственный; свеча; отделаться (легко); любопытство; поцелуй; доверчивый.

| | | | | | |
|---|---|---|---|---|---|
| врать | нсв | *кому? в чём?* | // | соврать | св |
| дурачить | нсв | *кого? чем?* | // | одурачить | св |
| отделаться | св | *от кого? от чего?* | // | отделываться | нсв |
| оторвать | св | *что?* | // | отрывать | нсв |
| отразиться | св | *в чём?* | // | отражаться | нсв |
| предсказывать | нсв | *кому? что?* | // | предсказать | св |
| признаться | св | *кому? в чём?* | // | признаваться | нсв |
| принять во внимание | св | *кого? что?* | // | принимать во внимание | нсв |
| считаться | нсв | *кем? чем?* | // | — | |
| тревожиться | нсв | *за кого? за что?* | // | — | |
| шепнуть | св | *что? кому? о ком? о чём?* | // | шептать | нсв |

**Проверьте себя**

1. пуговица
2. череп
3. ладонь
4. испуг
5. король
6. гадание
7. раб
8. трон
9. любопытство
10. пустяк

а. специальное кресло, на котором сидит царь
б. чувство страха
в. то, что помогает носить одежду
г. внутренняя сторона кисти руки
д. кости головы
е. несвободный человек
ж. желание узнать что-нибудь новое
з. то же, что и царь
и. что-то неважное, незначительное
к. способ узнать будущее

## Задания ко всему тексту

Вы уже прочитали, что Аверченко называли «королем смеха».

1. **Найдите в тексте те моменты диалога, в которых есть комическое несоответствие между содержанием вопроса и полученным ответом, в результате чего и рождается смешное.**

2. **Обратите внимание на трагикомический финал рассказа. Он по-новому позволяет прочитать название рассказа. В чём же заключаются оккультные тайны Востока?**

# Н.А. Тэффи

Наде́жда Алекса́ндровна Тэ́ффи (Лохви́цкая) (1872, Петербу́рг — 1952, Пари́ж) была́ изве́стной юмори́сти́ческой писа́тельницей до револю́ции. Она́ писа́ла для «Сатирико́на» — лу́чшего юмористи́ческого и сатири́ческого журна́ла в Росси́и. Популя́рность Тэ́ффи была́ так велика́, что её и́менем называ́ли конфе́ты и духи́. В 1918 г. она́ эмигри́ровала снача́ла в Константино́поль [1] (Ту́рция), зате́м в Пари́ж. В эмигра́ции продолжа́ла мно́го писа́ть. Одна́ из её книг «Всё о любви́» расска́зывает о смешны́х, несча́стных лю́дях, кото́рые хотя́т быть счастли́выми.

сатири́ческий – satirical

---

[1] Константино́поль – ста́рое назва́ние Стамбула (Istanbul), самого большого города в Турции (Turkey).

# БАНА́ЛЬНАЯ ИСТО́РИЯ

Расска́з о том, как ма́ленькая оши́бка с адреса́ми измени́ла жизнь геро́ев.

# 1

Это, коне́чно, случа́ется дово́льно ча́сто, что челове́к, написа́в два письма́, закле́ивает их, перепу́тав конве́рты. Из э́того пото́м выхо́дят вся́кие заба́вные и́ли неприя́тные исто́рии.

закле́ивать – to seal with glue
перепу́тав/перепу́тать – to mix up
заба́вный – amusing

И так как случа́ется э́то бо́льшею ча́стью с людьми́ рассе́янными и легкомы́сленными, то они́, ка́к-нибудь по-сво́ему, по-легкомы́сленному и выпу́тываются из глу́пого положе́ния.

рассе́янный – scatter-brained
легкомы́сленный – frivolous
выпу́тываться – to extricate oneself

Но е́сли така́я беда́ прихло́пнет челове́ка семе́йного, соли́дного, так тут уж заба́вного ма́ло.

беда́ – misfortune
прихло́пнуть – здесь: случи́ться
соли́дный – solid
траге́дия – tragedy

Тут траге́дия.

Но, как ни стра́нно, поро́ю оши́бки челове́ческие прино́сят челове́ку бо́льше по́льзы, чем посту́пки и проду́манные, и разу́мные.

посту́пок – deed
проду́манный – well-thought-out

Исто́рия, кото́рую я хочу́ сейча́с рассказа́ть, случи́лась и́менно с челове́ком серьёзным и весьма́ семе́йным. Говори́м «весьма́ семе́йным», потому́ что в си́лу и́менно свои́х семе́йных скло́нностей — ка́чество весьма́ ре́дкое в совреме́нном о́бществе, а потому́ осо́бо це́нное — име́л це́лых две семьи́ сра́зу.

весьма́ – quite
в си́лу – by virtue
скло́нность – inclination
сра́зу – здесь: одновреме́нно

Пе́рвая семья́, в кото́рой он жил, состоя́ла из жены́, с кото́рой он не жил, и до́чки Ли́ночки, деви́цы молодо́й, но многообеща́ющей и уже́ ра́за два свои́ обеща́ния сде́рживавшей — но э́то к на́шему расска́зу не отно́сится.

многообеща́ющий – very promising
сде́рживавший/сде́рживать обеща́ние – to keep one's promise

Втора́я семья́, в кото́рой он не жил, была́ сложне́е.

Она́ состоя́ла из жены́, с кото́рой он жил, и, как э́то ни стра́нно — му́жа э́той жены́.

Была́ там ещё чья́-то ма́менька и че́й-то бра́тец. Больша́я семья́, запу́танная, тре́бующая о́чень внима́тельного отноше́ния.

запу́танный – intricate

Ма́меньке ну́жно бы́ло дари́ть ка́рты для гада́ния и тёплые платки́. Му́жу сига́ры. Бра́тцу дава́ть взаймы́ без отда́чи. А само́й очарова́тельнице Викто́рии Оре́стовне ра́зные куло́нчики, коле́чки и про́чие необходи́мости для же́нщины с запро́сами.

ка́рты для гада́ния – cards for fortune-telling
плато́к – shawl
дава́ть взаймы́ – to give loans
без отда́чи – without repayment
очарова́тельница – enchantress
куло́нчик / куло́н – pendant
коле́чко – кольцо́
же́нщина с запро́сами – woman with needs

## Работаем с текстом

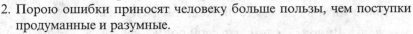

**Определите, какие из высказываний соответствуют истине.**

1. Это, конечно, случается нечасто, что человек, написав два письма, заклеивает их, перепутав конверты.
2. Порою ошибки приносят человеку больше пользы, чем поступки продуманные и разумные.
3. Эта история случилась с человеком серьёзным и весьма семейным.
4. Первая семья, в которой он жил, состояла из жены, с которой он не жил, и дочки Линочки.
5. Вторая семья состояла из жены, с которой он жил, и мужа этой жены.
6. Маменьке нужно было дарить карты для гадания и тёплые платки, мужу сигары и давать взаймы без отдачи.

**Ответьте на вопросы.**

1. Что случается, если легкомысленный человек перепутает конверты?
2. Что происходит, если такая беда случается с солидным человеком?
3. Почему о герое можно сказать, что он был «весьма семейным» человеком?
4. Из кого состояла первая семья? А вторая?
5. Что нужно было дарить каждому члену второй семьи?

## Учимся говорить

**Расскажите о первой и второй семьях героя, используя слова:**

написать письма; перепутать конверты; неприятная история; глупое положение; семейный человек; жена и дочка; большая семья; жена и муж этой жены; дарить карты; давать взаймы.

**Докажите или опровергните (опровергнуть – to refute), что главный герой очень любил семейную жизнь.**

## Учимся писать

**Напишите, что, по вашему мнению, случится с «семейным человеком» в рассказе.**

| **Слова урока** | забавный; рассеянный; легкомысленный; беда; поступок; продуман-ный; запутанный; платок. | | |
|---|---|---|---|

| давать взаймы | нсв | *что? кому?* // | дать взаймы | св |
|---|---|---|---|---|
| заклеивать | нсв | *что? чем?* // | заклеить | св |
| перепутать | св | *кого? что?* // | перепутывать | нсв |
| сдержать обещание | св | // | сдерживать обещание | нсв |

# 2

Осо́бой ра́дости, открове́нно говоря́, геро́й наш не находи́л ни в то́й, ни в друго́й семье́.

В той семье́, где он жил, была́ страда́лица-жена́, ничего́ не тре́бовавшая, кро́ме сострада́ния и уваже́ния к её го́рю и изводи́вшая его́ свое́й по́зой кро́ткой поко́рности.

Кро́ме того́, в семье́, где он жил, име́лась э́та са́мая до́чка Ли́ночка, сова́вшая свой нос всю́ду, куда́ не сле́дует, подслу́шивающая телефо́нные разгово́ры, выкра́дывающая пи́сьма и слегка́ шантажи́рую-щая расте́рянного папа́шу.

— Па́почка! Ты э́то для кого́ купи́л бро́шечку? Для меня́ и́ли для ма́мочки?

— Каку́ю бро́шечку? Что ты болта́ешь?

— А я ви́дела счёт.

— Како́й счёт? Что за вздор?

— А у тебя́ из жиле́тки вы́валился.

Па́почка гу́сто красне́л и пу́чил глаза́.

Тогда́ Ли́ночка подходи́ла к нему́ мя́гкой ко́шеч-кой и шепеля́вила:

— Па́поцка! Дай Ли́ноцке тли́ста фла́нков на пья́тице. Ли́ноцка твой ве́лный длуг!

И что́-то бы́ло в её глаза́х тако́е по́длое, что па́-почка, пуга́лся и дава́л.

В той семье́, где он не жил, у всех бы́ли свои́ зау́-ченные по́зы.

откровéнно – frankly

страда́лица / страда́лец – sufferer

сострада́ние – compassion
изводи́вший / изводи́ть – to exhaust
по́за – pose
кро́ткий – meek
поко́рность – submission

сова́вший / сова́ть нос – to stick one's nose
куда́ не сле́дует – куда́ не на́до
подслу́шивать – to eavesdrop
выкра́дывать – to steal
слегка́ – немного
шантажи́рующий / шантажи́ро-вать – to blackmail
растéрянный – bewildered
бро́шечка / брошь – brooch
болта́ть – to chatter

счёт – bill

вздор – nonsense
жилéтка – vest
вы́валиться – to fall out
гу́сто – здесь: си́льно
пу́чить – to make bulge

шепеля́вить – to lisp

«Па́поцка…» – «Па́почка! Дай Ли́ночке три́ста фра́нков (francs) на пла́тьице / пла́тье. Ли́ночка твой ве́рный (faithful) друг!»

по́длый – underhanded, bese
пуга́ться – to take fright

Сама́ Викто́рия «люби́ла и страда́ла от двойственности». Её муж, э́тот кро́ткий и чи́стый Ва́ня, не до́лжен ничего́ знать. Но обма́нывать его́ так тяжело́.

— Дорого́й! Хо́чешь, лу́чше умрём вме́сте?

Па́почка пуга́лся и вёз Викто́рию у́жинать.

По́за чи́стого Ва́ни была́ такова́: безу́мно лю́бящий муж, дове́рчивый и великоду́шный, в кото́ром иногда́ вдруг начина́ет шевели́ться подозре́ние.

По́за бра́тца была́:

— Я всё понима́ю, и потому́ всё проща́ю. Но иногда́ мора́льное чу́вство во мне возмуща́ется. Моя́ несча́стная сестра́....

Для усыпле́ния мора́льного чу́вства приходи́лось неме́дленно дава́ть взаймы́.

По́за ма́меньки я́сно и про́сто говори́ла:

— И чего́ всё ерундо́й занима́ются. Отвали́л бы сра́зу куш, да и шёл бы к чёрту.

Все дета́ли э́тих поз, коне́чно, геро́й э́того печа́льного рома́на не ула́вливал, но атмосфе́ру неприя́тную и беспоко́йную чу́вствовал.

страда́ть – to suffer
дво́йственность – duplicity

обма́нывать – to deceive

безу́мно – здесь: о́чень си́льно
дове́рчивый – trusting
великоду́шный – magnanimous
шевели́ться – to stir
подозре́ние – suspicion

мора́льный – moral
возмуща́ться – to be outraged

усыпле́ние – allayment

ерунда́ – nonsense
отвали́ть – здесь: дать
куш – мно́го де́нег

дета́ль – detail
ула́вливать – to perceive
атмосфе́ра – atmosphere

## Работаем с текстом

**Определите, какие из высказываний соответствуют истине.**

1. Особой радости герой не находил ни в той, ни в другой семье.
2. В семье, где он не жил, имелась дочка Линочка, совавшая свой нос всюду, куда не следует.
3. В той семье, где он жил, у всех были свои заученные позы.
4. Виктория «любила и страдала от двойственности».
5. Для усыпления морального чувства мужа приходилось немедленно давать взаймы.
6. Герой улавливал все детали этих поз и чувствовал неприятную и беспокойную атмосферу.

**Ответьте на вопросы.**

1. Почему герой не находил радости в первой семье?
2. Почему папочка давал деньги Линочке?
3. Почему папочка вёз Викторию ужинать?
4. Почему папочка давал взаймы братцу Виктории?

| **Учимся говорить** | Расскажите, что вы узнали о дочке Линочке и Виктории Орестовне, используя слова: |
|---|---|

совать свой нос всюду; подслушивать телефонные разговоры; выкрадывать письма; брошечка; счёт; пугаться; давать триста франков; любить и страдать от двойственности; обманывать; умереть вместе; везти ужинать.

**Докажите, что во второй семье папочки была неприятная атмосфера.**

| **Учимся писать** | **Напишите, в какой из двух семей, по вашему мнению, было труднее жить и почему.** |
|---|---|

| **Слова урока** | откровенно; сострадание; покорность; вздор; счёт; доверчивый; великодушный; подозрение; ерунда. |
|---|---|

| болтать | нсв | *что? о чём? о ком?* | // | — | |
|---|---|---|---|---|---|
| возмущаться | нсв | *—; чем? кем?* | // | возмутиться | св |
| выкрадывать | нсв | *у кого? что?* | // | выкрасть | св |
| обманывать | нсв | *кого? в чём?* | // | обмануть | св |
| подслушивать | нсв | *кого? что?* | // | подслушать | св |
| пугаться | нсв | *кого? чего?* | // | испугаться | св |
| совать нос | нсв | *во что?* | // | сунуть нос | св |
| шевелиться | нсв | *в ком? в чём? у кого?* | // | шевельнуться | св |

# 3

Но особенно неприятная атмосфера создалась за последнее время, когда к Виктории зачастил какой-то артист с гитарой. Он хрипел цыганские романсы, смотрел на Викторию тухлыми глазами, а она звала его гениальным Юрочкой и несколько раз заставляла папочку брать его с ними в рестораны под предлогом страха перед сплетнями, если будут часто видеть их вдвоём.

Всё это папочке остро не нравилось. До сих пор было у него хоть то утешение, что он ещё не сдан в архив, что у него «красивый грех» с замужней женщиной и что он заставляет ревновать человека значительно моложе его. А теперь, при наличности

зачастить – здесь: приходить часто

хрипеть – здесь: петь

цыганский романс – gypsy romance

тухлый – здесь: languid

гениальный – genius

заставлять – to make, force to do something

под предлогом – under the pretext of

сплетня – gossip

остро – здесь: очень, сильно

утешение – consolation

сдан / сдать в архив (идиома) – to shelve

грех – sin

ревновать – to be jealous of

наличность – presence

гениа́льного Ю́рочки, кото́рый, кста́ти, уже́ два ра́за перехва́тывал у него́ взаймы́, — краси́вый грех потеря́л вся́кую пря́ность. Ста́ло ску́чно. Но он продолжа́л ходи́ть в э́тот сумбу́рный дом, мра́чно, упря́мо и делови́то — сло́вно слу́жбу служи́л.

Стра́нно сказа́ть, но ему́ ка́к-то нело́вко бы́ло бы пе́ред свои́ми дома́шними вдруг переста́ть уходи́ть в привы́чные часы́ и́з дому. Он боя́лся подозри́тельных, а мо́жет быть, и насме́шливых, а то ещё ху́же — ра́достных взгля́дов жены́ и ехи́дных намёков Ли́ночки.

кста́ти – incidentally

перехва́тывать – здесь: брать

пря́ность – spice
сумбу́рный – chaotic
мра́чно – gloomily
упря́мо – stubbornly
сло́вно слу́жбу служи́л – как на рабо́ту
нело́вко – awkward
дома́шние – здесь: родны́е, семья́
привы́чный – usual
подозри́тельный – suspicious
насме́шливый – mocking
взгля́д – look
ехи́дный – malicious
намёк – allusion

## Работаем с текстом

**Определите, какие из высказываний соответствуют истине.**

1. Особенно неприятная атмосфера создалась тогда, когда к Виктории зачастил какой-то артист с гитарой.
2. Она звала его гениальным Юрочкой и несколько раз заставляла папочку брать его с ними в рестораны.
3. У него было утешение, что он заставляет ревновать человека значительно моложе его.
4. Стало скучно, и он не стал ходить в этот дом.
5. Он боялся подозрительных, насмешливых, а ещё хуже — радостных взглядов жены и намёков Линочки.

**Ответьте на вопросы.**

1. Почему особенно неприятная атмосфера создалась во второй семье в последнее время?
2. Какой предлог нашла Виктория, чтобы заставить папочку брать гениального Юрочку с ними в рестораны?
3. Какое утешение было у папочки до появления гениального Юрочки?
4. Почему папочка продолжал ходить в дом Виктории?

## Учимся говорить

**Расскажите, что происходило во второй семье в последнее время, используя слова:**

неприятная атмосфера; артист с гитарой; цыганские романсы; гениальный; брать в рестораны; утешение; «красивый грех»; скучно; продолжать ходить; бояться радостных взглядов жены.

**Докажите, что папочка хотел бы перестать ходить к Виктории Орестовне.**

## Учимся писать

**Напишите две записки о планах на вечер от имени Виктории Орестовны «папочке» и гениальному Юрочке.**

**Слова урока**

цыганский романс; гениальный; под предлогом; сплетня; утешение; грех; кстати; мрачно; упрямо; неловко; домашние; насмешливый; взгляд; намёк.

| | | | | | |
|---|---|---|---|---|---|
| заставлять | нсв | *кого? + inf.* | // | заставить | св |
| ревновать | нсв | *кого? к кому? к чему?* | // | — | |
| сдать в архив | св | *кого? что?* | // | сдавать в архив | нсв |

**Проверьте себя**

1. беда — а. жалость к человеку, у которого случилось несчастье

2. поступок

б. женское украшение

3. платок

в. предмет одежды, который обычно носят на голове

4. сострадание

г. слово или выражение, значение которых надо понимать не прямо

5. вздор → д. глупые слова, ерунда

6. брошь

е. документ, в котором написана сумма денег за работу, вещь и т. д.

7. счёт

ж. сомнение в правильности действий, честности кого-нибудь

8. подозрение

з. несчастье

9. сплетня

и. неправильные или ложные сведения о ком-нибудь или чём-нибудь

10. утешение

к. то, что даёт успокоение, радость в трудном положении

11. намёк

л. совершённое кем-то действие

# 4

В таки́х чу́вствах и настрое́ниях заста́ли его́ рожде́ственские пра́здники.

заста́ть – to find
рожде́ственский – Christmas

Викто́рия разводи́ла зага́дочность и то́мность.

разводи́ть – to cultivate
зага́дочность – mysteriousness
то́мность – languor

— Нет, я никуда́ не пойду́ в соче́льник[1]. Мне что́-то так гру́стно, так трево́жно. Что же вы молчи́те, Евге́ний Па́влыч? Вы слы́шите — я никуда́ не хочу́ идти́.

трево́жно – troubling

— Ну что ж,— равноду́шно отвеча́л па́почка.— Не хоти́те, так и не на́до.

равноду́шно – indifferently

Гла́зки Викто́рии зло́бно сверкну́ли.

зло́бно – spitefully
сверка́ть – to gleam

---

[1] Соче́льник – Christmas Eve, ночь с 24 на 25 декабря.

— Но ведь вы, ка́жется, что́-то проекти́ровали?

проекти́ровать – to plan

— Да, я хоте́л предложи́ть вам пое́хать на Монма́ртр.

— На Монма́ртр? — подхвати́л гениа́льный Юрочка. — Что ж, э́то иде́я. Я бы вас там разыска́л.

подхвати́ть – to take up

— А бе́дный Ва́ня? — спроси́ла Викто́рия. — Я не хочу́, что́бы он скуча́л оди́н.

— А я свобо́ден, — заяви́л бра́тец. — Я мог бы присоедини́ться.

заяви́ть – to announce
присоедини́ться – to join

— А я могла́ бы наде́ть твой крото́вый балдахи́н, — неожи́данно заяви́ла ма́менька.

крото́вый балдахи́н – moleskin cape

— Да, но как же бе́дный Ва́ня? — насто́йчиво повторя́ла Викто́рия. — Евге́ний Па́влович! Я без него́ не пое́ду.

насто́йчиво – insistently

«Ло́вко, — поду́мал Евге́ний Па́влович. — Э́то значит волоки́ всё свято́е семе́йство. Нашли́ дурака́».

ло́вко – clever

волочь – to drag
свято́е семе́йство – holy family
голу́бчик – здесь: ми́лая, дорога́я
не́жно – tenderly
принужда́ть – to force
по-старико́вски – как стари́к

— Ну что же, голу́бчик, — не́жно улыбну́лся он, — е́сли вам не хо́чется, то не на́до себя́ принужда́ть. А я, хе-хе, по-старико́вски с удово́льствием посижу́ до́ма.

Он взял ру́чку хозя́йки, поцелова́л и стал проща́ться с други́ми.

— Я вам, то́ есть вы мне всё-таки за́втра позвони́те! — всколыхну́лась Викто́рия.

всколыхну́ться – to be roused

— Е́сли то́лько смогу́, — све́тским то́ном отве́тил па́почка.

све́тский – genteel

Ему́ самому́ о́чень понра́вился э́тот све́тский тон. Так понра́вился, что он сра́зу и бесповоро́тно реши́л в нём утверди́ться.

бесповоро́тно – здесь: оконча́тельно
утверди́ться – to establish oneself

## Работаем с текстом

Определите, какие из высказываний соответствуют истине.

1. Виктория говорила, что ей грустно и она никуда не хочет идти в сочельник.
2. Евгений Павлович хотел предложить ей поехать на Монмартр.
3. Виктория не хотела, чтобы её муж поехал с ними.

---

[1] Монма́ртр – Montmartre – район Парижа.

4. Гениальный Юрочка сказал, что свободен и мог бы присоединить-ся к Виктории и Евгению Павловичу.
5. Евгению Павловичу не хотелось ехать на Монмартр со всем семей-ством, и он решил посидеть дома.
6. Евгению Павловичу понравился светский тон, которым он говорил с Викторией.

Ответьте на вопросы.

1. Как чувствовала себя Виктория перед рождественскими праздни-ками?
2. Куда папочка хотел предложить поехать Виктории на праздник?
3. Кто ещё захотел поехать вместе с Викторией и папочкой?
4. Как папочка решил провести праздники?

## Учимся говорить

Расскажите о планах на вечер сочельника во второй семье Евгения Павловича, используя слова:

рождественские праздники; грустно; не хотеть никуда идти; пред-ложить поехать на Монмартр; разыскать там; бедный Ваня; присо-единиться; посидеть дома по-стариковски; поцеловать ручку хозяй-ке.

Докажите, что Виктория Орестовна очень хотела поехать куда-нибудь на праздники.

## Учимся писать

Напишите, как вы проводите рождественские (или другие) праздни-ки, где и с кем.

## Слова урока

загадочность; злобно; тревожно; равнодушно; настойчиво; ловко; нежно.

| | | | | | |
|---|---|---|---|---|---|
| застать | св | кого? где? | // | заставать | нсв |
| заявить | св | что? кому? | // | заявлять | нсв |
| принуждать | нсв | кого? к чему? | // | принудить | св |
| присоединиться | св | к кому? к чему? | // | присоединяться | нсв |
| проектировать | нсв | что? | // | — | |
| сверкать | нсв | —, как? | // | сверкнуть | св |
| утвердиться | св | в чём? | // | утверждаться | нсв |

## Проверьте себя

Вставьте глаголы нужного вида, обращайте внимание на время и грам-матическую форму глагола. Укажите возможные варианты. Все глаго-лы вы встречали в 1—4 частях текста.

1. Это случается довольно часто, что человек (писать / написать) … два письма, (заклеивать / заклеить) … их и случайно (перепутывать / пе-репутать) … конверты.
2. В этот вечер ему было трудно, почти невозможно (сдерживать / сдержать) … обещание и (приходить / прийти) … домой вовремя.

3. Он (говорить / сказать) … , что (давать / дать) … взаймы, значит (терять / потерять) … друга.

4. — (Молчать / замолчать) … и не (совать / сунуть) … свой нос в мои дела, — крикнула сердито сестра.

5. Когда к отцу (приходить / приехать) … этот человек, она тихо (подходить / подойти) … к двери и старалась (подслушивать / подслушать) … весь разговор.

6. В детстве он (пугаться / испугаться) … грозы и до сих пор (вспоминать / вспомнить) … с улыбкой свой прошлый страх.

7. — Если он не хочет (есть / поесть) … , не надо (заставлять / заставить) … его.

8. Он несколько раз (заходить / зайти) … к ней, но так и не (заставать / застать) … её дома.

9. Когда он (входить / войти) … , хозяйка (приглашать / пригласить) … его (присоединяться / присоединиться) … к игрокам.

# 5

На следующее утро, утро сочельника, жена-страдалица сказала ему:

— Ты не сердись, Евгеша, но Линочка позвала сегодня вечером кое-кого. Разумеется, совершенно запросто. Тебя, конечно, дома не будет, но я сочла нужным всё-таки сказать.

— Почему ты решила, что меня не будет дома? — вдруг возмутился Евгений Павлович. — И почему ты берёшь на себя смелость распоряжаться моей жизнью? И кто, наконец, может мне запретить сидеть дома, если я этого хочу?

Выходило что-то из ряда вон глупое. Страдалица-жена даже растерялась. Её роль была стоять перед мужем кротким укором. Теперь получалось, что он её укоряет.

— Господь с тобой, Евгеша,— залепетала она.— Я, наоборот, страшно рада...

— Знаем мы эти радости! — буркнул папочка и пошёл звонить по телефону.

позвать – здесь: пригласить

разумеется – it makes sense

запросто – informal
счесть – здесь: думать, полагать

возмутиться – to be indignant

смелость – boldness
распоряжаться – to organize
запретить – to forbid

из ряда вон – extraordinarily

растеряться – to be caught short

укор – reproach

укорять – to reproach

залепетать – to babble

страшно (рад) – здесь: очень (рад)

буркнуть – to growl

Звони́л он, коне́чно, к Викто́рии, но подошёл к аппара́ту бра́тец.

— Переда́йте, что о́чень жале́ю, но едва́ ли смогу́ вы́рваться.

— То́ есть как э́то так? — гро́зно возвы́сил тон бра́тец.— Мы уже́ пригото́вились, мы, мо́жет быть, отклони́ли ма́ссу приглаше́ний! Мы, наконе́ц, затра́тились.

Па́почка затаи́л дыха́ние и тихо́нько пове́сил тру́бку. Пусть ду́мает, что он уже́ давно́ отошёл.

Но бы́ло трево́жно.

Жена́ ходи́ла по до́му растеря́нная и ка́к-то опа́сливо обора́чивалась, втяну́в го́лову в пле́чи, то́чно боя́лась, что её тре́снут по заты́лку. Шепта́лась о чём-то с Ли́ночкой, а та пожима́ла плеча́ми.

Па́почка не́рвничал, погля́дывал на телефо́н и бормота́л ти́хо, но с чу́вством:

«Нет, в э́тот вы́рубленный лес

Меня́ не зама́нят.

Где бы́ли дубы́ до небе́с,

Там то́лько пни торча́т».

При сло́ве «пни» с омерзе́нием представля́л себе́ Викто́рьину ма́меньку в крото́вом «балдахи́не».

аппара́т – здесь: телефон

едва́ ли – наве́рное не
вы́рваться – to tear oneself away
гро́зно – threateningly
возвы́сить – to raise one's voice
отклони́ть – to turn down
ма́сса – здесь: мно́го
затра́титься – здесь: тра́тить свои́ де́ньги
затаи́ть дыха́ние – to hold one's breath
пове́сить тру́бку – to hang up the receiver
опа́сливо – cautiously
обора́чиваться – to turn and look back
втяну́в / втяну́ть – to tuck
тре́снуть – to whack
заты́лок – back of the neck
шепта́ться – to whisper
пожима́ть плеча́ми – to shrug one's shoulders
не́рвничать – to be nervous
погля́дывать – to keep glancing
бормота́ть – to mutter
вы́рубленный – felled
замани́ть – to lure

дуб – oak
небеса́ – небо
пень – stump
торча́ть – to stick up
омерзе́ние – revulsion

## Работаем с текстом

Определите, какие из высказываний соответствуют истине.

1. На утро сочельника жена-страдалица сказала, что вечером у Линочки будут гости.
2. Евгений Павлович возмутился, что ему не сказали о гостях раньше.
3. Евгений Павлович позвонил Виктории и сказал ей, что не сможет прийти вечером.
4. Жена ходила по дому растерянная и шепталась о чём-то с Линочкой.
5. Евгений Павлович нервничал и бормотал тихо, но с чувством стихи.

Ответьте на вопросы.

1. Какие планы на вечер сочельника были у первой семьи?
2. Что возмутило Евгения Павловича в словах жены?
3. Что Евгений Павлович сказал братцу Виктории?
4. Как чувствовал себя Евгений Павлович после разговора с братцем?

**Учимся говорить**

Расскажите об изменениях в планах на вечер сочельника в обеих семьях Евгения Павловича, используя слова:

позвать вечером кое-кого; возмутиться; распоряжаться жизнью; страшно рада; звонить по телефону; повесить трубку; ходить по дому; шептаться.

1. Докажите, что папочка боялся разговаривать с Викторией Орестовной.

2. Найдите две причины, почему жена-страдалица не знала, как себя вести.

**Учимся писать**

Напишите, что, по вашему мнению, думают в обеих семьях об Евгении Павловиче.

**Слова урока**

позвать гостей (в гости); разумеется; возмутиться; смелость; страшно рад; повесить трубку; тревожно; затылок; бормотать; дуб.

| | | | | | |
|---|---|---|---|---|---|
| вырваться | св | *откуда?* | // | вырываться | нсв |
| запретить | св | *кому? + inf./что?* | // | запрещать | нсв |
| нервничать | нсв | — | // | занервничать | св |
| оборачиваться | нсв | *на кого? на что?* | // | обернуться | св |
| поглядывать | нсв | *на кого? на что? во что?* | // | поглядеть | св |
| пожимать плечами | нсв | — | // | пожать плечами | св |
| позвать | св | *кого? куда?* | // | звать | нсв |
| распоряжаться | нсв | *кем? чем? где?* | // | распорядиться | св |
| растеряться | св | *—; где?* | // | теряться | нсв |
| укорять | нсв | *кого?* | // | укорить | св |
| шептаться | нсв | *с кем? о чём? о ком?* | // | — | |

# 6

Вечером страда́лица-жена́ попроси́ла его́ купи́ть коро́бку ки́лек и деся́тка три мандари́нов.

Он вздохну́л и прошепта́л:

«Тепе́рь уж я на побегу́шках».

Пошёл в магази́н, купи́л мандари́ны и ки́льки и, уже́ уходя́, уви́дел роско́шную корзи́ну, вы́ставленную в витри́не. Огро́мная, квадра́тная. В ка́ждом углу́, вы́пятив пу́зо, полулежа́ли буты́лки шампа́нского.

коро́бка ки́лек – can of sardines
мандари́н – tangerine
вздохну́ть – to sigh
прошепта́ть – to whisper
(быть у кого́-либо) на побегу́шках – to be at sb.'s beck and call
роско́шный – sumptuous
корзи́на – basket
вы́ставленный / вы́ставить – displayed / to display
витри́на – shop window
квадра́тный – square
вы́пятив / вы́пятить пу́зо (простореч.) – to thrust out one's belly

Гига́нтский анана́с раски́нул па́льмой свой зелёный султа́н. Виногра́д, кру́пный, как сли́вы, свиса́л тяжёлыми гро́здьями. Гру́ши напира́ли на кру́глые, лосня́щиеся ро́жи румя́ных я́блок.

Потряса́ющая корзи́на!

И вдруг — мысль!

— Пошлю́ э́той ба́нде га́нгстеров. Вот э́то бу́дет ба́рский жест!

На мину́ту ста́ла проти́вна я́сно предста́вившаяся ха́ря гениа́льного Ю́рочки, хря́пающая анана́с. Но красота́ ба́рского же́ста покры́ла ха́рю.

Чудо́вищная цена́ корзи́ны да́же пора́довала Евге́ния Па́вловича:

— Бра́тец наве́рное спра́вится у посы́льного, ско́лько запла́чено. Ха! Э́то вам не гениа́льный Ю́рочка. Э́то ба́рин, Евге́ний Па́влович.

Па́почка доста́л свою́ ка́рточку и надписа́л на ней а́дрес Викто́рии.

Но тепе́рь прика́зчик уже́ ника́к не мог допусти́ть, что́бы тако́й роско́шный покупа́тель сам понёс свёрток с мандари́нами. Он почти́ си́лой овладе́л поку́пкой и заста́вил Евге́ния Па́вловича написа́ть на ка́рточке свой а́дрес.

гига́нтский – gigantic
анана́с – pineapple
раски́нуть – to spread
па́льма – palm-tree
султа́н – plume
сли́ва – plum
свиса́ть – to hang
гроздь – bunch
гру́ша – pear
напира́ть – to press on
лосня́щийся – shining
ро́жа – (простореч.) лицо́
румя́ный – здесь: ruddy
потряса́ющий – amazing
ба́нда га́нгстеров – band of gangsters
ба́рский – noble
жест – gesture
проти́вен / проти́вный – repugnant
предста́вившийся – pictured
ха́ря (груб. / bad) – лицо́
хря́пающий / хря́пать (груб.) – здесь: есть (to eat)
покры́ть – здесь: to overpower
чудо́вищный – monstrous
пора́довать – to make happy

спра́виться – здесь: спроси́ть
посы́льный – messenger
ба́рин – nobleman
доста́ть – здесь: to take out
ка́рточка – calling / business card
прика́зчик – salesman
допусти́ть – to allow
свёрток – package
си́лой – by force
овладе́ть – to seize

## Работаем с текстом

**Определите, какие из высказываний соответствуют истине.**

1. Ве́чером страдалица-жена попросила Евгения Павловича купить коробку килек и десятка три мандаринов.
2. В магазине он увидел огромную квадратную корзину.
3. В корзине была бутылка шампанского, ананас, виноград, груши, яблоки.
4. Евгений Павлович решил послать эту корзину семье Виктории.
5. Чудовищная цена корзины не порадовала Евгения Павловича.
6. Приказчик не мог допустить, чтобы такой покупатель сам понёс свёрток с мандаринами и заставил Евгения Павловича написать на карточке свой адрес.

Ответьте на вопросы.

1. О чём попросила страдалица-жена Евгения Павловича?
2. Какая мысль появилась у Евгения Павловича в магазине?
3. Что больше всего радовало Евгения Павловича в подарочной корзине?
4. Почему приказчик не захотел, чтобы Евгений Павлович сам понёс свёрток с мандаринами?

**Учимся говорить**

**Расскажите, что Евгений Павлович купил в магазине, используя слова:**

попросить купить; мандарины и кильки; огромная корзина; бутылка шампанского; виноград; ананас; яблоки; послать банде гангстеров; барский жест; написать на карточке адрес.

**Найдите в тексте две причины, по которым Евгений Павлович решил купить подарочную корзину.**

**Как вы понимаете фразу: «Пошлю (корзину) этой банде гангстеров...»?**

**Учимся писать**

**Напишите, что вы обычно покупаете и готовите к рождественскому (праздничному) столу.**

**Слова урока**

мандарин; корзина; витрина; квадратный; гигантский; ананас; крупный; круглый; румяный; противный; барин; карточка; свёрток; силой.

| | | | | | |
|---|---|---|---|---|---|
| вздохнуть | св | — | // | вздыхать | нсв |
| выставить | св | *что? где?* | // | выставлять | нсв |
| допустить | св | *что? кого?* | // | допускать | нсв |
| достать | св | *что? откуда?* | // | доставать | нсв |
| овладеть | св | *чем? как?* | // | овладевать | нсв |
| порадовать | св | *кого? чем?* | // | радовать | нсв |
| прошептать | св | *что? кому?* | // | шептать | нсв |

# 7

Ну вот тут, на э́том са́мом ме́сте, и преломи́лась его́ судьба́. Преломи́лась потому́, что ча́хлые мандари́ны и плебе́йские ки́льки пое́хали к га́нгстерам, а потряса́ющая корзи́на пря́мо к нему́ домо́й и вдоба́вок так ско́ро, что уже́ встре́тила его́ на столе́ в сто-

преломи́ться – to break

ча́хлый – sickly

плебе́йский – plebian

вдоба́вок – in addition

ло́вой, окружённая недоуме́нно-ра́достными ли́цами страда́лицы-жены́, по́длой Ли́ночки, го́рничной Мари́ и да́же куха́рки А́нны Тимофе́евны (из благоро́дных).

Пото́м пришли́ го́сти. Ка́вочка Бу́сова, весёлая Ли́ночкина подру́га, подвы́пив шампа́нского, пожа́ла па́почке под столо́м ру́ку.

— Кака́я цы́почка! — уми́лился па́почка. — И ведь э́то всего́ от одного́ бока́ла!

И тут же поду́мал, что был он су́щим дурако́м, тра́тя вре́мя и де́ньги на ну́дную Викто́рию, у кото́рой шампа́нское вызыва́ло ико́ту.

«Нет, в э́тот вы́рубленный лес...»

* * *

Викто́рия до́лго выде́рживала хара́ктер и не подава́ла при́знаков жи́зни.

Па́почка отоспа́лся, попра́вился и повеселе́л. Повёл Ка́вочку в синема́[1].

Наконе́ц, га́нгстеры зашевели́лись — пришло́ письмо́ от бра́тца.

«Е́сли вас ещё интересу́ет судьба́ оби́женной и уни́женной ва́ми же́нщины, то зна́йте, что у её бра́та нет весе́ннего пальто́».

Па́почка зевну́л, потяну́лся и сказа́л бы́вшей страда́лице-жене́:

— А почему́, ма шер[2], ты никогда́ не зака́жешь рассо́льника? Понима́ешь? С потроха́ми?

На что бы́вшая страда́лица, оконча́тельно утра́тившая пре́жнюю платфо́рму, отвеча́ла рассе́янно и равноду́шно:

— Хорошо́, ка́к-нибудь при слу́чае, е́сли не забу́ду.

окружённый – surrounded
недоуме́нный – puzzled
по́длый – underhanded
го́рничная – maid
куха́рка – cook
из благоро́дных – from a noble family

подвы́пив / подвы́пить – вы́пить немно́го
пожа́ть – to squeeze
цы́почка – little chick; здесь: little dear
уми́литься – to be touched
бока́л – glass
су́щий – здесь: utter
ну́дный – ску́чный
ико́та – hiccups

выде́рживать характер – to remain firm
подава́ть при́знаки жи́зни – to show signs of life
отоспа́ться – to have a good sleep
попра́виться – to gain weight

зашевели́ться – to stir

уни́женный – humiliated

зевну́ть – to yawn
потяну́ться – to stretch

рассо́льник – brine soup
потроха́ – giblets

утра́тивший / утра́тить – потеря́ть
пре́жний – former
платфо́рма – platform
рассе́янно – absent-mindely
равноду́шно – indifferently
при слу́чае – if chance arises

---

[1] Синема́ (франц.) – cinéma – кино.
[2] Ма шер – (франц.) ma chère – моя дорогая.

## Работаем с текстом

🔑

Определите, какие из высказываний соответствуют истине.

1. Судьба Евгения Павловича преломилась потому, что чахлые мандарины и плебейские кильки поехали к Виктории, а потрясающая корзина к нему домой.
2. Когда Евгений Павлович пришёл из магазина, корзина встретила его на столе в столовой.
3. Сидя с гостями Линочки, Евгений Павлович подумал, что был дураком, тратя время и деньги на нудную Викторию.
4. Виктория долго выдерживала характер, наконец, пришло от неё письмо.
5. Она написала, что у её брата нет весеннего пальто.
6. Прочитав письмо, Евгений Павлович зевнул и попросил жену заказать рассольник.

Ответьте на вопросы.

1. Почему преломилась судьба Евгения Павловича?
2. Что он увидел, придя домой из магазина?
3. О чём думал папочка за столом?
4. Как вела себя Виктория после Рождества?
5. Что написал братец в письме?

## Учимся говорить

Расскажите, чем закончился рассказ, используя слова:

преломиться; судьба; корзина; встретить на столе; гости; пожать под столом руку; быть дураком; тратить время и деньги; повеселеть; повести в кино; письмо от братца; заказать рассольник.

Докажите, что ошибка приказчика помогла Евгению Павловичу уйти из второй семьи.

## Учимся писать

Сравните конец рассказа с тем, что вы писали в первой части. Напишите, чем отличаются два варианта.

## Слова урока

вдобавок; окружённый; горничная; бокал; зашевелиться; прежний; равнодушно; при случае.

| | | | | |
|---|---|---|---|---|
| выдерживать (характер) | нсв | // | выдержать (характер) | св |
| зевнуть | св | // | зевать | нсв |
| отоспаться | св | // | отсыпаться | нсв |
| подавать (признаки жизни) | нсв | // | подать (признаки жизни) | св |
| пожать (руку) | св *кому?* | // | пожимать/жать (руку) | нсв |
| поправиться | св | // | поправляться | нсв |
| потянуться | св | // | потягиваться | нсв |

**Проверьте себя**

1. смелость
2. затылок
3. дуб
4. дыхание
5. витрина
6. свёрток
7. бокал
8. рассольник
9. мандарин

а. большое окно в магазине, за которым лежат вещи.
б. поведение без страха
в. стакан для вина
г. задняя часть головы
д. фрукт
е. большое дерево
ж. процесс, при котором воздух входит и выходит из лёгких
з. вещь, предмет в бумаге или ткани.
и. мясной или рыбный суп с солёными огурцами

**Вставьте глаголы нужного вида, обращайте внимание на время и грамматическую форму глагола. Укажите возможные варианты. Все глаголы вы встречали в 5—7 частях текста.**

1. Все были недовольны этим решением, кто-то в центре зала громко (возмущаться / возмутиться) … .
2. — Почему ты (решать / решить) … , что имеешь право (распоряжаться / распорядиться) … моей жизнью.
3. — Кто может мне (запрещать / запретить) … сидеть дома, если я этого хочу?
4. В этом зале (выставлять / выставить) … картины французских художников конца XIX века.
5. Он (доставать / достать) … из бумажника свою карточку и (писать / написать) … на ней адрес.
6. — Идите быстрее, не (оборачиваться / обернуться) … .
7. Гости (входить / войти) … , (жать / пожать) … руки друг другу и (садиться / сесть) … за длинный стол.
8. Во время отпуска он очень сильно (поправляться / поправиться) … , поэтому ему необходимо сейчас меньше (есть / поесть) … .

## Комментарии ко всему тексту

**Обратите внимание, какими средствами создаётся ирония в рассказе:**

– уменьшительные суффиксы, которые герои используют при обращении друг к другу (*братец, папочка, маменька, Линочка*);

– постоянные определения (*страдалица-жена, бедный Ваня, гениальный Юрочка*);

– игра смыслами (*девица многообещающая, весьма семейный человек, святое семейство*);

– экспрессивная лексика (*хряпать / есть, смотреть тухлыми / влюблёнными глазами, хрипеть / петь романс*).

# ВСКРЫ́ТЫЕ ТАЙНИКИ́

Исто́рия о любви́ и о любви́ к деньга́м. Две подру́ги нашли́ мно́го де́нег. Бога́тая подру́га не хоте́ла их возвраща́ть, а бе́дная реши́ла верну́ть. Хозя́ин де́нег жени́лся на бе́дной, но по́сле сва́дьбы по́нял, что бе́дная не уме́ет цени́ть де́ньги.

вскры́тый / вскры́ть – to reveal, uncover
тайни́к – secret hiding place

## 1

— Ну-с, так вот — нача́ло са́мое бана́льное.

Жи́ли-бы́ли две да́мы. О́бе бы́ли мо́лоды и недурны́ собо́ю, о́бе потеря́ли муже́й в му́тном водоворо́те теку́щих собы́тий. Отлича́лись они́ друг от дру́га, кро́ме вне́шности, и́мени и фами́лии, гла́вным о́бразом тем, что одна́ была́ осо́ба состоя́тельная, друга́я же определённо бе́дная. И положе́ние э́то бы́ло, по-ви́димому, про́чно за обе́ими закреплено́, потому́ что бога́тая да́ма была́ же́нщина практи́чная, а бе́дная была́ растя́па.

да́ма – lady
недурён / недурна́ (только краткая фо́рма) – nice-looking
му́тный – muddy
водоворо́т – whirlpool
теку́щий – current
вне́шность – appearance
гла́вным о́бразом – mainly
осо́ба – person
состоя́тельный – well-to-do
про́чно – firmly
закреплён / закрепи́ть – to fasten

растя́па – dunderhead

Да́мы э́ти бы́ли давно́ знако́мы, ещё когда́ судьба́ не раздели́ла так ре́зко их материа́льного положе́ния. Бы́ли да́же дружны́ когда́-то, а пото́м продолжа́ли иногда́ встреча́ться, но уже́ не как ра́вные, потому́ что элега́нтная да́ма не мо́жет счита́ть себя́ на одно́м интеллектуа́льном у́ровне с существо́м, оде́тым в пла́тье из иску́сственного шёлка, во́семьдесят де́вять фра́нков [1] девяно́сто санти́мов [2]. К тако́му существу́ мо́жно снисходи́ть, мо́жно его́ терпе́ть, жале́ть, люби́ть, да, да́же люби́ть, но, коне́чно, не счита́ть же его́ за ра́вного.

раздели́ть – to separate
ре́зко – sharply
материа́льное положе́ние – material situation

элега́нтный – elegant

интеллектуа́льный – intellectual
у́ровень – level
существо́ – creature
иску́сственный шёлк – imitation silk
снисходи́ть – to condescend
терпе́ть – to tolerate

Вот о́бе э́ти да́мы, назовём их для удо́бства Марива́новой (бога́тую) и Кола́евой (бе́дную), шли ка́к-то вме́сте по каки́м-то да́мским дела́м —

для удо́бства – for the sake of convenience

---

[1] Франк – franc – деньги во Франции до 2002 г.
[2] Сантим – centime – 0,01 франка.

в то́чности не зна́ю, да э́то и не име́ет осо́бого значе́ния     в то́чности – exactly

для на́шего расска́за. Значе́ние име́ет то́лько то, что     значе́ние – significance

шли они́ вме́сте.

**Работаем**
**с текстом**

**Определите, какие из высказываний соответствуют истине.**

1. Обе дамы были молоды, недурны собой, обе потеряли мужей.
2. Отличались они, кроме внешности, имени и фамилии, тем, что одна была состоятельная, другая же бедная.
3. И богатая, и бедная дамы были женщинами практичными.
4. Эти дамы были давно знакомы и были даже дружны когда-то.
5. Они продолжали иногда встречаться как равные.
6. Обе эти дамы шли как-то вместе по каким-то дамским делам, которые имеют особое значение для рассказа.

**Ответьте на вопросы.**

1. Почему материальное положение обеих дам было прочно закреплено за ними?
2. Когда познакомились обе дамы?
3. Как относилась богатая к бедной?

**Как вы понимаете фразу «...*Обе потеряли мужей в мутном водовороте текущих событий*»?**

**Учимся**
**говорить**

**Расскажите, что вы узнали о героинях рассказа, используя слова:**

жили-были; молоды и недурны собой; потерять мужей; отличаться внешностью; быть состоятельной; быть бедной; практичная женщина; давно знакомы; продолжать иногда встречаться; на одном интеллектуальном уровне.

**Найдите причины, почему богатая не могла относиться к бедной как к равной.**

**Учимся**
**писать**

**Напишите, в чём были похожи и чем различались обе дамы.**

**Слова**
**урока**

тайник; внешность; главным образом; особа; состоятельный; прочно; резко; материальное положение; уровень; существо; для удобства; в точности.

| закрепить | св | *что? кого?* *за чем? за кем?* | // | закреплять | нсв |
|-----------|-----|-----------------------------|-----|-----------|------|
| разделить | св | *кого? что?* | // | разделять | нсв |
| снисходить | нсв | *к кому? к чему?* | // | снизойти | св |
| терпеть | нсв | *кого? что?* | // | — | |

# 2

Так вот, шли они вместе, и вдруг, недалеко от магазина «Прентан», видит бедная — лежит на тротуаре бумажник.

— Смотрите, Женечка, бумажник!

Богатая отвечает:

— Ну да. Нужно скорее поднять.

Бедная нагнулась, а богатая говорит:

— Давайте его мне, вы с деньгами обращаться не умеете.

Подняла бумажник, смотрят, а в нём сорок две тысячи. Так и ахнули.

— Бежим скорее в комиссариат! — говорит бедная.

— Чего ради? — удивляется богатая. — Какая-то ворона теряет такие деньги, а мы изволь отдавать? Не будь другой раз вороной. Ворон учить надо.

А бедная, как человек непрактичный, благородно волнуется:

— Не можем же мы присвоить себе чужие деньги! Тем более что в бумажнике визитные карточки лежат, значит, мы знаем владельца. Это же получается форменное воровство.

Спорили долго, пока бедная в благородстве своём не пригрозила, что подойдёт к ажану[1] да всё ему и расскажет.

Тогда богатая решает идти прямо к владельцу и самим передать ему деньги из рук в руки. Бедная согласилась, и пошли.

тротуа́р – sidewalk

бума́жник – wallet

подня́ть – to pick up

нагну́ться – to bend over

обраща́ться – здесь: использовать

а́хнуть – to gasp

комиссариа́т – поли́ция

чего́ ра́ди – зачем

воро́на – crow, здесь: невнима́тельный челове́к

изво́ль – здесь: должны́

благоро́дно – with an air of nobility

присво́ить – to take possession

визи́тная ка́рточка – calling / business card

владе́лец – owner

фо́рменный – здесь: настоя́щий

воровство́ – theft

пригрози́ть – to threaten

из рук в ру́ки – здесь: from hand to hand

**Работаем с текстом**

**Определите, какие из высказываний соответствуют истине.**

1. Шли они вместе, и вдруг видит бедная – лежит на тротуаре бумажник.
2. Богатая сказала, что бумажник нужно скорее поднять.

---

[1] Ажа́н (франц.) – полицейский, agent.

3. Богатая нагнулась и подняла бумажник.

4. Бедная хотела пойти в полицию, но богатая отказалась.

5. Богатая сама предложила отдать деньги не в полицию, а владельцу.

6. Они долго спорили, кому отдать деньги, но потом бедная согласилась пойти к владельцу.

**Ответьте на вопросы.**

1. Почему богатая взяла найденный бумажник у бедной?

2. Куда хотела идти бедная с найденным бумажником?

3. Куда решила пойти богатая?

## Учимся говорить

Расскажите о споре между богатой и бедной после того, как они нашли бумажник, используя слова:

идти вместе; бумажник; нагнуться; поднять; не уметь обращаться с деньгами; сорок две тысячи; бежать в полицию; учить ворон; присвоить чужие деньги; имя владельца; передать деньги из рук в руки.

Дайте аргументы богатой против бедной – за возвращение кошелька владельцу.

## Учимся писать

Напишите, что бы вы сделали, если бы вдруг нашли большую сумму денег.

## Слова урока

тротуар; бумажник; ворона; владелец; воровство; из рук в руки.

| | | | | | |
|---|---|---|---|---|---|
| ахнуть | св | | **//** | ахать | нсв |
| нагнуться | св | *к кому? к чему?* | **//** | нагибаться | нсв |
| поднять | св | *кого? что?* | **//** | поднимать | нсв |
| пригрозить | св | *кому? чем?* | **//** | грозить | нсв |
| присвоить | св | *что?* | **//** | присваивать | нсв |

## Проверьте себя

1. внешность          а. место для денег, кредитных карт

2. уровень            б. высота развития чего-нибудь

3. существо           в. вид кого-нибудь

4. тротуар            г. хозяин

5. бумажник           д. птица и невнимательный человек

6. ворона             е. человек, животное

7. владелец           ж. часть улицы с обеих сторон дороги, по которой ходят люди

# 3

Прихо́дят — кварти́ра больша́я, встреча́ет лаке́й, идёт докла́дывать, про́сит войти́.

Бога́тая и говори́т бе́дной:

— Ты подожди́ в пере́дней, ты чёрт зна́ет как оде́та, нело́вко.

Пошла́ бога́тая к хозя́ину — интере́снейший госпо́дин, элега́нтный, с седы́ми висо́чками, с маникю́ром, в зуба́х пла́тина и весь па́хнет дорого́й сига́рой. Встреча́ет раду́шно, выслу́шивает расска́з, восто́рженно принима́ет свой бума́жник и, пересчита́в де́ньги, предаётся благода́рному экста́зу. Но ме́жду про́чим спра́шивает:

— А где же ва́ша прия́тельница? Вы ведь говори́те, что шли вдвоём.

— А она́,— говори́т,— ждёт в пере́дней.

— Ах, ох, как же так мо́жно!

Бежи́т в пере́днюю, приво́дит смущённую Кола́еву, уса́живает, благодари́т, приглаша́ет обе́их ве́чером в рестора́н, пото́м встреча́ются сно́ва. И хотя́ ни гроша́ обе́им за нахо́дку не дал, но ни та, ни друга́я в оби́де себя́ не чу́вствовали, потому́ что о́чень он обе́им понра́вился, ката́л их, угоща́л, и так всё выходи́ло, что да́же будь с его́ стороны́ поползнове́ние на каку́ю-нибудь награ́ду, э́то то́лько соверше́нно и́скренно смути́ло бы его́ но́вых прия́тельниц.

И вот ка́к-то в разгово́ре вы́яснились подро́бности нахо́дки. Бе́дная проболта́лась, что э́то она́ настоя́ла, что́бы де́ньги бы́ли возвращены́ владе́льцу. Она́ при э́том ничу́ть не хоте́ла очерни́ть бога́тую и да́же подчёркивала, что мысль сдать нахо́дку с рук на́ руки владе́льцу пришла́ и́менно бога́той, но всё-таки владе́лец (назовём его́ для удо́бства про́сто францу́зом) по́нял и усво́ил, что де́ньги он получи́л благодаря́ настойчивой бескоры́стности Кола́евой и,

лаке́й — man-servant

докла́дывать – to announce

пере́дняя – entrance hall

нело́вко – awkward

седо́й – gray
висо́чки / виски́ – temples
маникю́р – manicure
пла́тина – platinum
па́хнуть – to smell
раду́шно – cordially
восто́рженно – with delight
принима́ть – to receive
пересчита́в / пересчита́ть – to count
предава́ться – to give oneself up
экста́з – ecstasy
ме́жду про́чим – in passing
прия́тельница / прия́тель – знако́мый, друг

смущённый – embarrassed

грош – penny

нахо́дка / находи́ть
оби́да – insult

ката́ть – to take for rides
угоща́ть – to treat
поползнове́ние – faint effort, impulse
награ́да – reward
и́скренно / и́скренне – sincerely
смути́ть – to embarrass
подро́бность – detail

проболта́ться – to blurt
настоя́ть – to insist

ничу́ть – not in the least
очерни́ть – to slander
подчёркивать – to emphasize

усво́ить – здесь: запо́мнить
насто́йчивый – persistent
бескоры́стность – unselfishness

сопоставля́я при э́том, что она́ бедна́, как кры́са, и рабо́тает, как вол, — прони́кся таки́м восто́рженным умиле́нием к благоро́дной славя́нской душе́ Кола́евой, что не то́лько влюби́лся в неё, но да́же, мину́я вся́кие так называ́емые гну́сные предложе́ния, пря́мо предложи́л ей быть его́ жено́й.

Бога́тая о́чень, коне́чно, была́ его́ вы́бором уязвлена́, но ничего́ не попи́шешь, пришло́сь смири́ться, и так как бе́дная тепе́рь сравня́лась с ней ра́нгом, то мо́жно бы́ло войти́ с ней в настоя́щую дру́жбу.

сопоставля́я / сопоставля́ть – to compare
кры́са – rat
вол – ox
прони́кнуться – to be imbued
умиле́ние – tenderness
мину́я / ми́нуть – to pass
гну́сный – vile
уязвлённый / уязвлён / уязви́ть – to hurt, sting
ничего́ не попи́шешь – ничего́ не сде́лаешь
смири́ться – to resign oneself to
сравня́ться – to be the equal
ранг – rank

## Работаем с текстом

🔑

**Определите, какие из высказываний соответствуют истине.**

1. Они пришли в большую квартиру и стали обе ждать в передней.
2. Хозяин – интереснейший господин, элегантный с седыми височками.
3. Он пригласил обеих дам вечером в ресторан.
4. Обе дамы чувствовали себя обиженными, что он не дал им ни гроша за находку.
5. Бедная проболталась, что это богатая настояла, чтобы деньги были возвращены владельцу.
6. Француз влюбился в бедную и прямо предложил ей быть его женой.
7. Богатая не могла смириться с выбором француза.

**Ответьте на вопросы.**

1. Почему богатая попросила бедную остаться в передней?
2. Почему ни богатая, ни бедная не обиделись, что хозяин бумажника не заплатил за его возвращение?
3. Как француз узнал подробности находки бумажника?
4. Почему француз чувствовал благодарность к бедной?
5. Как богатая отнеслась к выбору француза?

**Как вы понимаете выражение «славянская душа»?**

## Учимся говорить

**Расскажите, что вы узнали о владельце денег, используя слова:**

большая квартира; интереснейший господин; выслушивать рассказ; благодарить; пригласить в ресторан; получить деньги благодаря бескорыстности бедной; славянская душа; влюбиться; предложить быть женой.

**Докажите или опровергните (опровергнуть – to refute), что француз женился на бедной из благодарности.**

## Учимся писать

**Напишите, что вы думаете о чувствах француза.**

## Слова урока

неловко; передняя; седой; радушно; между прочим; приятельница; находка; обида; катать; награда; подробность; проболтаться; ничуть; настойчивый; бескорыстность.

| | | | | | |
|---|---|---|---|---|---|
| докладывать | нсв | *кому? о чём? о ком?* | // | доложить | св |
| катать | нсв | *кого? на чём?* | // | — | |
| пахнуть | нсв | *чем?* | // | запахнуть | св |
| пересчитать | св | *кого? что?* | // | пересчитывать | нсв |
| подчёркивать | нсв | *что?* | // | подчеркнуть | св |
| принимать | нсв | *кого? что?* | // | принять | св |
| смириться | св | *с чем?* | // | смиряться | нсв |
| смутить | св | *кого?* | // | смущать | нсв |
| сопоставлять | нсв | *кого? что? с кем? с чем?* | // | сопоставить | св |
| сравняться | св | *с кем? с чем? чем? в чём?* | // | — | |
| угощать | нсв | *кого? чем?* | // | угостить | св |

# 4

Француз блаженствовал, изучал славянскую душу, но... вот тут и начинается. Начинает француз приглядываться.

блаженствовать – to have a blissful existence
приглядываться – to look closely

— Почему не хватает трёх тысяч? Куда ушли?

— На благотворительность.

благотворительность – charity

— Где картина, что висела в столовой — зайцы с малиной?

заяц – hare
малина – raspberry

— Пожертвовала на лотерею.

пожертвовать – to donate
лотерея – lottery
Что за дура...? – fool
бельевая – linen closet

— Что это за дура сидит всё время в бельевой и что-то ест?

— Это добрая женщина, которую выгнали родные дети за дурной характер. Куда ей деться?

выгнать – to chase out
дурной – плохой
деться – to go

Французу эти штучки стали определённо не нравиться.

штучки – little things

— Милый! — отвечала бывшая бедная на его упрёки. — Милый! Разве не за нежную и чистую душу полюбил ты меня? Разве я поступаю теперь не так, как поступила бы прежде? Смотри — картина, которая висела в столовой, была выиграна в лотерею. Разве не вытекает из этого, что мы должны её пожертвовать в пользу лотереи? Три тысячи франков, ты сам

упрёк – reproach

поступать – to act

вытекать – to ensue

говори́л, доста́лись тебе́ случа́йно. Ра́зве не выте-
ка́ет...

— Ничего́ ни из чего́ не вытека́ет! — мра́чно обо-
рва́л францу́з.

— Но почему́ же ра́ньше...

— Ра́ньше мне понра́вилось, что вы реши́ли отда́ть
принадлежа́щие мне де́ньги. Но тепе́рь, когда́ вы мои́
де́ньги раздаёте други́м, мне э́то абсолю́тно не нра́-
вится. Э́та сторона́ славя́нской души́ мне определённо проти́вна. Поучи́тесь у ва́шей подру́ги, мада́м
Мариа́нов. Вот же́нщина, кото́рая понима́ет це́ну
де́ньгам, она́ практи́чна и прия́тна.

Ре́вность вспы́хнула в се́рдце бы́вшей бе́дной.

— Мо́жет быть, она́ и прия́тна, — сказа́ла она́
дрожа́щим го́лосом, — но она́ взяла́ у меня́ же́мчуг на
оди́н день и вот уже́ тре́тий ме́сяц не возвраща́ет и,
по-ви́димому, хо́чет присво́ить его́ совсе́м. Ра́зве э́то
хорошо́?

— Е́сли что в э́той исто́рии не хорошо́,— презри́-
тельно отвеча́л муж,— так э́то ва́ша безала́берность.
А мада́м Мариа́нов понима́ет толк в веща́х, дорожи́т
и́ми и вообще́ облада́ет ка́чествами хоро́шей жены́.
Ва́ши же ка́чества для жены́ не годя́тся.

— А ра́зве тебе́ понра́вилось, что она́ хоте́ла присво́-
ить себе́ чужи́е де́ньги?

— Е́сли бы я тогда́ был её му́жем, то нашёл бы э́тот
посту́пок прия́тным и поле́зным.

На э́том ме́сте бы́вшая бе́дная запла́кала.

Дальне́йший ход разгово́ра неизве́стен. Но изве́с-
тен дальне́йший ход собы́тий: францу́з развёлся с
бы́вшей бе́дной и жени́лся на бога́той, на мада́м Ма-
риа́новой.

Тако́в необыча́йный коне́ц э́той обы́чной исто́рии.

доста́ться – to fall to smb's share
случа́йно – by chance

мра́чно – gloomily
оборва́ть – to cut short

проти́вный / проти́вен – repugnant

практи́чный – practical

ре́вность – jealousy
вспы́хнуть – to flare up

дрожа́щий – trembling
же́мчуг – pearls

присво́ить – to take possession

презри́тельно – disdainfully
безала́берность – negligence
понима́ть толк (идиома) – to be a
    good judge of smth.
дорожи́ть – to value, treasure
годи́ться – to be suited

развести́сь – to divorce

**Работаем с текстом**

**Определите, какие из высказываний соответствуют истине.**

1. Француз блаженствовал, изучал славянскую душу.
2. Французу не нравилось, что не хватало трёх тысяч франков, картины и в доме стала жить незнакомая женщина.
3. Бывшая бедная отдала картину в пользу лотереи.
4. Бывшая бедная решила поучиться у своей подруги, которая понимала цену деньгам.
5. Бывшая бедная взяла у богатой жемчуг и не возвращала уже третий месяц.
6. Француз считал, что качества бывшей бедной не годятся для жены, так как она берёт чужие вещи и не возвращает их.
7. Француз развёлся с бывшей бедной и женился на богатой.

**Ответьте на вопросы.**

1. Что француз стал замечать в своём доме?
2. Что французу нравилось в бедной раньше и не нравилось теперь?
3. Почему француз считал, что богатая обладает качествами хорошей жены?

**Учимся говорить**

**Расскажите, как закончилась эта история, используя слова:**

изучать славянскую душу; не хватать трёх тысяч; картина; полюбить за нежную и чистую душу; раздавать деньги другим; поучиться понимать цену деньгам; взять жемчуг и не возвращать; качества хорошей жены; заплакать; развестись с бывшей бедной.

**1. Докажите, что бедная – непрактичная женщина.**

**2. Найдите причины, почему француз развёлся с бедной и женился на богатой.**

**Учимся писать**

**Напишите, что вы думаете о «необычайном конце этой обычной истории».**

**Слова урока**

заяц; благотворительность; упрёк; случайно; практичный; ревность; презрительно.

| | | | | | |
|---|---|---|---|---|---|
| выгнать | св | *кого? откуда?* | // | выгонять | нсв |
| годиться | нсв | *для чего? для кого?* | // | пригодиться | св |
| дорожить | нсв | *кем? чем?* | // | — | |
| доставаться | нсв | *кому?* | // | достаться | св |
| понимать толк | нсв | *в чём?* | // | — | |
| поступать | нсв | *как?* | // | поступить | св |
| приглядываться | нсв | *к кому? к чему?* | // | приглядеться | св |
| развестись | св | *с кем?* | // | разводиться | нсв |

**Проверьте себя**

| | |
|---|---|
| 1. приятельница | а. чувство, желание сохранить что-нибудь, когда вы думаете, что кто-нибудь хочет забрать это |
| 2. награда | |
| 3. подробность | б. помощь бедным |
| | в. неудовольствие, высказанное кому-нибудь |
| 4. благотворительность | г. знакомая, подруга |
| 5. заяц | д. специальный знак, благодарность за что-нибудь |
| 6. упрёк | е. незначительное, неважное событие в каком-нибудь деле, явлении |
| 7. ревность | ж. небольшое животное с длинными ушами |

**Вставьте глаголы нужного вида, обращайте внимание на время и грамматическую форму глагола. Укажите возможные варианты. Все глаголы вы встречали в 1—4-й частях текста.**

1. Победа в этом матче (закреплять / закрепить) … положение команды в группе сильнейших.

2. Революция, Гражданская война (разделять / разделить) … их жизнь на две половины: до и после.

3. Он медленно (нагибаться / нагнуться) … , (поднимать/ поднять) … письмо с пола и ещё раз (читать / прочитать) … его.

4. После его ухода в комнате ещё долго (пахнуть / запахнуть) … дорогой сигарой.

5. В разговоре он несколько раз (подчёркивать / подчеркнуть) … , насколько важен этот договор.

6. Эту картину он не (покупать / купить) … , она (доставаться / достаться) … ему случайно.

7. — Он (брать / взять) … словарь на неделю, но уже три месяца не (возвращать / вернуть) … и, кажется, хочет его (присваивать / присвоить) … .

# М.А. Алданов

Марк Алекса́ндрович Алда́нов (Ланда́у) (1886, Ки́ев — 1957, Ни́цца) эмигри́ровал в 1919 г. Жил в Пари́же, Берли́не, Аме́рике, где был одни́м из основа́телей «Но́вого журна́ла» — «то́лстого» литерату́рного журна́ла на ру́сском языке́. С 1947 г. — во Фра́нции, Ни́цце. А́втор истори́ческих рома́нов о собы́тиях францу́зской и ру́сской револю́ций. Алда́нова интересу́ет роль слу́чая в исто́рии и повторя́емость истори́ческих собы́тий. Но гла́вное внима́ние писа́тель сосредото́чивает на лю́дях, кото́рые де́йствуют в исто́рии, его́ интересу́ет их психоло́гия и филосо́фия.

Оди́н из лу́чших его́ рома́нов «Исто́ки» о 1870-х года́х в исто́рии Росси́и. Его́ произведе́ния переведены́ на 24 языка́.

повторя́емость – reiteration

сосредото́чивать – to concentrate
де́йствовать – to act

# ИСТРЕБИ́ТЕЛЬ

Из большо́го расска́за «Истреби́тель» мы вы́брали истори́ческий фрагме́нт о конфере́нции в Крыму́, кото́рая проходи́ла в феврале́ 1945 го́да. На э́той конфере́нции реша́лись су́дьбы Евро́пы и ми́ра по́сле оконча́ния Второ́й мирово́й войны́. Три гла́вных уча́стника конфере́нции — У. Че́рчилль[1], И.В. Ста́лин[2], Ф.Д. Ру́звельт[3] — по-ра́зному смо́трят на исто́рию, поли́тику, мора́ль.

истреби́тель – exterminator

конфере́нция в Крыму́ – Yalta Conference

уча́стник – participant

мора́ль – morality

## 1

Э́тот дворе́ц постро́ил в Алу́пке[4] сто лет тому́ наза́д несме́тно бога́тый ру́сский князь[5]. Он хоте́л созда́ть в Крыму́, тогда́ сплошь населённом мусульма́нами, дворе́ц в восто́чном сти́ле и веле́л его́ стро́ить по образцу́ испа́нской Альга́мбры[6]. Но князь, воспи́тывавшийся в А́нглии, поручи́л постро́йку знамени́тому шотла́ндскому архите́ктору, и маврита́нский стиль дворца́ стал напомина́ть англи́йскую го́тику. Мно́го своего́ внесли́ та́кже вы́писанные из Ита́лии многочи́сленные мастера́. И, стра́нным о́бразом, создало́сь над мо́рем чу́до из се́ро-зелёного ка́мня, не похо́жее ни на что друго́е в ми́ре. Вели́ ко дворцу́ по сада́м грани́тные терра́сы с цветника́ми и ле́стницы белосне́жного карра́рского мра́мора[7]. Везде́ бы́ли фонта́ны со сквозно́й резьбо́й, львы, ста́туи, саркофа́ги. Сте́ны маврита́нских дворо́в бы́ли за́тканы ползу́чими ро́зами.

несме́тно – vastly
князь – prince
сплошь – thoroughly
населённый/населя́ть – to populate
мусульма́нин/мусульма́не – Moslem
веле́ть – приказа́ть
образе́ц – здесь: manner
воспи́тывавшийся/воспи́тываться – to be brought up
поручи́ть – to charge
шотла́ндский – Scottish
напомина́ть – здесь: to resemble
го́тика – Gothic
вы́писанный – здесь: приглашённый
чу́до – miracle
грани́тный – granite
цветни́к – flower-bed
мра́мор – marble
сквозно́й – здесь: open
резьба́ – fretwork
саркофа́г – sarcophagus
за́ткан/затка́ть – здесь: to be draped
ползу́чий – creeping

---

[1] У. Че́рчилль – Winston Churchill (1874–1965) – премьер-министр Великобритании в 1940–1945 гг.; 1951–1955 гг.

[2] Ио́сиф Виссарио́нович Ста́лин (Джугашви́ли) (1878–1953) – руководитель Коммунистической партии СССР и государства.

[3] Ф.Д. Ру́звельт – Franklin Delano Roosevelt (1882–1945) – президент США с 1933 г.

[4] Алу́пка – город в Крыму на берегу Чёрного моря.

[5] Князь Михаи́л Семёнович Воронцо́в (1782–1856) – с 1823 г. генерал-губернатор (governor) южных территорий России (Новороссии), куда входил и Крым.

[6] Альга́мбра – Alhambra, дворец XIII–XIV веков в мавританском стиле (Moorish style) в Испании.

[7] Карра́рский мра́мор – мрамор из Италии.

Послéдняя владéлица дворцá по каки́м-то воспоминáниям не люби́ла его́ и почти́ никогдá в нём не бывáла. При перехóде к ней огро́много кры́мского майорáта[1] бо́льшая часть мéбели былá про́дана. По́сле револю́ции в 150 ко́мнатах дворцá распоряжáлись ра́зные учреждéния, во врéмя войны́ похозя́йничали в нём нéмцы, но всё же остáлись цéлы и дворéц, и волшéбные сады́, в кото́рых росли́ кипари́сы, магнóлии, лáвры.

распоряжáться – to operate
учреждéние – institution
похозя́йничать – быть хозяином

волшéбный – magical
кипари́с – cypress
магнóлия – magnolia
лавр – bay-tree

В январé 1945 го́да по ю́жному бéрегу Кры́ма прошёл глухóй слух, бу́дто ско́ро должны́ тудá прибы́ть о́чень вáжные осо́бы. Ежеднéвно стáли приходи́ть грузовики́ с мéбелью, посу́дой, рáзной у́тварью. Приезжáли но́вые лю́ди, для кото́рых у мéстных жи́телей отбирáли помещéния в Я́лте, в Алу́пке, в Ливáдии, в Симеи́зе, в Гурзу́фе[2].

прошёл глухой слух – vague rumor
  spread
осо́ба – person
грузови́к – truck
у́тварь – utensils

отбирáть – to take away
помещéние – premises

## Работаем с текстом

Определите, какие из высказываний соответствуют истине.
1. Русский князь хотел создать в Крыму дворец в восточном стиле.
2. Шотландский архитектор и итальянские мастера внесли много своего, поэтому дворец оказался не похож ни на что другое в мире.
3. Последняя владелица дворца не любила его, почти не бывала там и продала его.
4. После революции и немцев дворец и сады остались целы.
5. В январе 1945 года прошёл глухой слух, что в Крым приедут очень важные особы.

Ответьте на вопросы.
1. Почему русский князь хотел создать в Крыму дворец в восточном стиле?
2. Кто строил дворец?
3. Почему последняя владелица дворца не любила его?
4. Что случилось с дворцом после революции?
5. О чём стали говорить в январе 1945 года?

**Что вы знаете о Крыме: где находится, какой климат, история полуострова?**

---

[1] Майорáт – имение (estate), которое переходит к старшему в семье.
[2] Я́лта, Алу́пка, Ливáдия, Симеи́з, Гурзу́ф – небольшие города-курорты (resort town) на юге Крыма. В Воронцовском дворце располагалась британская делегация. В Ливадийском дворце , который занимала американская делегация, шли все переговоры. Советская делегация располагалась в Юсуповском дворце.

| **Учимся говорить** | Расскажите, что вы узнали об истории Воронцовского дворца, используя слова:<br><br>построить сто лет назад; дворец в восточном стиле; архитектор; не похожее ни на что; последняя владелица; после революции; во время войны; прошёл слух.<br><br>Найдите три причины, по которым дворец был не похож на другие дворцы. |
|---|---|
| **Учимся писать** | Напишите, какой памятник архитектуры вам нравится больше всего и что вы знаете о его истории. |
| **Слова урока** | князь; велеть; по образцу; воспитываться; поручить; напоминать; чудо; фонтан; распоряжаться; похозяйничать; волшебный; важная особа; отбирать. |

| велеть | нсв | *кому? + inf.* | // | повелеть | св |
|---|---|---|---|---|---|
| воспитываться | нсв | *кем? где?* | // | — | |
| поручить | св | *что? кого? кому? + inf.* | // | поручать | нсв |
| напоминать | нсв | *кого? что? кому?* | // | напомнить | св |
| распоряжаться | нсв | *где?* | // | распорядиться | св |
| похозяйничать | св | *где?* | // | хозяйничать | нсв |
| отбирать | нсв | *у кого? что?* | // | отобрать | св |

# 2

Все были довольны. По главному вопросу было достигнуто соглашение. Сталин признал полную независимость Польши и согласился на линию Керзона[1]. Было решено в месячный срок устроить в освобождённой Польше демократические выборы на началах всеобщего тайного голосования. Было решено также включить лондонских поляков[2] в национальное правительство. Все говорили Черчиллю, что блестящий успех был в значительной мере следствием его короткой речи.

«Великобритания, — сказал он, почти не поднимая голоса и вкладывая известными ему способами, —

достигнут / достигнутый / достигнуть – to reach
признать – to recognize

Польша – Poland

выборы – elections
голосование – voting/ballot

блестящий – brilliant
следствие – result

не поднимая голоса – негромко
вкладывая / вкладывать – to put

---

[1] Линия Керзона – line of Curzon; граница между СССР и Польшей с 1945 г.
[2] Лондонские поляки – Польское правительство в Лондоне во время Второй мировой войны.

глухи́м зву́ком, замедле́ниями, расстано́вкой и по- | расстано́вка – placement
вторе́нием слов, выраже́нием лица́, тяжёлыми, коро́т-
кими, ре́зкими же́стами, да́же лёгким, не́рвным пока́ш- | ре́зкий – energetic
ливанием, — огро́мную си́лу в то, что он говори́л, — | жест – gesture / пока́шливание – slight cough
Великобрита́ния объяви́ла войну́ Герма́нии ра́ди того́, | ра́ди – for the sake of
чтобы По́льша оста́лась свобо́дной. Вся́кий зна́ет, с | вся́кий – ка́ждый, любо́й
каки́м стра́шным ри́ском э́то бы́ло для нас свя́зано. | свя́зано / свя́занный / связа́ть – to connect
На ка́рту бы́ло поста́влено само́ существова́ние на́шей | на ка́рту бы́ло поста́влено / (по-) ста́вить на ка́рту (идио́ма) – to put at stake
страны́. Для англича́н де́ло По́льши есть де́ло че́сти! | подня́ть меч (идио́ма) – to take up one's sword; здесь: нача́ть войну́
Мы по́дняли меч для её защи́ты от Ги́тлера, и не мо́-
жет, не мо́жет нас удовлетвори́ть тако́е реше́ние, ко-
то́рое не оста́вило бы По́льшу свобо́дным, незави́си-
мым, сувере́нным госуда́рством». | суве́рнный – sovereign

Его́ слова́ произвели́ сильне́йшее впечатле́ние. | произвести́ – to create
Президе́нт Ру́звельт и чле́ны америка́нской делега́ции
кива́ли голова́ми с по́лным одобре́нием. Англича́не | кива́ть – to nod
не кива́ли то́лько потому́, что их по́лное одобре́ние | одобре́ние – согла́сие
разуме́лось само́ собо́й. Ста́лин слу́шал, полузакры́в | разуме́ться само́ собо́й – to be understood without saying
глаза́. Он ждал перево́да, но ви́дел, что Че́рчилль го-
вори́т не так, как обы́чно. Когда́ коро́ткая речь была́
переведена́, Ста́лин одобри́тельно наклони́л го́лову. | наклони́ть – to incline
И то́тчас одобри́тельно закива́ли Мо́лотов[1], Вышин-
ский[2], Ма́йский[3], Гу́сев[4], Громы́ко[5], адмира́л Кузне-
цо́в[6], ма́ршал Худяко́в[7] и генера́л Анто́нов[8].

---

[1] Мо́лотов Вячесла́в Миха́йлович (1890–1986) – министр иностранных дел в 1939–1949 гг.

[2] Выши́нский Андре́й Януа́рьевич (1883–1954) – прокурор СССР в 1933–1939 гг., в 1940–1953 гг. работал в Министерстве иностранных дел.

[3] Ма́йский Ива́н Миха́йлович (1884–1975) – в 1932–1943 гг. – посол СССР в Великобритании, с 1943 г. заместитель министра иностранных дел СССР.

[4] Гу́сев Ф.Т. (1905–1986) – посол СССР в Великобритании.

[5] Громы́ко Андре́й Андре́евич (1909–1989) – посол СССР в США, с 1957 г. – министр иностранных дел СССР.

[6] Кузнецо́в Никола́й Гера́симович (1904–1974) – адмирал флота, главнокомандующий ВМФ СССР в 1941–1945 гг.

[7] Худяко́в Серге́й Алекса́ндрович (1901–1950) – маршал авиации.

[8] Анто́нов Алексе́й Иннокентьевич (1896–1962) – генерал армии, с 1945 г. – начальник Генерального штаба (General Staff) СССР.

## Работаем с текстом

**Определите, какие из высказываний соответствуют истине.**

1. Сталин признал полную независимость Польши.
2. Блестящий успех был следствием короткой речи Черчилля.
3. Черчилль сказал, что Великобритания объявила войну Гитлеру ради того, чтобы Польша осталась свободной.
4. Президент Рузвельт, члены американской делегации и англичане кивали головами с полным одобрением.
5. Сталин ждал перевода, но видел, что Черчилль говорит как обычно.

**Ответьте на вопросы.**

1. Каким был главный вопрос конференции?
2. Что стало причиной успеха переговоров?
3. Почему Великобритания объявила Германии войну?

## Учимся говорить

**Расскажите, о чём говорил Черчилль, используя слова:**

быть довольным; главный вопрос; соглашение; независимость; короткая речь; объявить войну; остаться свободной; дело чести; сильное впечатление; ждать перевода; говорить не как обычно.

**Докажите примерами, что речь Черчилля о независимости Польши произвела впечатление.**

## Учимся писать

**Напишите, как отнеслись к речи Черчилля на Ялтинской конференции члены трёх делегаций. Используйте предлоги сравнения *в отличие от, по сравнению с*.**

## Слова урока

устроить выборы; не поднимать голоса; резкий жест; ради того, чтобы; поставить на карту; произвести впечатление; кивать головой; полное одобрение; тайное голосование.

| | | | | | |
|---|---|---|---|---|---|
| достигнуть | св | *чего?* | // | достигать | нсв |
| признать | св | *кого? что?* | // | признавать | нсв |
| устроить | св | *что? где?* | // | устраивать | нсв |
| поднять меч | св | — | // | — | |
| поставить на карту | св | *что?* | // | ставить на карту | нсв |
| произвести впечатление | св | —; *на кого?* | // | производить впечатление | нсв |
| кивать головой | нсв | — | // | кивнуть головой | св |
| поднимать | нсв | *кого? что?* | // | поднять | св |

# 3

Так в о́бщем шло де́ло во всё вре́мя рабо́ты конфере́нции. Быва́ли осложне́ния, ли́ца станови́лись озабо́ченными, о мно́гом спо́рили до́лго, и вдруг зате́м ока́зывалось, что незаме́тно дости́гнуто соглаше́ние. Все выража́ли ра́дость, президе́нт облегчённо вздыха́л и шути́л. Понемно́гу улу́чшилось и настрое́ние у Че́рчилля. Э́тому спосо́бствовала стоя́вшая в Я́лте прекра́сная весе́нняя пого́да. Англича́не, подчиня́вшиеся настрое́нию старика́, бы́ли тем бо́лее дово́льны, что стари́к прие́хал на конфере́нцию злой.

Он не хоте́л е́хать в Крым и умоля́л президе́нта не соглаша́ться на встре́чу в Я́лте. Уверя́л, что там не́где останови́ться, что там моро́з, вши, тиф. Несмотря́ на свою́ культу́ру и образова́ние, и́стинно необыкнове́нные для госуда́рственного челове́ка, Че́рчилль почти́ ничего́ о Росси́и не знал, кро́ме газе́тных изве́стий и секре́тных донесе́ний. И тем и други́м он ве́рил пло́хо: газе́ты, да́же англи́йские, не всегда́ печа́тают ве́рные све́дения, а секре́тные аге́нты, да́же у́мные и добросо́вестные, ча́сто врут что попа́ло, так как це́нного материа́ла добыва́ют недоста́точно, вы́нуждены ве́рить сомни́тельным осведоми́телям и вдоба́вок, созна́тельно и́ли бессозна́тельно, подла́живаются к настрое́ниям тех, кому́ докла́дывают.

На аэродро́ме госте́й встреча́л Мо́лотов. Ста́лин до́лжен был прие́хать в Крым лишь на сле́дующий день. В э́том не́ было ничего́ оби́дного: ма́ршал был о́чень за́нят. Одна́ко ни ему́, Че́рчиллю, ни президе́нту Ру́звельту, хотя́ и они́ бы́ли о́чень за́няты, не пришло́ бы в го́лову прие́хать на конфере́нцию по́зже приглашённых госте́й. Президе́нт, прилете́вший в Саки́ [1] на не́сколько мину́т ра́ньше его́ и на не́сколько

---

[1] Саки́ – го́род в Крыму́.

---

осложне́ние – complication
озабо́ченный – anxious
незаме́тно – unnoticed
дости́гнуто/дости́гнутый/дости́гнуть – to reach
выража́ть – to express
облегчённо вздыха́ть – to sigh in relief
спосо́бствовать – помога́ть

подчиня́вшийся / подчиня́ться – to yield

умоля́ть – to implore
уверя́ть – to assure
вши / вошь – louse

изве́стия – но́вости, информа́ция
донесе́ние – report, dispatch
све́дение – информа́ция
добросо́вестный – conscientious
врать что попа́ло (разг.) – to lie whatever
добыва́ть – (manage to) obtain
вы́нужден/вы́нужденный/вы́нуждать – to force
сомни́тельный – questionable
осведоми́тель – informer
вдоба́вок – in addition
созна́тельно – consciously
подла́живаться к настрое́нию – to adapt one's to humor

оби́дный – insulting

минут ра́ньше его́ уе́хавший с аэродро́ма, был, по-ви́димому, в са́мом лу́чшем настрое́нии ду́ха. О́ба они́ прия́тно улыба́лись, кре́пко жа́ли ру́ку хозя́евам, говори́ли, что прекра́сно понима́ют, спра́шивали о здоро́вье ма́ршала.

по-ви́димому – apparently
быть в ду́хе – to be in high spirits

жать – здесь: to shake

Он проде́лал что полага́лось. Ещё в аэропла́не закури́л огро́мную сига́ру. Ему́ не о́чень хоте́лось кури́ть, но он знал, что его́ сига́ра име́ла грома́дный успе́х во всём ми́ре: все огорчи́лись бы, е́сли б уви́дели Че́рчилля без сига́ры. Как ему́ показа́лось, здесь успе́х его́ был значи́тельно ме́ньше. Он сде́лал знак побе́ды, но э́того зна́ка уж, по-ви́димому, никто́ не оцени́л и́ли да́же не по́нял. Че́рчилль с усме́шкой поду́мал, что, быть мо́жет, в э́той стране́ его́ пре́жде пока́зывали на экра́нах не сто́ль ча́сто, и не совсе́м так, как в А́нглии, Аме́рике, Австра́лии. Стоя́вшая за кордо́ном толпа́ была́ невелика́ и состоя́ла бо́льше из подро́стков. Они́ с жа́дным любопы́тством смотре́ли на «Свяще́нную Коро́ву»[1] президе́нта, на англи́йских и америка́нских истреби́телей.

проде́лать – сде́лать
что полага́лось – what was expected
сига́ра – cigar

грома́дный – огро́мный

огорчи́ться – to be disappointed

оцени́ть - to appreciate

усме́шка – ironic smile

экра́н – screen

кордо́н – cordon
толпа́ – crowd
подро́сток – teenager
жа́дное любопы́тство – avid curiosity

истреби́тель – здесь: fighter (aircraft)

## Работаем с текстом

Определите, какие из высказываний соответствуют истине.

1. Настроение Черчилля понемногу улучшилось, чему способствовала прекрасная весенняя погода.
2. Черчилль не хотел ехать в Крым и умолял Рузвельта не соглашаться на встречу в Ялте.
3. Черчилль много знал о России, читая газетные известия и секретные донесения.
4. Ни Черчиллю, ни Рузвельту не пришло бы в голову приехать на конференцию позже приглашённых гостей.
5. Президент был, по-видимому, не в самом лучшем настроении духа.
6. Черчилль ещё в аэроплане закурил огромную сигару, потому что его сигара имела громадный успех во всём мире, и здесь успех её был не меньше.
7. Черчилль подумал, что в этой стране его прежде показывали на экранах не столь часто и не совсем так, как в Англии и Америке.

---

[1] «Свяще́нная Коро́ва» – «The Sacred Cow» – самолёт президента Рузвельта.

Ответьте на вопросы.

1. Почему улучшилось настроение у Черчилля?
2. Почему Черчилль приехал на конференцию злой?
3. Что знал Черчилль о России?
4. Кто приехал на конференцию последним?
5. Почему никто не понял и не оценил знака победы, сделанного Черчиллем?

**Учимся говорить**

**Расскажите о событиях в этой части, используя слова:**

спорить долго; достигнуть соглашения; улучшаться; настроение; прекрасная погода; несмотря на образование; встречать гостей; улыбаться; спрашивать о здоровье; закурить сигару; успех в мире; знак победы; никто не оценил.

**1. Найдите причины, по которым Черчилль не хотел ехать в Крым.**

**2. Докажите примерами, что Черчилль не был популярен в СССР.**

**Учимся писать**

**Напишите о настроении Черчилля перед приездом в Крым и во время работы конференции.**

**Слова урока**

осложнение; радость; известие; сведение; вынужденный; сомнительный; вдобавок; обидный; по-видимому; толпа; подросток.

| | | | | | |
|---|---|---|---|---|---|
| выражать | нсв | *что?* | // | выразить | св |
| вздыхать | нсв | *— ; как?* | // | вздохнуть | св |
| уверять | нсв | *кого? в чём? / …, что …* | // | уверить | св |
| врать | нсв | *кому?* | // | соврать | св |
| врать что попало | нсв | *—* | // | *—* | |
| добывать | нсв | *что?* | // | добыть | св |
| жать | нсв | *кому? что?* | // | пожать | св |
| огорчиться | св | *—* | // | огорчаться | нсв |

# 4

Орке́стр игра́л брита́нский гимн. В своём полко́вничьем мунди́ре, в чёрной мехово́й ша́пке, незадо́лго до того́ пода́ренной ему́ кана́дцами и наде́той ввиду́ кры́мской сту́жи, Че́рчилль прошёл ми́мо вы́строившегося гварде́йского полка́. Как ста́рый офице́р он не мог не заме́тить, что лю́ди, их снаряже́ние, вы́правка необыкнове́нно хороши́, — понима́л, впро́чем,

орке́стр – orchestra
гимн – anthem
полко́вничий – colonel's
мунди́р – uniform
мехово́й – fur
незадо́лго до э́того – неда́вно
ввиду́ – in view of
сту́жа – мороз
вы́строившийся / вы́строиться – to line up
гварде́йский полк – guards regiment
снаряже́ние – gear
вы́правка – bearing

что отбо́р был тща́тельный. Погля́дывал на них со сме́шанными чу́вствами. Ему́ всегда́ нра́вились хоро́шие солда́ты, кто бы они́ ни́ были, хотя́ б и не́мцы. Э́ти же бы́ли сою́зники, так мно́го сде́лавшие для побе́ды. Бра́тство по ору́жию, ве́рность сою́зникам бы́ли для Че́рчилля не пусты́е слова́. Тем не ме́нее, гля́дя на вро́сших в зе́млю велика́нов, он не ду́мал, а в глубине́ души́ чу́вствовал, что для его́ страны́ бы́ло бы лу́чше, е́сли б э́тих люде́й бы́ло ме́ньше. Зву́ки «God Save the King» [1] без перехо́да смени́лись зву́ками сове́тского ги́мна. Ему́ вдруг ста́ло смешно́. Не оби́дно, что он, семидесятиле́тний стари́к, пе́рвый мини́стр А́нглии, внук седьмо́го ге́рцога Ма́льборо, до́лжен был лете́ть чёрт зна́ет куда́ и что бы́вший экспроприа́тор [2], сын сапо́жника, ни ра́зу не удосу́жился отда́ть ему́ визи́т в А́нглии, не счёл ну́жным встре́тить его́ и президе́нта Соединённых Шта́тов, — не оби́дно, а скоре́е смешно́. Он соверше́нно не выноси́л Ста́лина. Тепе́рь, он знал, в Аме́рике в глубо́кой та́йне гото́вилось но́вое ору́дие разруше́ния, кото́рое могло́ означа́ть госпо́дство над ми́ром. Че́рчилль ра́достно ду́мал о том, как с любе́зной улы́бкой сообщи́т Ста́лину об изобрете́нии а́томной бо́мбы. Ду́мал та́кже, что е́сли америка́нское ору́жие ока́жется не сли́шком стра́шным, то ста́рого ми́ра не спасёт ничто́. «По́сле демобилиза́ции он бу́дет всемогу́щ». Но до э́того пока́ бы́ло далеко́. Его́ позаба́вило сочета́ние ги́мнов. Большевики́ моли́лись Бо́гу о благополу́чии англи́йского короля́, — э́то бы́ло как бы си́мволом лжи дипломати́ческих конфере́нций.

Он прости́лся с президе́нтом, кре́пко пожа́л ему́ ру́ку, сказа́в что́-то осо́бенно любе́зное и заба́вное. Че́рчилль уважа́л Ру́звельта и счита́л его́

---

отбо́р – selection
тща́тельный – meticulous
сме́шанный – mixed

сою́зник – ally

бра́тство по ору́жию – brotherhood in arms
ве́рность – faithfulness
вро́сший / врасти́ – to grow into
велика́н – giant

без перехо́да – здесь: без па́узы
смени́ться – to be replaced (by)

ге́рцог Ма́льборо – Duke of Marlborough

сапо́жник – shoemaker
удосу́житься – to find time (for)
счесть ну́жным – to consider it necessary

не выноси́ть – to not bear/stand

ору́дие разруше́ния – instrument of destruction
означа́ть – to mean
госпо́дство – domination
любе́зный – courteous
изобрете́ние – invention

демобилиза́ция – demobilization
всемогу́щ / всемогу́щий – all-powerful
позаба́вить – to amuse
сочета́ние – combination
большеви́к – Bolshevik
моли́ться – to pray
благополу́чие – prosperity
си́мвол – symbol
ложь – lie
дипломати́ческий – diplomatic
прости́ться – to say good-bye
кре́пко – strongly
любе́зный – courteous
заба́вный – amusing

---

[1] «God Save the King» – гимн Великобрита́нии.
[2] Экспроприа́тор – революционер, который грабил (to rob) банки, чтобы отдать деньги партии.

совершённым джентльменом (в международной политике осталось так мало джентльменов). Они были почти друзьями. Тем не менее чарующая улыбка президента в последнее время его раздражала. Он понимал, что эта улыбка очень полезна президенту, порою оказывавшая немалые услуги общему делу. Однако Черчилль находил, что Рузвельт слишком верит в силу своего обаяния, говорит хорошо, но слишком много. Рузвельт думал о нём то же самое. В Ялте, по мнению Черчилля, чарующая улыбка президента была совершенно ни к чему: Сталина не очаруешь.

В последнее время Рузвельт его раздражал тем, что понемногу с каждым днём всё более входил в роль третейского судьи между ним и Сталиным. Это было особенно неприятно в связи с огромным могуществом Соединённых Штатов. Черчилль любил американцев, но порою и он, как все англичане, чувствовал глухое раздражение против Америки, вдруг — по какому праву? — занявшей их законное место в мире. Ему было очень тяжело, что на его глазах «Big Three»[1] превращались постепенно в «Big Two». Всё его искусство, весь его личный авторитет не могли этому помешать. Тем не менее президент своим умом, благородством и простотой обычно бывал ему приятен. В последнее время к этому чувству присоединилась и жалость. Рузвельт, очевидно, был тяжело болен. Англичане почти растерялись, увидев его: так он изменился за несколько месяцев.

совершённый – absolute

чарующий – charming

раздражать – to irritate

оказывавший / оказывать услугу – to render a service

обаяние – charm

очаровать – to charm

третейский судья – arbiter

могущество - might

глухой – здесь: suppressed

занявший / занять – to occupy

превращаться – to metamorphose

тем не менее – nonetheless
благородство – nobleness

присоединиться – to join

жалость – pity

растеряться – to be taken aback

## Работаем с текстом

Определите, какие из высказываний соответствуют истине.
1. Черчилль надел чёрную меховую шапку, подаренную канадцами, так как думал, что в Крыму очень холодно.
2. Черчиллю всегда нравились хорошие солдаты, кто бы они ни были.
3. Братство по оружию, верность союзникам были для Черчилля пустыми словами.

---

[1] «Big Three» – «Большая тройка» – США, СССР, Великобритания.

4. Черчиллю было не смешно, а обидно, что он должен был лететь чёрт знает куда и что бывший экспроприатор ни разу не удосужился отдать ему визит в Англии.

5. Черчилль радостно думал о том, как с улыбкой сообщит Сталину об изобретении атомной бомбы.

6. Черчилль уважал Рузвельта и считал его совершенным джентльменом.

7. Черчилль находил, что Рузвельт мало верит в силу своего обаяния.

8. Черчилля раздражало, что Рузвельт входил в роль третейского судьи между ним и Сталиным.

9. Черчилль не любил американцев, и как все англичане, он чувствовал раздражение против Америки, занявшей их место в мире.

**Ответьте на вопросы.**

1. Почему Черчилль смотрел на солдат гвардейского полка со смешанным чувством?

2. Почему Черчилль считал, что только атомная бомба может защитить старый мир?

3. Почему Черчилль чувствовал раздражение против Америки?

4. Почему англичане растерялись, увидев Рузвельта?

**Учимся говорить**

**Расскажите, о чём думал Черчилль во время встречи в аэропорту, используя слова:**

британский гимн; пройти мимо полка; хорошие солдаты; сделать для победы; советский гимн; смешно; лететь чёрт знает куда; новое оружие; сообщить об атомной бомбе;  проститься с президентом; уважать; быть почти друзьями; верить в обаяние; говорить хорошо, но слишком много;  думать то же самое; улыбка ни к чему; входить в роль; могущество; место в мире; чувство жалости; тяжело болен; измениться за несколько месяцев.

**1. Найдите причины, которые развеселили Черчилля.**

**2. Приведите два примера того, что раздражало Черчилля в Рузвельте.**

**Учимся писать**

**Напишите, что вы узнали об отношениях Черчилля со Сталиным и Рузвельтом.**

**Слова урока**

оркестр; меховая шапка; ввиду; тщательный отбор; смешанные чувства; союзники; братство по оружию; пустые слова; господство; изобретение; сочетание; ложь;  сказать что-то любезное; постепенно; благородство.

| выстроиться | св | —; *где?* | // | выстраиваться | нсв |
|---|---|---|---|---|---|
| смениться | св | *чем? кем?* | // | сменяться | нсв |
| счесть нужным | св | *+ inf.* | // | считать нужным | нсв |
| не выносить | нсв | *кого? чего?* | // | не вынести | св |

| | | | | | |
|---|---|---|---|---|---|
| раздражать | нсв | *кого? чем?* | // | — | |
| оказывать услугу | нсв | *кому? чему?* | // | оказать услугу | св |
| занять место | св | — | // | занимать место | нсв |
| превращаться | нсв | *в кого? во что?* | // | превратиться | св |
| присоединиться | св | *к кому? к чему?* | // | присоединяться | нсв |
| растеряться | св | | // | теряться | нсв |

**Проверьте себя**

Замените сложные предложения простыми с помощью союзов *благодаря, из-за, несмотря на.*

1. Бывали осложнения, о многом спорили, но незаметно соглашение было достигнуто.
2. Понемногу улучшилось и настроение у Черчилля, чему способствовала прекрасная весенняя погода.
3. Черчилль не хотел ехать в Крым и уверял, что там мороз, вши, тиф.
4. В Америке изобрели атомную бомбу, что могло дать американцам господство над миром.
5. Они были почти друзьями, тем не менее чарующая улыбка президента в последнее время раздражала Черчилля.
6. Рузвельт, очевидно, был тяжело болен: так он изменился за несколько месяцев.

# 5

В автомобиле Черчилль, с любопытством туриста и художника, всё время осматривался по сторонам. «Красиво... Необыкновенно красиво...» Не предполагал, что в этой огромной, непонятной и страшной стране есть и такие земли. Когда показались Воронцовские сады и открылась громада дворца, он от удивления даже вынул изо рта сигару.

Своей тяжёлой, стариковской походкой он прошёл по гостиным, по зимнему саду, по столовой в средневековом стиле. Со стен на него глядели люди в кафтанах, в париках, лентах, в мундирах с высокими воротниками. Это были, вероятно, полудикари, но они заказывали свои портреты Лауренсу[1], по виду очень походили на тех людей, чьи портреты висели

любопытство – curiosity

осматриваться по сторонам – to look around on all sides

показаться – to come in sight

громада – mass

вынуть – to take out, to extract

походка – gait

кафтан – мужская одежда
парик – wig
лента – ribbon
мундир – uniform
воротник – collar
(полу)дикарь – savage

---

[1] Лауренс – Sir Thomas Lawrence (1769–1830) – английский художник.

по стена́м за́мка ге́рцогов Ма́льборо, в кото́ром он
роди́лся. Смотре́ли они́ на него́ хму́ро, то́чно говори́-
ли: «Измени́л, измени́л, с кем связа́лся! Ах, как нехо-
рошо́...! Мо́жет быть, и в Бле́нхеймский за́мок[1] при-
дёт така́я же ша́йка...»

Неодобри́тельно они́ на него́ гляде́ли и в день
за́втрака. Приготовле́ниями ве́дала его́ дочь, уже́ зна́в-
шая, кто что лю́бит. Президе́нт из кокте́йлей предпо-
чита́л Old Fashioned. Ста́лин пил в небольшо́м количестве во́дку и кавка́зское вино́. Её оте́ц в еде́ и на-
пи́тках не проявля́л патриоти́зма и, хотя́ пил везде́ всё
что дава́ли, люби́л по-настоя́щему лишь ста́рый
францу́зский конья́к и францу́зское шампа́нское. Он
ла́сково улыбну́лся до́чери, одобри́тельно кивну́л головой, оки́нул взгля́дом стол и не в пе́рвый раз пожа-
ле́л об отсу́тствии францу́зов.

Тепе́рь он знал, бу́дет невыноси́мо ску́чно. За
за́втраками и обе́дами, дли́вшимися иногда́ три-четы́-
ре часа́, повторя́лись одни́ и те́ же замеча́ния об еде́, о
напи́тках, о красо́тах Кры́ма (всё неме́дленно пере-
води́лось с соверше́нной то́чностью). Он зара́нее знал,
что Ста́лин ска́жет президе́нту: «Это вы нам принес-
ли́ хоро́шую пого́ду», и что, когда́ подаду́т бурду́,
называ́вшуюся кры́мским шампа́нским, президе́нт
пошу́тит о свое́й бу́дущей профе́ссии: говори́л, что
по́сле ухо́да в отста́вку ста́нет комиссионе́ром по
прода́же э́того ди́вного ви́на в Аме́рике и наживёт
миллио́ны; при э́том все рассмею́тся, а его́ улы́бка
ста́нет ещё бо́лее чару́ющей. И зате́м сам он, Чёр-
чилль, ска́жет, то́же что-либо не ме́нее заба́вное. В
Я́лте он не о́чень стара́лся, — гора́здо ме́ньше, чем в
Вашингто́не и́ли пре́жде в Пари́же, — но его́ остро-
у́мие бы́ло так изве́стно, что лишь то́лько он за ви-
но́м открыва́л рот, англича́не и америка́нцы всегда́

за́мок – castle

хму́ро – gloomily

измени́ть – to betray
связа́ться – to take up with

ша́йка – gang

неодобри́тельно – disapprovingly

ве́дать – здесь: занима́ться

кокте́йль – cocktail
предпочита́ть – to prefer

кавка́зский – of the Caucasus Mountains
проявля́ть – to reveal, to manifest

ла́сково – tenderly

оки́нуть взгля́дом – to cast a glance
at smb.

невыноси́мо – unbearably

дли́вшийся / дли́ться – to last, to go
on
замеча́ние – remark
напи́ток – beverage
то́чность – precision

бурда́ – swill

отста́вка – retirement
комиссионе́р – wholesale dealer
нажи́ть – to amass / make

остроу́мие – wit

---

[1] Бле́нхеймский за́мок – Blenheim Palace – замок семьи Мальборо.

улыба́лись в креди́т; ру́сские же огля́дывались на Ста́лина, мо́жно ли улыба́ться (почти́ всегда́ ока́зывалось, что мо́жно и до́лжно). Впро́чем, бо́льшая часть вре́мени за столо́м проходи́ла в молча́нии: произноси́лись то́сты, их всегда́ быва́ло мно́го, в промежу́тках же ме́жду то́стами все е́ли не разгова́ривая. Еда́ была́ превосхо́дная. Не то́лько англича́не, но и америка́нцы тако́й у себя́ до́ма не ви́дели. Тем не ме́нее им молча́ть бы́ло дово́льно тя́гостно. Одни́ ру́сские делега́ты ниско́лько молча́нием не тяготи́лись и могли́ бы, по-ви́димому, так за столо́м просиде́ть и шесть и двена́дцать часо́в.

произноси́ть – здесь: говори́ть
тост – toast
промежу́ток – interval

превосхо́дный – superb

тя́гостно – burdensome
тяготи́ться – to feel burdened

## Работаем с текстом

Определи́те, какие из высказываний соответствуют истине.

1. Черчилль не предполагал, что в этой огромной, непонятной и страшной стране есть такие красивые земли.
2. Со стен дворца на Черчилля глядели люди, которые по виду очень походили на тех людей, чьи портреты висели по стенам замка герцогов Мальборо.
3. Черчилль в еде и напитках не проявлял патриотизма и любил по-настоящему лишь старый французский коньяк и французское шампанское.
4. Черчилль не знал, что за столом будет невыносимо скучно.
5. Рузвельт шутил, что после ухода в отставку станет комиссионером по продаже крымского шампанского.
6. В Ялте Черчилль старался сказать что-либо забавное.
7. Бо́льшая часть времени за столом проходила в молчании: тосты почти не произносились, все ели не разговаривая.

Ответьте на вопросы.

1. Что удивляло Черчилля, когда он ехал к Воронцовскому дворцу?
2. Почему Черчиллю казалось, что люди на портретах смотрели на него хмуро?
3. Что предпочитали пить Рузвельт, Сталин и Черчилль?
4. Почему Черчилль жалел об отсутствии французов?
5. О чём говорили участники конференции во время завтраков и обедов?

| **Учимся говорить** | Расскажите, как вели себя члены делегаций на завтраках и обедах, используя слова: |

от удивления; гостиные; зимний сад; портреты; предпочитать; пить в небольшом количестве; французский коньяк и шампанское; скучно; шутить; молчание; есть не разговаривая.

Найдите как минимум три причины, по которым Черчиллю было скучно за завтраками и обедами.

| **Учимся писать** | Напишите, что удивило Черчилля в Воронцовском дворце. |

| **Слова урока** | любопытство; ласково; напиток; нажить миллионы; остроумие; промежуток; превосходный. |

| вынуть | св | *что? из чего?* | // | вынимать | нсв |
|---|---|---|---|---|---|
| осматриваться по сторонам | нсв | — | // | осмотреться по сторонам | св |
| показаться | св | — | // | показываться | нсв |
| изменить | св | *кому? чему?* | // | изменять | нсв |
| связаться | св | *с кем? с чем?* | // | связываться | нсв |
| длиться | нсв | *сколько?* | // | продлиться | св |
| нажить | св | *что?* | // | наживать | нсв |
| предпочитать | нсв | *что? кого? чему? кому?* | // | предпочесть | св |

# 6

Прия́тнее за́втраков и обе́дов бы́ли экску́рсии в достопримеча́тельные места́ Кры́ма. В после́дний раз на по́ле сраже́ния при Балакла́ве[1] кто́-то дава́л истори́ческие разъясне́ния. Бы́ло пока́зано возвыше́ние, с кото́рого лорд Ра́глан[2] посла́л прика́з атакова́ть ру́сскую а́рмию. Приблизи́тельно бы́ло ука́зано ме́сто, отку́да по недоразуме́нию пошла́ в знамени́тую самоуби́йственную ата́ку кавалери́йская брига́да

сраже́ние – battle
разъясне́ние – объясне́ние
возвыше́ние – elevation
атакова́ть – to attack
а́рмия – army
приблизи́тельно – approximately
недоразуме́ние – misunderstanding
самоуби́йственный – suicidal
кавалери́йский – cavalry
брига́да – brigade

---

[1] Балакла́ва – город в Крыму, где произошло сражение (25 октября 1854 г.) между русскими и англичанами во время Крымской войны (1853–1856), в которой Англия и Франция были на стороне Турции.
[2] Лорд Ра́глан – Lord Fitzroy James Henry Somerset Raglan (1788–1855) командовал британскими войсками в Крымской войне.

графа Ка́рдигана[1]. «Вперёд, после́дний из Ка́рдига-
нов!» — напо́мнил негро́мко, без улы́бки, кто́-то из
англича́н. Друго́й, то́же без улы́бки, процити́ровал
Те́ннисонову поэ́му[2], изве́стную на па́мять всем анг-
лича́нам ста́ршего поколе́ния и, уж коне́чно, всем
офице́рам.

 Все э́ти ло́рды бы́ли его́ лю́ди плоть от его́ пло́ти.
Он сам в 70 лет в любу́ю мину́ту с гото́вностью, с
восто́ргом пошёл бы для свое́й страны́ в безнадёжную кавалери́йскую ата́ку. В действи́тельности же его́
роль в э́ту войну́ ча́стью заключа́лась в том, что́бы
противоде́йствовать вся́ким англи́йским наступле́ни-
ям. Он до́лго вёл откры́тую и глуху́ю борьбу́ про́тив
установле́ния второ́го фро́нта в Евро́пе[3]; чу́вствовал
на себе́ о́чень тяжёлую отве́тственность за жизнь
брита́нских солда́т: е́сли б А́нглия потеря́ла миллио́н
люде́й, с ней, он понима́л, неизбе́жно должно́ бы́ло
случи́ться то, что случи́лось с Фра́нцией по́сле первой войны́. Несмотря́ на бра́тство по ору́жию, на
лоя́льность и на fair play[4], он не мог так относи́ться к
жи́зни ру́сских, кото́рых бы́ло мно́го, о́чень мно́го, —
и в конце́ концо́в не всё ли им равно́? Ра́зве у него́ не
погиба́ют без войны́ миллио́ны люде́й в его́ концен-
трацио́нных лагеря́х?

 Цини́чные мы́сли никогда́ не приходи́ли ему́ в го́-
лову на фронта́х и лишь и́зредка в рабо́чем кабине́те.
Но на междунаро́дных конфере́нциях они́ им овла-
дева́ли соверше́нно. В Я́лте происходи́ло что́-то стра́н-
ное: Ста́лин уступа́л и уступа́л.

 Но Че́рчилля всё бо́льше трево́жила благоду́шная,
прия́тная усме́шка, ча́сто игра́вшая на лице́ Ста́лина.

граф – count, earl

процити́ровать – to quote

поколе́ние – generation
офице́р – officer
плоть – flesh
гото́вность – readiness

заключа́ться – to consist in

противоде́йствовать – to counteract
наступле́ние – offensive
глухо́й – здесь: та́йный
установле́ние – establishment

отве́тственность – responsibility

лоя́льность – loyalty

погиба́ть – to perish
концентрацио́нный ла́герь – concentration camp
цини́чный – cynical

овладева́ть – to overcome

соверше́нно – quite, completely

уступа́ть – to concede

трево́жить – to alarm
благоду́шный – euphoric
усме́шка – ironic smile

---

[1] Граф Ка́рдиган – James Thomas Brudenell, 7th Earl of Cardigan (1797–1868) – брита́нский генерал,
командовал бригадой лёгкой кавалерии.
 [2] Те́ннисонова поэ́ма – Tennyson's poem; Lord Alfred Tennyson (1809–1892) – английский поэт, который
написал поэму «The Charge of the Light Brigade» о сражении у Балаклавы.
 [3] Второй фронт в Европе открылся в июне 1944 г., когда англо-американские войска начали войну
против Германии на территории Франции.
 [4] Fair play – честная игра.

Ма́ршал никогда́ не горячи́лся, рече́й не произноси́л и о́чень охо́тно на мгнове́ние соглаша́лся. Несмотря́ на весь свой ум, позна́ния и о́пыт, Че́рчилль не был свобо́ден от того́, что называ́ется профессиона́льной деформа́цией: он ве́рил — не о́чень ве́рил, но всё-таки ве́рил — в докуме́нты на веле́невой бума́ге[1] с ле́ночками, кото́рые при све́те ма́гния, под о́бщий восто́рг, подпи́сывают госуда́рственные лю́ди золоты́ми пе́рьями, переходя́щими пото́м в музе́и.

горячи́ться – to be in a temper

мгнове́ние – instant

профессиона́льная деформа́ция – professional deformity

ле́нточка / ле́нта – ribbon
ма́гний – magnesium; здесь: flash-bulb (camera)

пе́рья / перо́ – pen

## Работаем с текстом

🗝️

Определите, какие из высказываний соответствуют истине.
1. На поле сражения при Балаклаве Черчилль давал исторические разъяснения.
2. Черчилль в семьдесят лет в любую минуту с готовностью, с восторгом пошёл бы для своей страны в безнадёжную кавалерийскую атаку.
3. Черчилль долго вёл открытую и глухую борьбу против установления второго фронта в Европе.
4. Черчилль относился к жизни британских солдат так же, как к жизни русских.
5. Циничные мысли никогда не приходили Черчиллю в голову на фронте.
6. Черчилля больше не тревожила благодушная, приятная усмешка на лице Сталина.
7. Маршал никогда не горячился, речей не произносил и очень охотно на мгновение соглашался.

Ответьте на вопросы.
1. Где проходила последняя экскурсия?
2. Почему англичане без улыбки цитировали поэму Теннисона?
3. Почему Черчилль вёл борьбу против установления второго фронта в Европе?
4. Почему Черчилль не мог относиться к жизни русских так же, как и к жизни британских солдат?
5. Что тревожило Черчилля в поведении Сталина?

## Учимся говорить

Расскажите, что вы узнали об исторических событиях XIX века, которые происходили в Крыму, используя слова:
экскурсия; исторические разъяснения; роль в эту войну; открытая и глухая борьба; чувствовать ответственность за жизнь британских солдат; относиться к жизни русских; приходить в голову; верить в документы.

---

[1] Веле́невая бума́га – дорогая бумага для государственных документов.

Найдите три причины, по которым Черчилль не хотел открытия второго фронта в Европе.

**Учимся писать**

Напишите, как вы думаете, почему Черчилля беспокоило поведение Сталина.

**Слова урока**

сражение; приблизительно; поколение; готовность; наступление; циничный; усмешка; мгновение.

| | | | | | |
|---|---|---|---|---|---|
| атаковать | нсв / св | *кого? что?* | // | | |
| процитировать | св | *что?* | // | цитировать | нсв |
| заключаться | нсв | *в чём?* | // | — | |
| противодействовать | нсв | *кому? чему?* | // | — | |
| погибать | нсв | *—; где?* | // | погибнуть | св |
| овладевать | нсв | *кем? чем?* | // | овладеть | св |
| уступать | нсв | *—; что? кому?* | // | уступить | св |
| тревожить | нсв | *кого?* | // | потревожить | св |

# 7

Президе́нт знал, что жить ему́ оста́лось о́чень недо́лго. Врач его́ успока́ивал; но ему́ говори́ло пра́вду выраже́ние у́жаса на ли́цах люде́й, до́лго его́ не ви́девших. Уве́ренность в бли́зком конце́ ре́зко отлича́ла его́ от всех други́х уча́стников Я́лтинской конфере́нции. Отлича́ла от них и ве́ра. Ме́жду други́ми делега́тами бы́ло мно́го ве́рующих люде́й; сам Че́рчилль оби́делся бы, е́сли б его́ причи́слили к безбо́жникам. Но их рели́гия не име́ла никако́го отноше́ния к их рабо́те: то — одно́, это — друго́е. У него́ же кака́я-то связь ме́жду ве́рой и рабо́той была́; пра́вда, непо́лная, непостоя́нная, неро́вная, — об э́том он ду́мал с душе́вной бо́лью.

Для себя́ Ру́звельту жела́ть бы́ло не́чего: он дости́г в жи́зни всего́, чего́ мог дости́гнуть. Ни оди́н челове́к в исто́рии не занима́л так до́лго, как он, до́лжности президе́нта Соединённых Шта́тов, и лишь немно́гие дожива́ли до тако́й сла́вы. Власть доста́лась ему́ в по́ру

выраже́ние – expression

уве́ренность – confidence, assurance

отлича́ть – to distinguish

ве́ра – faith

причи́слить – to rank
безбо́жник – atheist (godless)
рели́гия – religion

неро́вный – uneven

дости́чь/дости́гнуть – to reach

занима́ть до́лжность – to hold a post

доста́ться – to be obtained, achieved

тяжёлого хозяйственного кризиса, при нём Соединённые Штаты достигли благосостояния невиданного и
неслыханного в истории. Не могло быть теперь и
сомнений в полной победе над Гитлером. Как умный
человек, не страдающий манией величия, президент
не приписывал этого себе, но знал, что в случае не-
удач и поражений главная доля ответственности была
бы возложена на него. Врагов у него было без счёта, — лишь немногим меньше, чем было у Линкольна[1], гораздо больше, чем было у Вашингтона[2]. Он
предполагал, что после его смерти ему отдадут должное и враги. Дела в Америке он оставлял в порядке,
поскольку могут быть в порядке дела какой бы то ни
было страны при каком бы то ни было правитель-
стве. Выборы сошли отлично. Его военные назна-
чения — Маршалл, Эйзенхауэр, Нимиц, Макартур[3] —
оказались превосходными. Всё это должна была признать история.

В мире же дела шли не так хорошо, и он думал,
что после него пойдут ещё хуже. Однако Рузвельт был
в душе уверен, что позднее всё устроится как следует.
Совсем как следует дела, правда, устраивались редко, но можно было рассчитывать, что люди в конце
концов поумнеют. Для улучшения дел в мире следовало теперь же, при его жизни, установить добрые
отношения между Россией и Англией. Президент
действительно вошёл в роль третейского судьи между Сталиным и Черчиллем.

хозяйственный кризис – economic crisis, depression
благосостояние – level of well-being

сомнение – doubt

страдающий / страдать – to suffer
мания величия – megalomania
приписывать – to attribute
поражение – defeat
доля – share
возложена / возложить ответст-венность – to place responsibility on someone
враг – enemy
без счёта – очень много
гораздо – намного

выборы – election
сойти – здесь: пройти
назначение – appointment
превосходный – superior
признать – to acknowledge

как следует – as should be

устроиться – to fall into place

рассчитывать – to figure

установить – to establish

---

[1] Линкольн – Abraham Lincoln (1809–1865) – президент США в 1861–1865 гг., был убит.
[2] Вашингтон – George Washington (1732–1799) – первый президент США.
[3] Маршалл, Эйзенхауэр и др. – George Catlett Marshall (1880–1959) – начальник армии США, автор пла-на экономической помощи Европе после Второй мировой войны. Dwight David Eisenhower (1890–1969) – генерал, командовал американскими войсками во Франции, президент США в 1953–1961 гг. William Nimitz (1885–1966) командовал американским флотом (navy) в Тихом океане в 1942–1945 гг. Duglas MacArthur (1880–1964) – генерал, командовал американскими войсками в Японии после войны.

**Работаем
с текстом**

Определите, какие из высказываний соответствуют истине.

1. Уверенность в близком конце отличала президента от других участников конференции.
2. У президента была связь между верой и работой, правда неполная.
3. Только один человек в истории занимал так долго, как он, должность президента Соединённых Штатов.
4. Врагов у Рузвельта было без счёта, и он не предполагал, что после его смерти враги отдадут ему должное.
5. Дела в Америке президент оставлял в порядке.
6. В мире же дела шли не так хорошо, но он не думал, что после него они пойдут ещё хуже.
7. Для улучшения дел в мире следовало теперь же установить добрые отношения между Россией и Англией.

Ответьте на вопросы.

1. Что отличало Рузвельта от других участников конференции?
2. Почему Рузвельту нечего было желать для себя?
3. Сколько врагов было у Рузвельта?
4. Почему Рузвельт считал, что дела в Америке он оставлял в порядке?
5. Почему Рузвельт старался установить добрые отношения между Россией и Англией?

**Учимся
говорить**

Расскажите, что вы узнали о президенте Рузвельте, используя слова: жить недолго; успокаивать; связь между верой и работой; достичь в жизни всего; отдать должное после смерти; в конце концов поумнеть; добрые отношения между Россией и Англией.

**1. Как вы понимаете выражение: «Он предполагал, что после его смерти ему отдадут должное и враги».**

**2. Докажите, что Рузвельт сделал для Америки очень многое.**

**Учимся
писать**

Напишите, о чём думал Рузвельт и что его волновало.

**Слова
урока**

выражение; уверенность; отмечать; хозяйственный кризис; сомнение; поражение; доля; враг; выборы; назначение.

| отличать | нсв | *кого? что?* *от кого? от чего?* | // отличить | св |
|---|---|---|---|---|
| занимать должность | нсв | *кого?* | // занять должность | св |
| достаться | св | *кому?* | // доставаться | нсв |
| страдать | нсв | *чем? от чего?* | // — | |
| приписывать | нсв | *что? кому?* | // приписать | св |
| признать | св | *кого? что?* | // признавать | нсв |
| рассчитывать | нсв | *на кого? на что?* *…, что …* | // — | |
| установить | св | *что?* | // устанавливать | нсв |

# 8

Сталин ему́ при пе́рвом знако́мстве понра́вился. Как все краси́вые лю́ди, Ру́звельт о ка́ждом челове́ке бессозна́тельно суди́л и по нару́жности. У ма́ршала бы́ло значи́тельное лицо́. Ему́, по-ви́димому, бы́ло чу́ждо актёрство, он всегда́ был прост, ва́жен и я́сен. Президе́нт о́чень цени́л э́ти сво́йства в лю́дях. Ста́лин вы́шел из низо́в, и Ру́звельт предпочита́л просты́х бе́дных люде́й бога́тым и высокопоста́вленным: просты́е обы́чно, как лю́ди, лу́чше и чи́ще. По́сле Тегера́нской встре́чи[1] он бо́льше почти́ не ве́рил тому́, что писа́ли, говори́ли, докла́дывали о Ста́лине: е́сли у него́ у самого́ бы́ло так мно́го враго́в, то наско́лько бо́льше их должно́ бы́ло быть у ма́ршала. Не о́чень ве́рил он и пре́жним сообще́ниям о жи́зни ру́сского наро́да. «Е́сли б всё бы́ло так, то э́тот строй не мог бы существова́ть». При прое́зде по большо́й доро́ге в Юсу́повский[2] и Воронцо́вский дворцы́ он за кордо́ном ви́дел толпи́вшихся люде́й, они́ бы́ли, пра́вда, пло́хо оде́ты, но вид у них был как бу́дто дово́льный и ра́достный. Все снима́ли ша́пки. «А е́сли я и ошиба́юсь, то что же я могу́ сде́лать? Э́то не моё де́ло, э́то де́ло ма́ршала...» В ка́ждом челове́ке, сле́довательно и в Ста́лине, мо́жно бы́ло пробуди́ть лу́чшие чу́вства. Ру́звельт иногда́ говори́л об э́том Че́рчиллю, и у того́ на лице́ то́тчас появля́лось выраже́ние беспреде́льного уны́ния и ску́ки. Но президе́нт презира́л му́дрость ске́птиков: они́ ка́жутся у́мными, а на са́мом де́ле понима́ют в жи́зни ма́ло.

Коне́чно, Че́рчилль был о́чень выдаю́щийся челове́к. Одна́ко в нём сли́шком про́чно засе́л гуса́рский пору́чик, поли́тик отжи́вшей шко́лы и внук седьмо́го ге́рцога Ма́льборо. Лю́дям, ве́рящим в вое́нное

бессозна́тельно – unconsciously
суди́ть по нару́жности – to judge by appearances
значи́тельный – significant
по-ви́димому – apparently
чу́ждо – alien

низы́ – the masses
предпочита́ть – to prefer
высокопоста́вленный – high-ranking

докла́дывать – сообща́ть

пре́жний – earlier

строй – system, order

толпи́вшийся / толпи́ться – to throng, crowd
дово́льный вид – satisfied expression

пробуди́ть – to waken

беспреде́льный – boundless

уны́ние – ennui
презира́ть – to despise
му́дрость – wisdom
ске́птик – sceptic / skeptic

выдаю́щийся – outstading
про́чно – firmly
засе́сть – to lodge
гуса́рский пору́чик – hussar officer
отжи́вший – здесь: ста́рый, несовреме́нный

---

[1] Тегера́нская встре́ча – конфере́нция в Тегера́не (Teheran) в 1943 г., на кото́рой встреча́лись Ста́лин, Ру́звельт и Че́рчилль.
[2] Юсу́повский – дворе́ц семьи́ князе́й Юсу́повых.

могу́щество, в неизбе́жность войн, в европе́йское равнове́сие, бы́ло бо́льше не́чего де́лать в поли́тике. Не о́чень хорошо́ бы́ло в Че́рчилле и то, что он сли́шком мно́го писа́л и дорожи́л свое́й литерату́рной изве́стностью. Президе́нт поро́ю себя́ спра́шивал, в како́м ви́де Уи́нни[1] его́ изобрази́т в свои́х мемуа́рах. «Вероя́тнее всего́ с чуть заме́тной иро́нией. А мо́жет быть, захо́чет до конца́ прояви́ть ве́рность сора́тнику». Сам он писа́ть не люби́л, тепе́рь твёрдо знал, что не успе́ет написа́ть воспомина́ния, э́то порожда́ло в нём чу́вство беззащи́тности пе́ред исто́рией. В душе́ он был так же уве́рен в своём превосхо́дстве над Че́рчиллем, как Че́рчилль был уве́рен в своём превосхо́дстве над ним. И несмотря́ на их расположе́ние друг к дру́гу, между́ ни́ми установи́лось не́что вро́де истори́ческого сопе́рничества. Вдоба́вок, по мне́нию экспе́ртов, интере́сы А́нглии и Аме́рики ко́е в чём расходи́лись. Президе́нт не о́чень ве́рил экспе́ртам, но до́лжен был прислу́шиваться к ним. Его́ избра́ли не президе́нтом мирово́й респу́блики, а президе́нтом Соединённых Шта́тов, — для того́, что́бы он защища́л их интере́сы.

могу́щество – might
неизбе́жность – inevitability
равнове́сие – balance

дорожи́ть – to value

мемуа́ры – memoirs
вероя́тнее / вероя́тно – probably

прояви́ть – to show, display
ве́рность – faithfulness
сора́тник – companion in arms

беззащи́тность – defencelessness

превосхо́дство – superiority

расположе́ние – здесь: хоро́шее отноше́ние

сопе́рничество – соревнова́ние
вдоба́вок – in addition
экспе́рт – expert

прислу́шиваться - to listen (to)
избра́ть – to elect

## Работаем с текстом 🔑

**Определите, какие из высказываний соответствуют истине.**

1. Рузвельт о каждом человеке судил и по наружности.
2. Сталину, по-видимому, было чуждо актёрство, он всегда был прост, важен и ясен.
3. Рузвельт думал, что в каждом человеке, следовательно и в Сталине, можно было пробудить лучшие чувства.
4. Черчилль был выдающийся человек, однако он был политик отжившей школы.
5. Очень хорошо было в Черчилле то, что он много писал и дорожил своей литературной известностью.
6. Президент не спрашивал себя, в каком виде Черчилль изобразит его в своих мемуарах.
7. Несмотря на их расположение друг к другу, между ними установилось нечто вроде исторического соперничества.

---

[1] Уи́нни – Winny / Winston – имя Черчилля.

Ответьте на вопросы.

1. Как судил Рузвельт о каждом человеке?
2. Какие свойства в людях ценил Рузвельт?
3. Почему Рузвельт предпочитал простых бедных людей богатым?
4. Почему Рузвельт после Тегеранской встречи почти не верил тому, что писали о Сталине?
5. Что рождало в Рузвельте чувство беззащитности перед историей?

Как вы понимаете слова Рузвельта о Черчилле: «...В нём слишком прочно засел гусарский поручик...»?

**Учимся говорить**

Расскажите, что Рузвельту нравилось в Сталине, используя слова:

при первом знакомстве; предпочитать; значительное лицо; выйти из низов; не верить сообщениям о жизни русского народа; политик отжившей школы; дорожить; литературная известность; написать воспоминания; историческое соперничество.

Найдите две причины соперничества Рузвельта и Черчилля.

**Учимся писать**

Напишите, что Рузвельт думает о Сталине и Черчилле. Используйте сравнительные конструкции, характерные для научного стиля речи: *по сравнению с; в отличие от.* Например: *Рузвельт полагал, что, в отличие от Черчилля, Сталин…*

**Слова урока**

бессознательно; прежний; довольный вид; мудрость; выдающийся; склад ума; неизбежность; равновесие; верность; беззащитность.

| судить по наружности | нсв | *о ком?* | // | — | |
| толпиться | нсв | *где?* | // | столпиться | св |
| пробудить | св | *что?* | // | пробуждать | нсв |
| презирать | нсв | *кого? что?* | // | — | |
| дорожить | нсв | *чем? кем?* | // | — | |
| прислушиваться | нсв | *к кому? к чему?* | // | прислушаться | св |
| избрать | св | *кого? кем?* | // | избирать | нсв |

**Проверьте себя**

Соедините два предложения или измените одно с помощью сравнительных и сопоставительных конструкций *по сравнению с; в отличие от; так же как и.*

1. Религия Черчилля не имела никакого отношения к его работе. У Рузвельта какая-то связь между верой и работой была.
2. Врагов у Рузвельта было немногим меньше, чем было у Линкольна.
3. Рузвельт предпочитал простых бедных людей богатым и высокопоставленным: простые обычно, как люди, лучше и чище.
4. Черчилль много писал и дорожил своей литературной известностью. Рузвельт писать не любил и знал, что не успеет написать воспоминания.
5. Дела в Америке Рузвельт оставлял в порядке. В мире же дела шли не так хорошо.

6. В душе Рузвельт был уверен в своём превосходстве над Черчиллем. И Черчилль был уверен в своём превосходстве над ним.

7. Дела в Америке Рузвельт оставлял в порядке – всё это должна была признать история. Он предполагал, что после его смерти ему отдадут должное и враги.

# 9

Со Ста́линым никако́го ли́чного сопе́рничества не могло́ быть: он был челове́к соверше́нно друго́го ми́ра. Что до ру́сских и америка́нских интере́сов, то да́же са́мые глубокомы́сленные и учёные сове́тники не могли́ (хоть стара́лись) вы́яснить, в чём и́менно э́ти интере́сы расхо́дятся и почему́ до сих по́р, за полтора́ ве́ка, ни в чём осо́бенно ва́жном не расходи́лись. Кро́ме того́, экспе́рты бы́ли не совсе́м ме́жду собо́й согла́сны в истолкова́нии интере́сов Росси́и и це́лей Ста́лина. Одни́ в те́сном кругу́ говори́ли, что дя́дю Джо[1] про́сто узна́ть нельзя́, и ссыла́лись на его́ церко́вную поли́тику[2], на поощре́ние национа́льного чу́вства, на ордена́ Алекса́ндра Не́вского[3], Суво́рова[4], Куту́зова[5]. Не́которые экспе́рты, по благоду́шным наблюде́ниям президе́нта, да́же немно́го щеголя́ли: зна́ют и кто Алекса́ндр Не́вский, и кто Суво́ров (о Куту́зове зна́ли и не экспе́рты: все в 1942 году́ прочли́ «Войну́ и мир»[6]). Други́е же сове́тники с сомне́нием кача́ли голово́й: уж бу́дто бы дя́дя Джо та́к-таки вдруг совсе́м, совсе́м перемени́лся? Пе́рвая па́ртия была́

совершённо – совсе́м

глубокомы́сленный – profound
сове́тник – adviser

полтора́ – one and a half

истолкова́ние – объясне́ние
те́сный круг – close circle
ссыла́ться – to refer to
поощре́ние – здесь: stimulation
о́рден – order
экспе́рт – expert
благоду́шный – здесь: good-humored
наблюде́ние – observation
щеголя́ть – to show off

сомне́ние – doubt
кача́ть голово́й – to shake one's head
уж бу́дто бы – неуже́ли
перемени́ться – измени́ться

---

[1] Дя́дя Джо – Uncle Joe – так называли Иосифа Сталина на Западе.

[2] Церко́вная поли́тика – во время войны церкви в СССР разрешили свободно работать.

[3] Алекса́ндр Не́вский (1220/1–1263) – русский князь, который победил шведов (Sweden) в 1240 г. и немцев в 1242 г.

[4] Суво́ров Алекса́ндр Васи́льевич (1730–1800) – князь, генерал, побеждал почти во всех военных кампаниях конца XVIII века.

[5] Куту́зов Михаи́л Илларио́нович (1745–1813) – князь, командовал русской армией в войне с Наполеоном (Napoleon).

[6] «Война́ и мир» – роман Л.Н. Толстого. Война 1812 г. с Наполеоном стала главным событием романа.

сильне́е, так как все чу́вствовали, что президе́нт склоня́ется к ней. На него́ же осо́бенно де́йствовали сообще́ния о но́вом отноше́нии ма́ршала к рели́гии. Впро́чем, Ру́звельт ре́дко выска́зывался вполне́ опреде́лённо и выслу́шивал все мне́ния со свое́й неизме́нной благоскло́нностью к лю́дям, внима́нием к их взгля́дам и труду́, с обы́чной быстрото́й понима́ния. Он взве́шивал всё наедине́ в бессо́нные но́чи и размышля́л о том, каку́ю поли́тику вести́ в оста́вшиеся ему́ после́дние ме́сяцы — и́ли неде́ли — жи́зни. В Я́лте он всё бо́льше склоня́лся к мы́сли, что дела́ в ми́ре пойду́т хорошо́. Но иногда́ президе́нт за столо́м броса́л взгляд на Ста́лина и на него́ находи́ли сомне́ния: что, е́сли Уи́нни прав?

Автомоби́ль останови́лся пе́ред подъе́здом Воронцо́вского дворца́. Два челове́ка отвори́ли две́рцы, осторо́жно взя́ли его́ по́д руки и помогли́ ему́ взойти́ по ле́стнице. Несмотря́ на до́лгую привы́чку, э́то ему́ всегда́ бы́ло тяжело́. Он не мог поня́ть, за что так внеза́пно, так случа́йно, и́з-за како́го-то купа́ния стал беспо́мощным, безнадёжным кале́кой. Газе́ты, осо́бенно иностра́нные, пло́хо зна́вшие, как он свя́зан в Вашингто́не ты́сячей сил и влия́ний, ча́сто называ́ли его́ могу́щественным челове́ком на земле́. Э́ти слова́, обы́чно прия́тные и ле́стные, в таки́е мину́ты вызыва́ли у него́ го́рькую усме́шку. Помога́вшие ему́ лю́ди, внима́тельно за ним следи́вшие, останови́лись по́сле не́скольких ступе́нек. За́литый со́лнцем сад, мо́ре, го́ры бы́ли невообрази́мо прекра́сны. Он знал, что бо́льше никогда́ э́того не уви́дит. Э́то уже́ бы́ло про́шлое. Ско́ро должно́ бы́ло стать про́шлым всё остально́е. Тем бо́лее бы́ло необходи́мо рабо́тать на по́льзу люде́й. Е́ле заме́тным движе́нием ло́ктя он веле́л идти́ да́льше. Две́ри уже́ растворя́лись на́стежь.

склоня́ться – to be inclined towards

впро́чем – incidentally
выска́зываться – to express/state one's opinion
благоскло́нность – goodwill

взве́шивать – to weigh
наедине́ – alone
размышля́ть – to reflect

броса́ть взгляд – to cast a glance

подъе́зд – entrance
отвори́ть – откры́ть

внеза́пно – suddenly
купа́ние – здесь: swimming
кале́ка – cripple
свя́зан / связа́ть – to bind
влия́ние – influence

ле́стный – flattering

го́рький – здесь: гру́стный
усме́шка – smile
следи́вший / следи́ть – to see, look after
ступе́нька – step
за́литый / зали́ть – to drench
невообрази́мо – unimaginably

е́ле – чуть
ло́коть – elbow
веле́ть – to order
растворя́ться – открыва́ться
на́стежь – wide open

**Работаем с текстом**

Определите, какие из высказываний соответствуют истине.

1. Со Сталиным личного соперничества не могло быть: он был человек другого мира.
2. Эксперты были между собой согласны в истолковании интересов России и целей Сталина.
3. На Рузвельта особенно действовали сообщения о новом отношении маршала к религии.
4. Но иногда президент за столом бросал взгляд на Сталина, и на него находили сомнения.
5. Он не мог понять, за что так внезапно, так случайно стал беспомощным калекой.

Ответьте на вопросы.

1. Почему у Рузвельта не могло быть личного соперничества со Сталиным?
2. По каким вопросам эксперты были не совсем согласны между собой?
3. Какие изменения в политике Сталина особенно действовали на Рузвельта?
4. В какие моменты газетные слова о могуществе Рузвельта вызывали у него горькую усмешку?

Как вы понимаете выражение: «Сталин был человек совершенно другого мира»?

**Учимся говорить**

Расскажите о сомнениях Рузвельта и его советников, используя слова: личное соперничество; русские и американские интересы; расходиться; нельзя узнать; церковная политика; национальное чувство; выслушивать все мнения; взять под руки; помочь взойти по лестнице; никогда не увидеть; работать на пользу людей.

**1.** Приведите три примера того, о чём думал Рузвельт.

**2.** Приведите примеры изменения внутренней политики Сталина.

**Учимся писать**

Напишите, что тревожило Рузвельта в последние месяцы его жизни.

**Слова урока**

советник; тесный круг; поощрение; наблюдение; впрочем; наедине; влияние; ступенька.

| | | | | | |
|---|---|---|---|---|---|
| качать головой | нсв | — | // | покачать головой | св |
| склоняться | нсв | к чему? | // | склониться | св |
| взвешивать | нсв | что? | // | взвесить | св |
| бросать взгляд | нсв | на кого? на что? | // | бросить взгляд | св |
| размышлять | нсв | о чём? над чем? | // | — | |
| следить | нсв | за кем? за чем? | // | — | |
| перемениться | св | — | // | — | |

# 10

Сбоку один за другим отходили советские автомобили. Маршал, обычно приезжавший последним, на этот раз прибыл раньше его. Он как раз в холле здоровался с Черчиллем. Оба ласково, приветливо улыбались, крепко пожимая друг другу руки. Как всегда, это позабавило Рузвельта. Он знал, что они ненавидят друг друга. Условность человеческих отношений порою удивляла его так, точно он видел её в первый раз в жизни. На его лице тотчас появилась чарующая улыбка. «Хелло, Уинни!» — ещё издали радостно воскликнул он. «Хелло, маршал!» (Сталина он всё-таки называл Джо лишь за глаза). — «Здравствуйте, маршал», — разъяснил переводчик.

Маршал тоже приветливо помахал ему рукой, быстро подошёл своей крепкой, тяжёлой, чуть нескладной походкой и дружески пожал ему руку. Затем учтиво, но нисколько не притворяясь светским человеком, с кавказской важностью поздоровался с дочерью президента.

Несмотря на серьёзное выражение его лица, многое было ему забавно в Ялте. На конференции всегда приезжали враги: это он знал твёрдо, это было, собственно, даже единственное, в чём он не сомневался. Опаснейшим врагом был Черчилль, но его страна была теперь не так страшна. Менее опасным врагом был президент, зато мощь Соединённых Штатов была очень велика. Сталин, по правилу, не верил ни одному слову из того, что оба они говорили, и в каждом их предложении искал затаённый смысл: очень редко не находил и тогда испытывал некоторую тревогу; в громадном же большинстве случаев находил тотчас и тогда успокаивался. Разгадывать и расстраивать чужие козни было для него давним, обычным, привычным делом. К этому собственно и сводилась боль-

---

сбоку – off to the side

ласково – tenderly
приветливо – welcomingly
крепко – firmly
пожимая / пожимать руки – здесь: to shake hand
позабавить – to amuse
ненавидеть – to hate
условность – conventionality
порою / порой – иногда

воскликнуть – to exclaim

за глаза – behind smb.'s back

помахать – to wave
крепкий – strong
нескладный – ungainly
походка – gait
учтиво – вежливо
притворяясь / притворяться – to pretend
светский человек – man of the world
кавказский – of the Caucasus Mountains
важность – pomposity

забавно… – amusing

собственно – actually
сомневаться – to doubt

мощь – might

затаённый – hidden

испытывать – to experience
тревога – anxiety
тотчас – at once
разгадывать – to unravel
расстраивать – to upset
козни – machinations
сводиться – to come (down to)

шая часть его у́мственной рабо́ты в жи́зни. От приро́-
ды он был о́чень умён и осо́бенно хитёр. Жи́зненный
о́пыт у него́ был огро́мный. В после́дние три́дцать лет
он был окружён смерте́льными врага́ми, подозрева́л
враго́в во всех лю́дях, да́же в приближённых, — осо́-
бенно в приближённых, — и хорошо́ научи́лся рас-
познава́ть отте́нки в та́йных вра́жеских чу́вствах.

Здесь, на конфере́нции, ему́ был вполне́ поня́тен
отте́нок Че́рчилля; отте́нок же президе́нта ещё не
вполне́ вы́яснился. И лишь чрезвыча́йно ре́дко Ста́-
лину приходи́ла в го́лову непривы́чная, невероя́тная,
невозмо́жная мысль: вдруг э́тот америка́нец дей-
стви́тельно ве́рит и тому́, что сам говори́т, и да́же
тому́, что ему́ говоря́т други́е! Тогда́ э́то бы́ло уже́
совсе́м заба́вно.

Из мелоче́й же его́ весели́ло, что о́ба го́стя по-
жа́ловали в Я́лту с дочерьми́, кото́рые тут бы́ли ре-
ши́тельно ни для чего́ не нужны́, кро́ме за́втраков и
обе́дов, да, со́бственно, не нужны́ бы́ли и для э́того.
Они́ прие́хали, очеви́дно, потому́, что отцы́ не могли́
им отказа́ть в но́вом развлече́нии. Он ничего́ не
име́л про́тив их прису́тствия, хотя́ ему́ самому́ ни-
ка́к не могло́ прийти́ в го́лову привезти́ на между-
наро́дную конфере́нцию свою́ дочь. Ничего́ не име́л
и про́тив други́х собра́вшихся здесь люде́й, кро́ме
Че́рчилля, кото́рого терпе́ть не мог (из иностра́нцев,
быть мо́жет, ненави́дел то́лько его́). Одна́ко тепе́рь
с Че́рчиллем ничего́ ника́к сде́лать бы́ло нельзя́, а
потому́ и не́нависть к нему́ не име́ла значе́ния. Дру-
ги́е же го́сти бы́ли скоре́е прия́тные лю́ди, с кото́-
рыми мо́жно бы́ло посиде́ть за столо́м, вы́пить вина́,
поговори́ть (е́сли б без перево́дчика). Дальне́йшее
всеце́ло зави́село от обстоя́тельств. Прия́тные лю́ди,
и да́же ещё гора́здо бо́лее прия́тные, бы́ли Буха́рин[1],

хитёр / хи́трый – cunning, sly

окружён / окружи́ть – to surround
подозрева́ть – to suspect
приближённый – confidant
распознава́ть – to identify

отте́нок – shade

чрезвыча́йно – extremely

непривы́чный – strange, unaccus-
    tomed
невероя́тный - incredible

ме́лочь – trifle
пожа́ловать – здесь: прие́хать
реши́тельно – decidedly

со́бственно – actually

развлече́ние – amusement

прису́тствие – presence

(Не мочь) терпе́ть – cannot stand

не́нависть – hatred

всеце́ло – entirely

обстоя́тельство – circumstance

---

[1] Буха́рин Никола́й Ива́нович (1888–1938) – член Центра́льного комитета партии в 1917–1934 гг. Расстрелян (to be executed by firing squad).

Рыков[1], Караха́н[2]; с ни́ми он то́же когда́-то охо́тно болта́л и пил вино́.

охо́тно – readily
болта́ть – to chatter

Вокру́г него́ — одна́ко на не́котором расстоя́нии сза́ди — стоя́ли чле́ны ру́сской делега́ции, лови́вшие выраже́ние его́ глаз, — он ча́сто беспоко́йно огля́дывался (лицо́ его́ обы́чно ничего́ не выража́ло). Все э́ти лю́ди бы́ли пока́ пре́даны. Дальне́йшее же и тут нельзя́ бы́ло предви́деть, оно́ та́кже зави́село от обстоя́тельств. Он улыбну́лся и вы́разил опасе́ние, как бы го́сти не увезли́ с собо́й из Росси́и хоро́шую пого́ду. И то́тчас ве́село улыбну́лись Мо́лотов, Выши́нский, Ма́йский, Гу́сев, Громы́ко, адмира́л Кузнецо́в, ма́ршал Худяко́в и генера́л Анто́нов.

беспоко́йно – uneasily
огля́дываться – to look round

пре́дан / пре́данный – devoted,
  faithful
предви́деть – to foresee
опасе́ние – misgiving

## Работаем с текстом

Определите, какие из высказываний соответствуют истине.

1. Черчилль и маршал приветливо улыбались, крепко пожимая друг другу руки.
2. Маршал учтиво, притворяясь светским человеком, с кавказской важностью поздоровался с дочерью президента.
3. На конференции всегда приезжали враги: это он знал твёрдо, это было единственное, в чём он не сомневался.
4. Сталин не верил ни одному слову из того, что оба они говорили.
5. От природы он был не очень умён, но особенно хитёр.
6. Сталину никогда не приходила в голову невозможная мысль: вдруг этот американец действительно верит и тому, что сам говорит, и даже тому, что ему говорят другие.
7. Сталина веселило, что оба гостя пожаловали в Ялту с дочерьми.
8. Сталин ничего не имел против собравшихся здесь людей, кроме Черчилля, которого терпеть не мог, однако теперь с Черчиллем ничего сделать было нельзя, а потому ненависть к нему не имела значения.

Ответьте на вопросы.

1. Почему Рузвельта позабавило то, что Сталин и Черчилль улыбались друг другу?
2. В чём Сталин никогда не сомневался?
3. Когда Сталин начинал испытывать тревогу?
4. Какое дело было привычным и обычным для Сталина?
5. Почему ненависть к Черчиллю теперь не имела значения для Сталина?

---

[1] Ры́ков Алексе́й Ива́нович (1881–1938) – председатель правительства в 1924–1930 гг. Расстрелян.
[2] Караха́н Лев Миха́йлович (1889–1937) – советский дипломат. Расстрелян.

Как вы понимаете выражение «...Сталину был вполне понятен оттенок Черчилля; оттенок же президента ещё не вполне выяснился»?

**Учимся говорить**

Расскажите об отношении Сталина к Черчиллю и Рузвельту, используя слова:

прибыть раньше; здороваться; улыбаться; дружески пожать руку; опаснейший враг; не верить ни одному слову; жизненный опыт; вражеские чувства; невозможная мысль; приехать с дочерьми; ничего не имел против; приятные люди; члены русской делегации; увезти хорошую погоду.

Найдите три факта, которые забавляли Сталина в Ялте.

**Учимся писать**

Напишите, как Сталин относился к людям, которые окружали его, что он ценил в них.

**Слова урока**

сбоку; приветливо; за глаза; походка; мощь; тревога; тотчас; хитрый; оттенок; мелочь; решительно; развлечение; присутствие; обстоятельства; охотно; беспокойно.

| | | | | | |
|---|---|---|---|---|---|
| позабавить | св | *кого?* | // | забавлять | нсв |
| ненавидеть | нсв | *кого? что?* | // | возненавидеть | св |
| помахать | св | *кому? чем?* | // | махать | нсв |
| притворяться | нсв | *кем?* | // | притвориться | св |
| испытывать | нсв | *что?* | // | испытать | св |
| разгадывать | нсв | *что?* | // | разгадать | св |
| расстраивать | нсв | *что?* | // | расстроить | св |
| окружить | св | *кого? что?* | // | окружать | нсв |
| подозревать | нсв | *кого? в чём?* | // | — | |
| болтать | нсв | *с кем? о чём?* | // | поболтать | св |
| оглядываться | нсв | — | // | оглянуться | св |
| предвидеть | нсв / св | *что?* | // | | |
| сомневаться | нсв | *в чём? в ком?* | // | засомневаться | св |
| терпеть | нсв | *кого? что?* | // | — | |

**Проверьте себя**

Соедините два предложения с помощью союзов и предлогов *несмотря на / несмотря на то, что; благодаря / благодаря тому, что; из-за / из-за того, что.*

1. После революции во дворце находились разные учреждения, во время войны там хозяйничали немцы. Дворец и волшебные сады, в которых росли кипарисы, магнолии, лавры, остались целы.

2. Настроение Черчилля улучшилось. Этому способствовала стоявшая в Ялте прекрасная весенняя погода.

3. Черчилль обладал высокой культурой и прекрасным образованием. Но он почти ничего не знал о России.

4. На конференции Сталин признал независимость Польши. Этому успеху помогла короткая, но эмоциональная речь Черчилля.

5. Рузвельт изменился за несколько месяцев. Очевидно он был тяжело болен.
6. У Сталина было серьёзное лицо. Но многое на конференции забавляло его.

## Задания ко всему тексту

1. **Как вы думаете, как относится автор к своим героям? Приведите примеры, доказывающие разное отношение автора к Черчиллю, Рузвельту и Сталину.**
   **Почему фигура Черчилля оказалась в центре рассказа? Подтвердите вашу точку зрения фактами из текста.**

2. **Кто из руководителей «большой тройки» является наиболее современным типом политика? Приведите примеры, подтверждающие ваше мнение.**

3. **Дайте характеристику Черчиллю, Рузвельту и Сталину (характер, привычки, отношение к морали).**
   **Напишите, что вы узнали о Черчилле, Рузвельте, Сталине.**

4. **Как вы относитесь к жанру исторического романа, рассказа?**
   **Какие произведения об истории вашей страны вы читали?**

# В.В. Набоков

Влади́мир Влади́мирович Набо́ков (1899, Са́нкт-Петербу́рг —1977, Монтрё, Швейца́рия) ру́сско-америка́нский писа́тель. Эмигри́ровал из Росси́и в 1919 г. Учи́лся в Ке́мбридже[1], изуча́л францу́зскую литерату́ру. Жил в Берли́не, где написа́л свои́ пе́рвые рома́ны, сде́лавшие его́ са́мым изве́стным молоды́м писа́телем ру́сской эмигра́ции. В 1940 г. он с жено́й и сы́ном уе́хал из Фра́нции в Аме́рику, кото́рая ста́ла его́ но́вой ро́диной. С того́ же вре́мени он на́чал писа́ть по-англи́йски. В 1959 г. перее́хал в Швейца́рию.

Швейца́рия – Switzerland

Са́мые изве́стные его́ рома́ны — «Дар» (1938, на ру́сском языке́) и «Лоли́та» (1954, на англи́йском). Игра́ слова́ми и худо́жественными фо́рмами создаёт неповтори́мый стиль произведе́ний писа́теля.

---

[1] Ке́мбридж – Cambridge – известный университет в Англии.

# КРАСА́ВИЦА*

Это расска́з о краси́вой же́нщине, чья жизнь начала́сь о́чень сча́стливо. Но револю́ция, эмигра́ция измени́ли всё.

краса́вица – beauty

## 1

О́льга Алексе́евна, о кото́рой сейча́с бу́дет речь, родила́сь в 1900 году́ в бога́той, беспе́чной, дворя́нской семье́. Бле́дная де́вочка в бе́лой матро́ске, с ко́сым пробо́ром в кашта́новых волоса́х и таки́ми весёлыми глаза́ми, что её все целова́ли в глаза́, она́ с де́тства слыла́ краса́вицей: чистота́ про́филя, выраже́ние сло́женных губ, шелкови́стость косы́, доходи́вшей до спинно́й впа́динки, — всё э́то и в са́мом де́ле бы́ло очарова́тельно.

беспе́чный – carefree, troublefree
дворя́нский – noble
матро́ска – sailor suit
косо́й пробо́р в волоса́х – a side part one's hair
слыть – to be reputed to be
сло́женный – здесь: закры́тый
гу́бы – lips
шелкови́стость – silkiness
коса́ – braid
спинна́я впа́динка – small of the back
очарова́тельно – charming

Наря́дно, поко́йно и ве́село, как и́сстари у нас повело́сь, прошло́ э́то де́тство: луч уса́дебного со́лнца на обло́жке Bibliothèque Rose[1], класси́ческий и́ней петербу́ргских скве́ров. Запа́с таки́х воспомина́ний и соста́вил то еди́нственное прида́ное, кото́рое оказа́лось у неё по вы́ходе из Росси́и весно́й 1919 го́да. Всё бы́ло в по́лном согла́сии с эпо́хой: мать умерла́ от ти́фа, бра́та расстреля́ли, — гото́вые фо́рмулы, коне́чно, надое́вший говоро́к, — а ведь всё э́то бы́ло, бы́ло, ина́че не ска́жешь, — не́чего нос вороти́ть.

наря́дно – festively
поко́йно – споко́йно
и́сстари – о́чень давно́
повести́сь – to be the custom
луч – beam
уса́дебный / уса́дьба – country seat, estate
обло́жка – cover
и́ней – hoar-frost
сквер – public garden, square
запа́с – supply
соста́вить – to comprise
прида́ное – dowry
эпо́ха – epoch
тиф – typhus
расстреля́ть – to execute by firing squad
надое́вший – dreary
говоро́к – small talk
нос вороти́ть (идио́ма) – to turn one's nose from, здесь: to deny

Ита́к, в 1919 году́ пе́ред на́ми взро́слая ба́рышня, с больши́м бле́дным лицо́м, перестара́вшимся в смы́сле пра́вильности, но всё-таки о́чень краси́вым; высо́кого ро́ста, с мя́гкой гру́дью, всегда́ в чёрном дже́мпере; шарф вокру́г бе́лой ше́и и англи́йская папиро́са в тонкопёрстой руке́ с выдаю́щейся ко́сточкой на запя́стье.

ба́рышня – young lady
перестара́вшийся / перестара́ться – to overdo
в смы́сле пра́вильности – in terms of the regularity of features
дже́мпер – pullover
папиро́са – cigarette
тонкопёрстая рука́ – рука́ с то́нкими па́льцами
выдаю́щийся – здесь: prominent
запя́стье – wrist

---

[1] Bibliothèque Rose – се́рия (series) книг для дете́й на францу́зском языке́.

А была́ в её жи́зни пора́,— на исхо́де шестна́дцато-го го́да, что ли,— когда́, ле́том, в да́чном ме́сте близ име́ния, не́ было гимнази́ста, кото́рый не собира́л-ся бы и́з-за неё стреля́ться, не́ было студе́нта, кото́рый... Одни́м сло́вом: осо́бенное обая́ние, кото́рое, продер-жи́сь оно́ ещё не́которое вре́мя, натвори́ло бы... на-несло́ бы... Но ка́к-то ничего́ из э́того не вы́шло,— всё бы́ло ка́к-то не так, зря: цветы́, кото́рые лень по-ста́вить в во́ду; прогу́лки в су́мерки то с э́тим, то с тем; тупики́ поцелу́ев.

Она́ свобо́дно говори́ла по-францу́зски; наи́вно переводя́ «грабежи́» сло́вом «grabuges» [1]; употребля́я каки́е-то старосве́тские рече́ния, застря́вшие в ста́рых ру́сских се́мьях; но о́чень убеди́тельно карта́вя,— хотя́ во Фра́нции не быва́ла никогда́. Над комо́дом в её берли́нской ко́мнате была́ пришпи́лена була́вкой от-кры́тка — серо́вский [2] портре́т госуда́ря. Она́ была́ на́божна, но, случа́лось, и в це́ркви находи́л на неё смехоту́н. С жу́ткой лёгкостью, сво́йственной всем ру́сским ба́рышням её поколе́ния, она́ писа́ла — па-триоти́ческие, шу́точные, каки́е уго́дно — стихи́.

на исхо́де – в конце́

име́ние – estate
стреля́ться – to shoot oneself
обая́ние – magic, charm
продержи́сь/продержа́ться – to last
натвори́ть – to cause
нанести́ – to inflict
(Ей) лень (+ inf.) – she is too lazy (+ inf.)
су́мерки – twilight
тупи́к – deadend
наи́вно – naively
грабёж – robbery
старосве́тский – здесь: archaic, old-world
рече́ние – locution
застря́вший / застря́ть – to be held over
карта́вя / карта́вить – to burr one's «r's»
убеди́тельно – convincingly
комо́д – dresser
пришпи́лен / пришпи́лить – to fasten
була́вка – straight pin
госуда́рь – царь, император
на́божен / на́божный – religious
смехоту́н – смех
жу́ткий – terrifying
сво́йственный – characteristic
поколе́ние – generation
како́й уго́дно – any... you like, whatever

**Работаем с текстом**

Определите, какие из высказываний соответствуют истине.

1. Ольга Алексеевна родилась в богатой дворянской семье.
2. Её детство прошло спокойно и весело, как это было и раньше.
3. Она уехала из России с большим приданым.
4. Она всегда носила чёрный джемпер и шарф.
5. Несколько гимназистов стрелялись из-за неё.
6. Она свободно говорила по-французски, но у неё было плохое про-изношение.
7. Она писала стихи на разные темы, как многие русские барышни.

Ответьте на вопросы.

1. Почему Ольгу Алексеевну с детства считали красавицей?
2. Какие воспоминания остались у Ольги Алексеевны от детства?

---

[1] Les grabuges (франц.) – ссоры – quarrels.
[2] Серо́вский / Серо́в Валенти́н Алекса́ндрович (1865–1911) – русский художник, автор портрета по-следнего русского императора Николая II (1868–1918).

3. Что случилось с семьёй Ольги Алексеевны после революции?

4. Как обычно одевалась Ольга Алексеевна?

5. Почему гимназисты собирались стреляться из-за неё?

6. Где она жила после отъезда из России?

Как вы понимаете фразу: «*Запас таких воспоминаний и составил то единственное приданое, которое оказалось у неё по выходе из России весной 1919 года*»?

**Учимся говорить**

Расскажите, что вы узнали о героине, о её семье, используя слова:

родиться в дворянской семье; бледная девочка с каштановыми волосами и весёлыми глазами; умереть от тифа; детство прошло весело; взрослая барышня высокого роста; стреляться из-за неё; ничего не вышло / не выходит; быть набожной; писать стихи с лёгкостью; свободно говорить по-французски.

**1.** Найдите доказательства того, что героиня рассказа жила в «согласии с эпохой».

**2.** Найдите примеры того, что героиня была красавицей.

**Учимся писать**

Напишите историю жизни Ольги Алексеевны до 1919 г. Старайтесь использовать слова и выражения: *хотя, несмотря на, однако, возможно, благодаря.*

**Слова урока**

слыть красавицей; в самом деле; очаровательно; луч солнца; запас воспоминаний; нос воротить; иначе не скажешь; всё-таки; обаяние; поколение; какой угодно.

| | | | | | |
|---|---|---|---|---|---|
| слыть | нсв | *кем?* | // | прослыть | св |
| составить | св | *что?* | // | составлять | нсв |
| расстрелять | св | *кого?* | // | расстреливать | нсв |
| воротить нос | нсв | *от чего? от кого?* | // | — | |
| стреляться | нсв | — | // | застрелиться | св |
| натворить | св | *чего?* | // | — | |
| нанести | св | *что? кому? чему?* | // | наносить | нсв |

# 2

Лет шесть, то есть до 1926 го́да, она́ прожива́ла в пансио́не на Аугсбургерштра́ссе (там, где часы́) вме́сте со свои́м отцо́м, плечи́стым, брова́стым, желто-у́сым старико́м, на то́нких нога́х в у́зеньких брю́чках. Он служи́л в како́м-то оптимисти́ческом предприя́тии;

пансио́н – boarding-house

плечи́стый – broad-shouldered
брова́стый – beetle-browed

служи́ть – рабо́тать
предприя́тие – firm

славился поря́дочностью, доброто́й; был не дура́к вы́пить.

У О́льги Алексе́евны набрало́сь дово́льно мно́го знако́мых, всё ру́сская молодёжь. Завёлся осо́бый лихо́й то́нчик. «Пошли́ в кинемо́ньку»[1]. «Вчера́ ходи́ли в ди́лю»[2]. Был спрос на вся́ческие присло́вицы, приба́утки, подража́ния подража́ниям.

У Зо́товых в жа́рко нато́пленных ко́мнатах она́ лени́во танцева́ла фокстро́т под граммофо́н, передвига́я не без изя́щества дли́нную ля́жку, держа́ на отлёте доку́ренную папиро́су и, когда́ глаза́ми находи́ла враща́вшуюся от му́зыки пе́пельницу, сова́ла туда́ оку́рок, не остана́вливаясь. Как преле́стно, как многозначи́тельно, быва́ло, поднима́ла она́ к губа́м бока́л, за та́йное здоро́вье тре́тьего лица́, — сквозь ресни́цы гля́дя на дове́рившегося ей. Как люби́ла в углу́ на дива́не обсужда́ть с тем и́ли с други́м чьи-нибудь серде́чные обстоя́тельства, колеба́ние ша́нсов, вероя́тность объясне́ния, — и всё э́то полуслова́ми, и как сочу́вственно при э́том улыба́лись её чи́стые глаза́, широко́ раскры́тые, с едва́ заме́тными весну́шками на то́нкой сизова́той ко́же под ни́ми и вокру́г них... Одна́ко в неё самоё никто́ не влюбля́лся, и потому́ запо́мнился хам, кото́рый на благотвори́тельном балу́ зала́пал её, и пла́кал у неё на го́лом плече́, и был вы́зван на дуэ́ль ма́леньким баро́ном Р., но отказа́лся дра́ться. Кста́ти, сло́во «хам» О́льга Алексе́евна употребля́ла о́чень ча́сто и по вся́кому по́воду: «Ха́мы», гру́дью выпева́ла она́, лени́во и ла́сково, «Како́й хам»... «Э́то же хам...»

славиться – to have a reputation
поря́дочность – decency
не дура́к вы́пить (идиома) – люби́ть вы́пить
набра́ться – to accumulate
дово́льно – rather, fairly
завести́сь – to be established
лихо́й – jaunty
то́нчик – тон; здесь: мане́ра говори́ть
спрос – demand
присло́вица / присло́вье – popular saying, adage
приба́утка – humorous saying
подража́ние – imitation, здесь: impersonation
нато́пленный – overheated
лени́во – здесь: languidly
изя́щество – grace
ля́жка – thigh
держа́ / держа́ть на отлёте – to keep at a distance
доку́ренный – smoked
враща́вшийся / враща́ться – to revolve
пе́пельница – ashtray
сова́ть – здесь: to poke, to stuff
оку́рок – butt
преле́стно – charmingly
многозначи́тельно – meaningfully
бока́л – wine glass
ресни́ца – lash
гля́дя / гляде́ть – смотреть
дове́рившийся / дове́риться – to confide
обстоя́тельство – circumstance
колеба́ние – fluctuation
вероя́тность – probability
объясне́ние – здесь: declaration of love
полусло́во – half-word
сочу́вственно – sympathetically
весну́шки – freckles
сизова́тый – голубоватый
хам – boor
благотвори́тельный бал – charity ball
зала́пать – to paw
го́лый – bare
дуэ́ль – duel
баро́н – baron
дра́ться – to fight
по ... по́воду – on occasion
выпева́ть – to drawl
ла́сково – affectionately

---

[1] Кинемо́нька – кино – от французского cinéma.
[2] Ди́ля – от немецкого Diele – ресторан, в котором можно танцевать.

**Работаем
с текстом**

Определите, какие из высказываний соответствуют истине.

1. Она жила в пансионе вместе с отцом.
2. Её отец был добрый, но не очень умный.
3. У Ольги Алексеевны было много знакомых, не только русская молодёжь.
4. Она любила обсуждать со своими друзьями их сердечные обстоятельства.
5. В неё никто не влюблялся.
6. Она старалась не вспоминать о хаме, который плакал у неё на плече.
7. Она часто употребляла слово «хам».

**Ответьте на вопросы.**

1. Каким человеком был отец Ольги Алексеевны?
2. Как говорила русская молодёжь в Берлине?
3. Что любила обсуждать Ольга Алексеевна?
4. Почему ей запомнился хам, который плакал у неё на плече?

**Учимся
говорить**

Расскажите, как жила Ольга Алексеевна в Берлине, используя слова:

проживать в пансионе; славиться добротой; много знакомых; танцевать фокстрот; обсуждать сердечные обстоятельства; поднимать бокал за здоровье; влюбиться в; вызвать на дуэль; употреблять часто; хам.

**1. Найдите три примера того, как молодёжь в Берлине проводила время.**

**2. Приведите причины, почему, по вашему мнению, в Ольгу Алексеевну никто не влюблялся.**

**Учимся
писать**

Напишите рассказ о жизни героини в Берлине от первого лица. Например:

*Я жила с отцом в пансионе около шести лет. Отец работал на каком-то предприятии. Он был самым добрым человеком, какого я знала и т. д.*

**Слова
урока**

славиться порядочностью; довольно много; докурить папиросу; многозначительно; сочувственно улыбаться; голый; по всякому поводу.

| завести | св | кого? что? | // | заводить | нсв |
| вращаться | нсв | — | // | — | |
| совать | нсв | что? куда? | // | сунуть нос | св |
| довериться | св | кому? | // | доверяться | нсв |
| драться | нсв | с кем? где? | // | — | |
| славиться | нсв | чем? | // | прославиться | св |

# 3

Но вот жизнь потемнéла; чтó-то кóнчилось, ужé встáвали, чтóбы уходи́ть... Как скóро! Отéц ýмер; онá переéхала на другýю ýлицу; перестáла бывáть у знакóмых; вязáла шáпочки и давáла дешёвые урóки францýзского языкá в какóм-то дáмском клýбе; так дотянýла до тридцати́ лет.

Э́то былá тепéрь всё та же красáвица с очаровáтельным разрéзом широкó расстáвленных глаз и той редчáйшей ли́нией губ, в котóрой как бы ужé заключенá вся геомéтрия улы́бки. Но вóлосы потеря́ли лоск, бы́ли плóхо подстри́жены, чёрному костю́му пошёл четвёртый год, рýки с блестя́щими, но неря́шливыми ногтя́ми бы́ли в вы́пуклых жи́лках и дрожáли от нéрвности, от хулигáнского курéния, — и лýчше умолчáть о состоя́нии чулóк.

Тепéрь, когдá в сýмке шёлковые внýтренности бы́ли так изóдраны (по крáйней мéре всегдá былá надéжда найти́ бéглый грош); тепéрь, когдá такáя устáлость; тепéрь, когдá, надевáя еди́нственные башмаки́, онá заставля́ла себя́ не дýмать об их подóшвах, тóчно так же, как, входя́ наперекóр чéсти в табáчную лáвку, запрещáла себé дýмать, скóлько ужé там задолжáла; тепéрь, когдá нé было ни малéйшей надéжды вернýться в Росси́ю, — а нéнависть сдéлалась столь привы́чной, что почти́ перестáла быть грехóм; тепéрь, когдá сóлнце зашлó за трубý, — О́льга Алексéевна терзáлась иногдá рóскошью каки́х-то реклáм, напи́санных слюнóй Тантáла[1], воображáя себя́ богáтой, вон в том плáтье, набрóсанном при пóмощи трёх-четырёх нáглых ли́ний, на той пáлубе, под той пáльмой, у балюстрáды бéлой террáсы. Ну и ещё кóе-чегó ей недоставáло.

вязáть – to knit
дáмский клуб – lady's club
дотянýть – здесь: дожи́ть
разрéз глаз – фóрма глаз
расстáвленный / расстáвить – to place apart
ли́ния – line
заключён / заключи́ть – здесь: to contain
лоск – shine
подстри́жен / подстри́чь – to trim
неря́шливый – untidy
нóготь – fingernail
вы́пуклый – bulging, protruding
жи́лка – vein
дрожáть – to quiver
хулигáнский – hooligan
состоя́ние – state
чулки́ – stockings
шёлковый – silken
внýтренности – insides
изóдран / изодрáть – to be in tatters
по крáйней мéре – at any rate
бéглый – здесь: stray
грош – coin
башмаки́ – shoes
заставля́ть – to force
подóшва – sole
наперекóр чéсти – against (her) sense of honour
табáчная лáвка – the tobacconist's
запрещáть – to forbid
задолжáть – to run up debt
грех – sin
трубá – chimney
терзáться – to be tormented
рóскошь – luxury
реклáма – advertisement
слюнá – saliva
воображáя / воображáть – to imagine
набрóсанный / набросáть – to sketch
нáглый – insolent
пáлуба – ship-deck
пáльма – palm (tree)
балюстрáда – balustrade
террáса – terrace
недоставáть – to be lacking

---

[1] Тантáл – мифологи́ческий герóй. Бóги наказáли (to punish) егó: он вéчно дóлжен был стоя́ть в водé, но не мог пить – водá уходи́ла от негó, виногрáд поднимáлся вверх, когдá он хотéл взять егó.

Одна́жды, едва́ её не сбив с ног, из телефо́нной бу́д-
ки ви́хрем вы́махнула Ве́рочка, подру́га пре́жних лет,
как всегда́ спеша́щая, с паке́тами, с мохногла́зым те-
рье́ром, поводо́к кото́рого обви́лся два́жды вокру́г её
ю́бки. Она́ наки́нулась на О́льгу Алексе́евну, умоля́я
её прие́хать к ним на да́чу, говоря́, что э́то су́дьба, что
э́то замеча́тельно, и как тебе́ живётся, и мно́го ли
покло́нников. «Нет, ма́тушка, го́ды не те, — отвеча́ла
О́льга Алексе́евна, — да кро́ме того́...» Она́ приба́ви-
ла ма́ленькую подро́бность, и Ве́рочка покати́лась со́
смеху, склоня́я паке́ты до земли́. «Серьёзно», — ска-
за́ла О́льга Алексе́евна с улы́бкой. Ве́рочка продол-
жа́ла угова́ривать её, дёргая терье́ра, вертя́сь. О́льга
Алексе́евна, вдруг заговори́в в нос, заняла́ у неё
де́нег.

| | |
|---|---|
| сбив / сбить | – to knock off |
| телефо́нная бу́дка | – telephone booth |
| ви́хрь | – whirlwind |
| вы́махнуть | – to fly out |
| спеша́щий / спеши́ть | – to rush |
| мохногла́зый | – shaggy-eyed |
| терье́р | – terrier |
| поводо́к | – leash |
| обви́ться | – to become wound around |
| наки́нуться | – to pounce |
| умоля́я / умоля́ть | – to implore |
| покло́нник | – suitor |
| ма́тушка | – здесь: my dear |
| приба́вить | – доба́вить |
| подро́бность | – detail |
| покати́ться со́ смеху (идиома) | – burst out laughing |
| склоня́я / склоня́ть | – to let down |
| угова́ривать | – to coax |
| дёргая / дёргать | – to pull |
| вертя́сь / верте́ться | – to spin |
| заговори́в / заговори́ть в нос | – to begin to speak through one's nose |
| заня́ть | – to borrow |

## Работаем с текстом 🗝

Определи́те, каки́е из выска́зываний соотве́тствуют и́стине.

1. По́сле сме́рти отца́ О́льга Алексе́евна перее́хала на другу́ю у́лицу.
2. Она́ уже́ не была́ пре́жней краса́вицей.
3. Она́ носи́ла ста́рый костю́м и была́ пло́хо подстри́жена.
4. Она́ не хоте́ла ду́мать о свои́х долга́х в таба́чной ла́вке.
5. Она́ уже́ не счита́ла не́нависть грехо́м.
6. Рекла́ма помога́ла ей вообража́ть себя́ бога́той.
7. Ве́рочка была́ подру́гой О́льги Алексе́евны с де́тства.
8. Ве́рочка пригласи́ла О́льгу Алексе́евну прие́хать к ней на да́чу.

Отве́тьте на вопро́сы.

1. Где рабо́тала О́льга Алексе́евна по́сле сме́рти отца́?
2. Как измени́лась вне́шность О́льги Алексе́евны?
3. О чём запреща́ла себе́ ду́мать О́льга Алексе́евна?
4. Куда́ пригласи́ла Ве́рочка О́льгу Алексе́евну?

Как вы понима́ете выраже́ния: «Но вот жизнь потемне́ла...»; «...те-
перь, когда́ не́ было ни мале́йшей наде́жды верну́ться в Росси́ю, — а
не́нависть ста́ла столь привы́чной, что почти́ переста́ла быть грехо́м...»?

## Учимся говорить

Расскажи́те как жила́ О́льга Алексе́евна по́сле 1926 го́да, испо́льзуя
слова́:

жизнь потемне́ла, перее́хать на другу́ю у́лицу; дава́ть дешёвые уро́-
ки; всё та же краса́вица; во́лосы пло́хо подстри́жены; костю́му пошёл четвёртый год; задолжа́ть; заставля́ть себя́ не ду́мать; не́ было
наде́жды; вообража́ть себя́ бога́той; подру́га пре́жних лет; прие́хать
на да́чу; заня́ть де́ньги.

**1.** Найдите примеры того, как Ольга Алексеевна стала выглядеть.

**2.** Как вы думаете: какую «маленькую подробность» добавила Ольга Алексеевна?

**Учимся писать**

Напишите о жизни Ольги Алексеевны после смерти отца.

**Слова урока**

нервность; руки с блестящими ногтями; всегда спешащая подруга; прибавить маленькую подробность

| | | | | | |
|---|---|---|---|---|---|
| вязать | нсв | *что?* | // | связать | св |
| подстричь | св | *что?* | // | подстригать | нсв |
| дрожать | нсв | *— ; от чего?* | // | задрожать | св |
| заставлять | нсв | *кого? + inf.* | // | заставить | св |
| запрещать | нсв | *кому? + inf.* | // | запретить | св |
| задолжать | св | *кому? что? где?* | // | — | |
| воображать | нсв | *что? кого?* | // | вообразить | св |
| недоставать | нсв | *(Дат. п.) кого? чего?* | // | — | |
| сбить с ног | св | *кого?* | // | сбивать с ног | нсв |
| спешить | нсв | *— ; куда?* | // | — | |
| умолять | нсв | *кого?* | // | — | |
| покатиться со смеху | св | *—* | // | — | |
| уговаривать | нсв | *кого? + inf.* | // | уговорить | св |
| занять | св | *у кого? что?* | // | занимать | нсв |

# 4

Вéрочка былá мастерѝца устрáивать всякие штýки, будь то крюшóн, вѝза ѝли свáдьба. Тепéрь онá с упоéнием занялáсь судьбóй Óльги Алексéевны. «В тебé проснýлась свáха», — шутѝл её муж, пожилóй балтѝец [1], — обрѝтая головá, монóкль. В яркий áвгустовский день приéхала Ольга Алексéевна, былá мгновéнно переодéта в Вéрочкино плáтье, перечёсана, перекрáшена, — онá ленѝво ругáлась, но уступáла, — и как прáзднично стреляли половѝцы в весёлой дáч-

мастерѝца / мáстер – whiz
устрáивать – to arrange
штýка – thing
крюшóн – здесь: a party with punch
свáдьба – wedding
упоéние – rapture
свáха – matchmaker
обрѝтый / обрѝть – to shave
монóкль – monocle
мгновéнно – instantaneously
перечёсан / перечесáть – to rearrange hair
перекрáшен / перекрáсить – to change make-up
ругáться – to swear
уступáть – to yield
стрелять – здесь: to creak
половѝца – floorboard

---

[1] Балтѝец – здесь: немец, который родился и жил в Прибалтике (Baltic states).

ке, как вспы́хивали в зелёном плодо́вом саду́ вися́чие зе́ркальца для остра́стки птиц! Прие́хал на неде́лю погости́ть не́кто Фо́рсман, ру́сский не́мец, состоя́тельный вдове́ц, спортсме́н, а́втор охо́тничьих книг. Он сам давно́ проси́л Ве́рочку подыска́ть ему́ неве́сту — «настоя́щую ру́сскую красоту́». У него́ был кру́пный, кре́пкий нос, с тонча́йшей ро́зовой ве́нкой на высо́кой горби́нке. Он был ве́жлив, молчали́в, мину́тами да́же угрю́м, — но уме́л то́тчас же, ка́к-то под шумо́к, подружи́ться наве́ки с соба́кой и́ли с ребёнком. С его́ прие́здом на О́льгу Алексе́евну напа́ла дурь; вя́лая и зла́я, она́ всё де́лала не то́, что сле́довало, — и сама́ чу́вствовала, что не то́, — и когда́ речь заходи́ла о бы́вшей Росси́и (Ве́рочка стара́лась заста́вить её блесну́ть про́шлым), ей каза́лось, что она́ всё врёт и что все понима́ют, что она́ врёт, — и потому́ она́ упо́рно не говори́ла всего́ того́, что Ве́рочка стара́лась напока́з из неё извле́чь, да и вообще́ не дава́ла ничему́ нала́диться. Хло́пали в ка́рты на вера́нде и толпо́й гуля́ли в лесу́, — но Фо́рсман всё бо́льше разгова́ривал с Ве́рочкиным му́жем, вспомина́я каки́е-то проде́лки ю́ности, и о́ба докрасна́ налива́лись сме́хом и, отста́в, па́дали на мох. Накану́не отъе́зда Фо́рсмана игра́ли, как всегда́ по вечера́м, в ка́рты на вера́нде; вдруг О́льга Алексе́евна почу́вствовала невозмо́жное сжа́тие в го́рле, — ей удало́сь всё же улыбну́ться и без осо́бого спе́ха уйти́. К ней стуча́лась Ве́рочка, но она́ не откры́ла. Среди́ но́чи переби́в со́нмище со́нных мух в ни́зкой ко́мнате и так накури́вшись, что уже́ не могла́ затя́гиваться, О́льга Алексе́евна, в раздраже́нии, в тоске́, ненави́дя себя́ и всех, вы́шла в сад; там треща́ли сверчки́, кача́лись ве́тви, и́зредка па́дало с туги́м сту́ком я́блоко. Ра́но у́тром она́ вы́шла опя́ть и се́ла на уже́ горя́чую ступе́нь. Фо́рсман в си́нем купа́льном хала́те сел ря́дом с ней и, ка́шлянув, спроси́л, согла́сна ли она́ стать его́ супру́гой — так и сказа́л: «супру́-

вспы́хивать – to flash
плодо́вый сад – orchard
вися́чий – suspended
зе́ркальце – зеркало
для остра́стки – to scare off
погости́ть – to visit
состоя́тельный – well-to-do
вдове́ц – widower
охо́тничий – hunting
подыска́ть – найти́
ве́нка / ве́на – vein
горби́нка – bridge of the nose
угрю́м / угрю́мый – morose
под шумо́к (идиома) – no one noticed
наве́ки – навсегда́
дурь напа́ла (идиома) – capriciousness, foolishness set in on someone
вя́лый – sluggish, spiritless
блесну́ть – здесь: to show off
врать – to lie
упо́рно – stubbornly
напока́з – on show
извле́чь – to extract
нала́диться – to come right
хло́пать в ка́рты – игра́ть в ка́рты
толпо́й – здесь: все вместе
проде́лка – prank
докрасна́ налива́ться сме́хом – станови́ться кра́сным от сме́ха
отста́в / отста́ть – to lag behind
мох – moss
сжа́тие – spasm
го́рло – throat
уда́ться – to manage
без спе́ха – without haste
стуча́ться – to knock
переби́в / переби́ть – уби́ть мно́го
со́нмище – multitude
му́ха – fly
затя́гиваться – to inhale, to drag on a cigarette
раздраже́ние – irritation
тоска́ – здесь: depression
треща́ть – to chirr
сверчо́к – cricket
кача́ться – to sway
ветвь – branch
туго́й – taut
стук – thud
ступе́нь – step
купа́льный хала́т – bathrobe
ка́шлянув / ка́шлянуть – to cough
супру́г(а) – spouse

гой». Когда́ они́ пришли́ к за́втраку, то Ве́рочка, её муж и его́ кузи́на, соверше́нно мо́лча, в ра́зных угла́х танцева́ли несуществу́ющие та́нцы, и О́льга Алексе́евна ла́сково протяну́ла: «Вот ха́мы», — а сле́дующим ле́том она́ умерла́ от ро́дов. Э́то всё. То́ есть, мо́жет быть, и име́ется како́е-нибудь продолже́ние, но мне оно́ неизве́стно, и в таки́х слу́чаях, вме́сто того́ что́бы теря́ться в дога́дках, повторя́ю за весёлым королём из мое́й люби́мой ска́зки: Кака́я стрела́ лети́т ве́чно? — Стрела́, попа́вшая в цель.

протяну́ть – здесь: ме́дленно сказа́ть
ро́ды – childbirth

теря́ться в дога́дках (идио́ма) – to be lost in conjecture
коро́ль – king
стрела́ – arrow
ве́чно – for ever
попа́вший / попа́сть – to hit, to land

**Работаем с текстом**

🔑

Определите, какие из высказываний соответствуют истине.
1. Верочка умела устраивать свадьбы и визы.
2. Мужу Верочки не нравилось то, что она делала.
3. На даче Ольга Алексеевна надела платье Верочки.
4. Форсман давно просил Верочку познакомить его с русской красавицей.
5. Форсман был вежлив, молчалив, часто угрюм и не любил собак и детей.
6. Ольга Алексеевна много рассказывала о своей прошлой жизни в России.
7. Перед отъездом Форсмана Ольга Алексеевна заболела, поэтому ушла в свою комнату рано.
8. Ольга Алексеевна умерла от родов следующим летом.
9. Рассказчик знает продолжение истории, но не хочет рассказывать.

Ответьте на вопросы.
1. Что умела устраивать Верочка?
2. О чём Форсман уже давно просил Верочку?
3. Как вела себя Ольга Алексеевна после приезда Форсмана?
4. Что делали гости на даче?
5. Почему Ольга Алексеевна ушла в свою комнату накануне отъезда Форсмана?
6. Чем закончилась история Ольги Алексеевны?

Как вы понимаете выражение «русский немец»?

**Учимся говорить**

Расскажите, что случилось на даче у Верочки, используя слова:
заняться судьбой; переодеть; приехать погостить; русский немец; просить подыскать невесту; подружиться с собакой или с ребёнком; делать не то, что следовало; играть в карты; гулять в лесу; почувствовать; выйти в сад; сесть рядом с ней; супруг(а); умереть от родов.

Докажите, что Ольге Алексеевне понравился Форсман.

**Учимся писать**

Напишите краткую историю жизни Ольги Алексеевны.

**Слова урока**

быть мастерицей; устраивать свадьбу; перекрасить; ругаться; уступать; под шумок; заставить блеснуть прошлым; врать; не давать наладиться; удаться; уйти без спеха; стучаться; раздражение; купальный халат; кашлянуть; попасть в цель.

| устраивать | нсв | *что?* | // устроить | св |
| причесать | св | *что? кого?* | // причёсывать | нсв |
| ругаться | нсв | *— ; с кем?* | // поругаться | св |
| уступать | нсв | *— ; кому?* | // уступить | св |
| погостить | св | *где?* | // гостить | нсв |
| подыскать | св | *кого? что?* | // подыскивать | нсв |
| напасть | св | *на кого? на что?* | // нападать | нсв |
| врать | нсв | *— ; кому?* | // соврать | св |
| извлечь | св | *что? откуда?* | // извлекать | нсв |
| наладиться | св | *—* | // налаживаться | нсв |
| отстать | св | *— ; от кого? от чего?* | // отставать | нсв |
| удаться | св | *(Дат. n.) + inf.* | // удаваться | нсв |
| стучаться | нсв | *во что? к кому?* | // постучаться | св |
| кашлянуть | св | *—* | // кашлять | нсв |
| теряться в догадках | нсв | *—* | // — | |
| попадать | нсв | *куда?* | // попасть | св |

**Проверьте себя**

1. вихрь
2. приданое
3. обложка
4. ступень
5. поколение
6. поклонник
7. штука
8. имение
9. стук

а. верхняя часть книги
б. большой дом за городом
в. сильное круговое движение ветра
г. то, что дают родители девушке перед её выходом замуж
д. вещь, предмет
е. люди одного возраста
ж. влюблённый в кого-нибудь или что-нибудь человек
з. звук, шум от удара.
и. то, из чего состоит лестница

## Задания и комментарии ко всему тексту

1. Найдите в тексте три примера того, что красота героини не сделала её счастливой.

2. Объясните русскую пословицу «Не родись красивой, а родись счастливой».

*О бабочках Набокова*

*Увлечение энтомологией прошло через всю жизнь Набокова. Он один из тех учёных, именем которого названо несколько видов описанных им бабочек в разных частях света. Интерес к этим красивым и хрупким мимолётным созданиям сложился у Набокова ещё в детстве, когда летние месяцы семья проводила в усадьбах под Петербургом. Бесполезность и красота – символ бабочек и сущность искусства, в представлении писателя. Его подпись часто заменяла летящая бабочка.*

*Во французском языке «красавица» — название бабочек belle-dame.*

3. Можно ли сравнить жизнь Ольги Алексеевны и бабочки?

4. В 3-й части найдите фрагмент, который начинается со слов: «Теперь, когда в сумке шёлковые внутренности...» и заканчивается: «Ну и ещё кое-чего ей недоставало». В этом фрагменте первое предложение – сложный период, состоящий из 112 слов, второе – из 6 слов.

Как вы думаете, почему автор объединяет эти два предложения? Какой эффект возникает из такого соседства?

# КРУГ*

В расска́зе собы́тия де́лают круг, соединя́я настоя́-
щее и про́шлое геро́я. Он живёт в эмигра́ции, сде́лал
хоро́шую карье́ру врача́. Но неожи́данная встре́ча в
Пари́же заста́вила его́ вспо́мнить Росси́ю, мо́лодость,
пе́рвую любо́вь.

круг – circle
соединя́я / соедини́ть – to connect
карье́ра – career
заста́вить – to force

## 1

Во-вторы́х, потому́ что в нём разыгра́лась бе́ше-
ная тоска́ по Росси́и. В-тре́тьих, наконе́ц, потому́ что
ему́ бы́ло жаль свое́й тогда́шней мо́лодости — и все-
го́ свя́занного с не́ю — зло́сти, неуклю́жести, жа́ра, —
и ослепи́тельно-зелёных утр, когда́ в ро́ще мо́жно
бы́ло огло́хнуть от и́волог. Си́дя в кафе́, он вспо́мнил
про́шлое со стесне́нием се́рдца, с гру́стью — с како́й
гру́стью? — да с гру́стью, ещё недоста́точно иссле́до-
ванной на́ми. Всё э́то про́шлое подняло́сь вме́сте с
поднима́ющейся от вздо́ха гру́дью, — и ме́дленно вос-
ста́л, распра́вил пле́чи поко́йный его́ оте́ц, Илья́
Ильи́ч Бычко́в, le maître d'école chez nous au village[1], в
чёрном га́лстуке ба́нтом, лицо́ краснова́тое, голова́
лы́сая и мя́гкие усы́. Гимнази́стом, студе́нтом, Ин-
ноке́нтий приезжа́л к отцу́ в Ле́шино на кани́кулы, —
а е́сли ещё углуби́ться, мо́жно вспо́мнить, как снесли́
ста́рую шко́лу в конце́ села́ и постро́или но́вую. За-
кла́дка, моле́бен на ветру́, К.Н. Годуно́в-Черды́нцев,
броса́ющий золото́й, моне́та влипа́ет ребро́м в гли́-
ну... В э́том но́вом, зерни́сто-ка́менном зда́нии не́-
сколько лет подря́д — и до сих пор, то́ есть по зачисле́-
нии в штат воспомина́ний — светло́ па́хло кле́ем; в
кла́ссах лосни́лись разли́чные посо́бия — наприме́р,
портре́ты луговы́х и лесны́х вреди́телей... но осо́бен-

разыгра́ться – to seethe
бе́шеный – здесь: о́чень си́льный
тоска́ – здесь: nostalgia, longing
тогда́шний – тот, что был тогда́, в
   про́шлом
свя́занный / связа́ть – to connect
злость – здесь: resentment
неуклю́жесть – awkwardness
жар – ardor
ослепи́тельный – blinding
ро́ща – coppice
огло́хнуть – to become deaf
и́волга – oriole
стесне́ние – constriction
грусть – melancholy
иссле́дованный / иссле́довать – to
   research
вздох – sigh
восста́ть – здесь: to arise
распра́вить пле́чи – to square one's
   shoulders
поко́йный – lote, deceased
бант – bow
лы́сый – bald
углуби́ться – to dive to the depths
снести́ – to demolish
село́ – больша́я дере́вня
закла́дка – corner-stone ceremony
моле́бен – Te Deum
золото́й – 5/10 рубле́й из зо́лота
влипа́ть – to be stuck
ребро́м – edgewise
гли́на – clay
зерни́стый – grainy
зачисле́ние – appointment
штат – staff, corps, ranks
па́хнуть – to smell
клей – glue
лосни́ться – to shine
посо́бие – textbook
лугово́й вреди́тель – meadow pest

---

[1] Le maître d'école chez nous au village (франц.) – дире́ктор шко́лы в нашей дере́вне.

но раздража́ли Инноке́нтия пода́ренные Годуно́вым-Черды́нцевым чу́чела птиц. Изво́лите[1] заи́грывать с наро́дом. Да, он чу́вствовал себя́ суро́вым плебе́ем, его́ души́ла не́нависть (и́ли каза́лось так), когда́, быва́ло, смотре́л че́рез ре́ку на запове́дное, ба́рское.

| | |
|---|---|
| раздража́ть – to irritate |
| чу́чело (пти́цы) – stuffed bird |
| заи́грывать – to flirt |
| суро́вый – stern |
| плебе́й – plebian |
| души́ть – to suffocate |
| не́нависть – hatred |
| запове́дный – protected |
| ба́рский – manorial |
| поро́г – threshold |

Но́вая шко́ла стро́илась на са́мом поро́ге ве́ка: тогда́ Годуно́в-Черды́нцев, возвратя́сь из пя́того своего́ путеше́ствия по Центра́льной А́зии, провёл ле́то с молодо́й жено́й — был ро́вно вдво́е её ста́рше — в своём петербу́ргском име́нии. До како́й глубины́ спуска́ешься, Бо́же мой! — в хруста́льно-расплы́вчатом тума́не, то́чно всё э́то происходи́ло под водо́й. Иннокентий ви́дел себя́ почти́ младе́нцем, входя́щим с отцо́м в уса́дьбу, плыву́щим по ди́вным ко́мнатам.

Центра́льная А́зия – Central Asia

| | |
|---|---|
| име́ние – estate |
| глубина́ – depth |
| спуска́ться – to descend |
| хруста́льный – crystalline |
| расплы́вчатый – diffuse |
| младе́нец – infant |
| уса́дьба – manor house |
| ди́вный – marvelous |

**Учимся говорить**

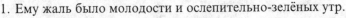

Определи́те, каки́е из выска́зываний соотве́тствуют и́стине.

1. Ему́ жаль бы́ло мо́лодости и ослепи́тельно-зелёных утр.
2. Си́дя в кафе́, он вспо́мнил про́шлое с гру́стью, кото́рая недоста́точно изу́чена.
3. Оте́ц Инноке́нтия ещё рабо́тает дире́ктором шко́лы.
4. Иннокентий не мо́жет вспо́мнить, когда́ снесли́ ста́рую шко́лу и постро́или но́вую.
5. В но́вой ка́менной шко́ле неприя́тно па́хло кле́ем.
6. Инноке́нтию не нра́вился Годуно́в-Черды́нцев, и раздража́ли его́ пода́рки шко́ле.
7. Когда́ стро́илась но́вая шко́ла, Годуно́в-Черды́нцев верну́лся из пя́того путеше́ствия по Центра́льной А́зии.

Отве́тьте на вопро́сы.

1. Что вспо́мнил геро́й расска́за, си́дя в кафе́?
2. Кем был его́ оте́ц?
3. Что Иннокентий по́мнил о шко́ле, где рабо́тал оте́ц?
4. Что Иннокентий чу́вствовал, когда́ смотре́л на ба́рское име́ние?

**Учимся говорить**

Расскажи́те, что вы узна́ли об Инноке́нтии, его́ хара́ктере, испо́льзуя слова́:

тоска́ по Росси́и; вспо́мнить про́шлое; приезжа́ть на кани́кулы; постро́ить но́вую шко́лу; подари́ть чу́чела птиц; смотре́ть че́рез ре́ку; верну́ться из пя́того путеше́ствия; входи́ть с отцо́м в уса́дьбу.

---

[1] Изво́лите / изво́лить – ста́рая ве́жливая фо́рма вопро́са или предложе́ния сде́лать что-то.

Найдите в тексте доказательства интереса Иннокентия к жизни Годунова-Чердынцева.

**Учимся писать**

Напишите, о чём и о ком вспоминает Иннокентий.

**Слова урока**

жаль молодости; оглохнуть от птиц; вспомнить с грустью; покойный отец; лысая голова; бросать золотой; пахнуть клеем; ненависть; порог века.

| | | | | | |
|---|---|---|---|---|---|
| связать | св | *кого? что? с кем? с чем?* | // | связывать | нсв |
| оглохнуть | св | *—; от чего?* | // | глохнуть | св |
| исследовать | нсв / св | *что?* | // | — | |
| углубиться | св | *куда?* | // | углубляться | нсв |
| снести | св | *что?* | // | сносить | нсв |
| пахнуть | нсв | *чем?* | // | запахнуть | св |
| раздражать | нсв | *кого? чем?* | // | раздражить | св |
| заигрывать | нсв | *с кем? с чем?* | // | — | |
| душить | нсв | *кого?* | // | задушить | св |
| спускаться | нсв | *куда?* | // | спуститься | св |

# 2

Та́ня гова́ривала, что у них есть ро́дственники не то́лько в живо́тном ца́рстве, но и в расти́тельном, и в минера́льном. И то́чно: в честь Годуно́ва-Черды́нцева на́званы бы́ли но́вые ви́ды фаза́на, антило́пы, рододендро́на и да́же це́лый го́рный хребе́т (сам он опи́сывал гла́вным о́бразом насеко́мых). Но э́ти откры́тия его́, учёные заслу́ги и ты́сяча опа́сностей, пренебреже́нием к кото́рым он был знамени́т, не всех могли́ заста́вить относи́ться снисходи́тельно к его́ родови́тости и бога́тству. Не забу́дем, кро́ме того́, чу́вств изве́стной ча́сти на́шей интеллиге́нции, презира́ющей вся́кое неприкладно́е естествоиспыта́ние и потому́ упрека́вшей Годуно́ва-Черды́нцева в том, что он интересу́ется «Лобно́рскими[1] козя́вками»

ца́рство – kingdom
расти́тельный – vegetable
минера́льный – mineral
в честь – in honour of
фаза́н – pheasant

хребе́т – ridge
гла́вным о́бразом – mainly
насеко́мое – insect
заслу́га – service, contribution
опа́сность – peril
пренебреже́ние – disregard

заста́вить – to force, to make
снисходи́тельно – indulgently
родови́тость – noble extraction
презира́ющий / презира́ть – to despise
неприкладно́й – nonapplied
естествоиспыта́ние – naturalist research
упрека́вший / упрека́ть – to rebuke
козя́вка – (иронично) насеко́мое

---

[1] Лобно́рский / Лобно́р – озеро на северо-востоке Китая.

бо́льше, чем ру́сским мужико́м. Его́ реа́льный о́браз остава́лся сму́тным: рука́ без перча́тки, броса́ющая золото́й. Заси́м Годуно́в-Черды́нцев уе́хал в Самарка́нд[1] и́ли в Ве́рный[2] (отку́да привы́к начина́ть свои́ прогу́лки); до́лго не возвраща́лся, семья́ же его́, по-ви́димому, предпочита́ла кры́мское име́ние петербу́ргскому, а по зи́мам жила́ в столи́це. Там, на на́бережной, стоя́л их двухэта́жный, вы́крашенный в оли́вковый цвет особня́к. Инноке́нтию случа́лось проходи́ть ми́мо. Балко́н подде́рживали оли́вковые круторёбрые атла́нты: напряжённость их ка́менных мышц и страда́льческий оска́л каза́лись пы́лкому восьмикла́сснику аллего́рией порабощённого пролетариа́та. И ра́за два там же, на на́бережной, ве́треной не́вской весно́й он встреча́л ма́ленькую Годуно́ву-Черды́нцеву, с фокстерье́ром, с гуверна́нткой, — они́ проходи́ли как вихрь, — но так отчётливо, — Та́не бы́ло тогда́, ска́жем, лет двена́дцать, — она́ бы́стро шага́ла, в высо́ких зашнуро́ванных сапо́жках, в коро́тком си́нем пальто́ с морски́ми золоты́ми пу́говицами, и ледохо́дный ве́тер трепа́л ле́нты матро́сской ша́почки.

о́браз – image
сму́тный – dim
заси́м – затем
прогу́лка – здесь: путеше́ствие
по-ви́димому – наве́рное
предпочита́ть – to prefer
кры́мский / Крым – the Crimea
на́бережная – embankment
вы́крашенный / вы́красить – to paint
оли́вковый – olive
особня́к – private residence
балко́н – balcony
круторёбрый – with strongly arched ribs
атла́нт – atlas
напряжённость – tensity
мы́шца – muscle
страда́льческий – agonizing
оска́л – здесь: bared teeth
пы́лкий – hot-headed
восьмикла́ссник – учени́к восьмо́го класса
аллего́рия – allegory
порабощённый – enslaved
пролетариа́т – proletariat
ве́треный – windy
гуверна́нтка – governess
вихрь – whirlwind
отчётливо – distinctly
шага́ть – to march
зашнуро́ванный / зашнурова́ть – to lace
сапо́жки – boots
пу́говица – button
ледохо́дный / ледохо́д – ice floe
трепа́ть – to flutter
ле́нта – ribbon
матро́сский – sailor

## Работаем с текстом

Определите, какие из высказываний соответствуют истине.

1. Таня говаривала, что у них есть родственники в разных странах.
2. Годунов-Чердынцев был известен своими научными открытиями.
3. Многие не любили его за богатство и родовитость.
4. Часть интеллигенции считала, что надо больше интересоваться жизнью народа.
5. Семья Годунова-Чердынцева предпочитала жить в Крыму.
6. Раза два Иннокентий встречал маленькую Годунову-Чердынцеву.

---

[1] Самарка́нд – город в Узбекистане.
[2] Ве́рный – Faithful – крепость (fort), затем город в Казахстане , сейчас называется Алма-Ата.

Ответьте на вопросы.

1. Чем был известен Годунов-Чердынцев?
2. Почему некоторые интеллигенты упрекали Годунова-Чердынцева?
3. Где жила семья Годунова-Чердынцева во время его экспедиций?
4. Где Иннокентий встречал маленькую Годунову-Чердынцеву?

**Учимся говорить**

Расскажите, что вы узнали о Годунове-Чердынцеве, используя слова:

назвать в честь; (научное) открытие; быть знаменитым; богатство; интересоваться насекомыми; уехать в Самарканд; жить в столице; встречать на набережной.

Найдите в тексте четыре примера того, что семья Годунова-Чердынцева была богата.

**Учимся писать**

Напишите, как вы поняли, кто такой Годунов-Чердынцев и чем он занимался.

**Слова урока**

животное царство; главным образом; учёные заслуги; опасность; относиться снисходительно; презирать; упрекать; реальный образ; предпочитать; двухэтажный особняк; быстро шагать; высокие сапожки; пальто с золотыми пуговицами.

| заставить | св | *кого? + inf.* | // | заставлять | нсв |
|---|---|---|---|---|---|
| презирать | нсв | *кого? что?* | // | — | |
| упрекать | нсв | *кого?* | // | упрекнуть | св |
| предпочитать | нсв | *кого? что? кому? чему?* | // | предпочесть | св |
| выкрасить | св | *что? чем? во что?* | // | красить | нсв |
| шагать | нсв | *как? куда?* | // | зашагать | св |

# 3

Он жил у тётки (портни́хи) на О́хте[1], был угрю́м, несхо́дчив, учи́лся тяжело́, с преде́льной мечто́й о тро́йке, — но неожи́данно для всех с бле́ском око́нчил гимна́зию, по́сле чего́ поступи́л на медици́нский факульте́т. Одно́ ле́то он провёл на конди́ции под Тве́рью[2]; когда́ же, в ию́не сле́дующего го́да, прие́хал в Ле́шино, узна́л не без огорче́ния, что уса́дьба за реко́й ожила́.

портни́ха – seamstress
угрю́мый – morose
несхо́дчивый – unsociable
преде́льный – здесь: maximum
тро́йка – «fair», passing mark – «C»
с бле́ском – brilliantly
гимна́зия – school
конди́ция – здесь: кани́кулы

огорче́ние – chagrin

---

[1] О́хта – рабочий район Петербурга на реке Охте.
[2] Тверь – город между Москвой и Петербургом.

Ещё об э́той реке́, о высо́ком бе́реге, о ста́рой купа́льне: к ней спуска́лась гли́нистая тропи́нка, нача́ло кото́рой не вся́кий отыска́л бы. Его́ постоя́нным това́рищем по речно́й ча́сти был Васи́лий, сын кузнеца́, ма́лый неопредели́мого во́зраста — сам в то́чности не знал, пятна́дцать ли ему́ лет и́ли все два́дцать — корена́стый, коря́вый и тако́й же мра́чный, каки́м был о ту по́ру сам Инноке́нтий. Осо́бенно же быва́ло хорошо́ в тёплую па́смурную пого́ду, когда́ шёл незри́мый в во́здухе дождь, расходя́сь по воде́ взаи́мно пересека́ющимися круга́ми, среди́ кото́рых там и сям появля́лся друго́го происхожде́ния круг, с внеза́пным це́нтром, — пры́гнула ры́ба и́ли упа́л листо́к, — сра́зу, впро́чем, поплы́вший по тече́нию. А како́е наслажде́ние бы́ло купа́ться под э́тим тёплым си́тником [1], на грани́це смеше́ния двух одноро́дных, но по-ра́зному сло́женных, стихи́й — то́лстой речно́й воды́ и то́нкой воды́ небе́сной! Инноке́нтий купа́лся с то́лком и до́лго пото́м растира́лся полоте́нцем.

В то ле́то он был ещё угрю́мее обы́чного и с отцо́м едва́ говори́л, — всё бо́льше отбу́ркиваясь и хмы́кая. Со свое́й стороны́ Илья́ Ильи́ч испы́тывал в его́ прису́тствии стра́нную нело́вкость, — осо́бенно потому́, что полага́л, с у́жасом и умиле́нием, что сын, как и он сам в ю́ности, живёт всей душо́ю в чи́стом ми́ре нелега́льного.

купа́льня – bath house
спуска́ться – to descend
гли́нистый – clayey
тропи́нка – path
отыска́ть – найти́
кузне́ц – blacksmith
ма́лый – fellow
неопредели́мый – indeterminable
в то́чности – то́чно
корена́стый – thickset
коря́вый – rugged
мра́чный – gloomy
пора́ – вре́мя
па́смурный – overcast
незри́мый – invisible
взаи́мно – mutually
пересека́ющийся / пересека́ться – to intersect
там и сям – в ра́зных места́х
происхожде́ние – origin
внеза́пный – sudden
листо́к – лист де́рева
впро́чем – incidentally
тече́ние – current
наслажде́ние – deliciousness
купа́ться – to go bathing
смеше́ние – blending
одноро́дный – homogeneous
сло́женный / сложи́ть – to compose
стихи́я – natural element
небе́сный – celestial
с то́лком – intelligently
растира́ться – to rub oneself down
едва́ – barely
отбу́ркиваясь / отбу́ркиваться – to grumble
хмы́кать – to hem (hm...)
испы́тывать – to experience
прису́тствие – presence
нело́вкость – embarrassment
полага́ть – ду́мать
умиле́ние – tenderness
нелега́льный – illegal, underground

**Работаем с текстом**

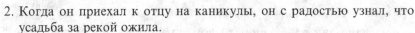

Определите, какие из высказываний соответствуют истине.

1. Иннокентий тяжело учился, но неожиданно прекрасно окончил гимназию.
2. Когда он приехал к отцу на каникулы, он с радостью узнал, что усадьба за рекой ожила.
3. Иннокентий много времени проводил на реке в одиночестве.
4. Ему нравилось купаться в реке в дождливую погоду.
5. В то лето он почти не говорил с отцом.

---

[1] Си́тник – тёплый, мелкий, частый дождь.

Ответьте на вопросы.

1. Почему Иннокентий огорчился, когда узнал, что Годуновы-Чердын-цевы приехали в свою усадьбу?
2. С кем Иннокентий проводил время на реке?
3. В какую погоду было особенно хорошо на реке?
4. Почему Иннокентий мало говорил с отцом?

Как вы понимаете: «...*Особенно потому, что полагал с ужасом и уми-лением, что сын, как и он сам в юности, живёт всей душой в мире нелегального*»?

**Учимся говорить**

Расскажите о летних каникулах Иннокентия в Лешино, используя слова:

жить у тётки; учиться тяжело; окончить гимназию с блеском; посту-пить на медицинский факультет; усадьба за рекой; постоянный то-варищ; тёплая погода; купаться под дождём; мало говорить.

Найдите в тексте три примера того, что Иннокентий был необщитель-ным человеком.

**Учимся писать**

Напишите, где вы обычно отдыхаете во время каникул, почему, чем занимаетесь.

**Слова урока**

угрюмый; огорчение; тропинка; неопределимый возраст; пасмурная погода; пересекающиеся круги; другое происхождение; поплыть по течению; впрочем; наслаждение; смешение; испытывать неловкость.

| отыскать | св | *кого? что?* | // | искать | нсв |
|---|---|---|---|---|---|
| пересекаться | нсв | *с чем?* | // | пересечься | св |
| купаться | нсв | *где? как?* | // | искупаться | св |
| сложить | св | *что?* | // | складывать | нсв |
| испытывать | нсв | *что?* | // | испытать | св |
| полагать | нсв | *..., что ...* | // | — | |

# 4

По утра́м он шёл в лес, зажа́в уче́бник под мы́шку, ру́ки засу́нув за шнур, кото́рым подпоя́сывал бе́лую косоворо́тку[1]. Из-под сдви́нутой на́бок фу-ра́жки живопи́сными, кори́чневыми пря́дями во-лосы налеза́ли на бугри́стый лоб, хму́рились сро́с-

зажа́в / зажа́ть – to clasp tightly
подмы́шка – under one's arm
засу́нув / засу́нуть – to thrust
шнур – cord
подпоя́сывать – to belt
сдви́нутый / сдви́нуть – to push off
на́бок – to one side
фура́жка – uniform cap
живопи́сный – picturesque
прядь – lock
налеза́ть – здесь: па́дать
бугри́стый – bumpy
хму́риться – to frown

---

[1] Косоворо́тка – русская high-collared рубашка.

шиеся бро́ви, — был он недурён собо́й, хотя́ чересчу́р губа́ст. В лесу́ он уса́живался на то́лстый ствол берёзы, кури́л, предава́лся мра́чному разду́мью. Ю́ноша одино́кий, впечатли́тельный, оби́дчивый, он осо́бенно о́стро чу́вствовал социа́льную сто́рону веще́й. Так, ему́ каза́лось омерзи́тельным всё, что окружа́ло ле́тнюю жизнь Годуно́вых-Черды́нцевых, — ска́жем, их че́лядь, — «че́лядь», повторя́л он, сжима́я че́люсти. Тут име́лся в виду́ и жи́рненький шофёр, и седо́й лаке́й с бакенба́рдами, и гуверне́р-англича́нин, и ба́бы-подёнщицы, приходи́вшие по утра́м выпа́лывать алле́и. Инноке́нтий, всё с той же кни́гой под мы́шкой, — что меша́ло сложи́ть ру́ки кресто́м, как хоте́лось бы, — стоя́л, прислоня́сь к де́реву в па́рке, и су́мрачно гляде́л на то, на сё, на сверка́ющую кры́шу бе́лого до́ма, кото́рый ещё не просну́лся...

В пе́рвый раз, ка́жется, он их уви́дел с холма́: на доро́ге появи́лась кавалька́да, — впереди́ Та́ня, по-мужски́ верхо́м на высо́кой, я́рко-гнедо́й ло́шади, ря́дом с ней сам Годуно́в-Черды́нцев, непримéтный господи́н на низкоро́слом, мыша́стом иноходце́; за ни́ми — англича́нин в галифе́, ещё кто́-то; сза́ди — Та́нин брат, ма́льчик лет трина́дцати, кото́рый вдруг пришпо́рил коня́, перегна́л всех и карье́ром пронёсся в го́ру, рабо́тая локтя́ми, как жоке́й.

По́сле э́того бы́ли ещё други́е случа́йные встре́чи, а пото́м... Ну-с, пожа́луйста: жа́рким днём в середи́не ию́ня...

сро́сшийся / срасти́сь – to grow together
бровь – eyebrow
недурён – not badlooking
чересчу́р – much too
губа́стый – thick-lipped
ствол – bole
берёза – birch
предава́ться – to give oneself to
разду́мье – meditation
впечатли́тельный – impressionable
оби́дчивый – touchy
о́стро – keenly
омерзи́тельный – loathsome
окружа́ть – to surround
че́лядь – menials, servant staff
сжима́я / сжима́ть – to clench
че́люсть – jaw
жи́рненький / жи́рный – plump
седо́й – gray
лаке́й – valet
бакенба́рды – sideburns
гуверне́р – tutor
ба́ба-подёнщица – hired day-worker woman
выпа́лывать – to weed
меша́ть – to hinder
сложи́ть ру́ки кресто́м – to cross one's arms
прислоня́сь / прислони́ться – to lean
су́мрачно – sullenly
на то, на сё – на ра́зные ве́щи
сверка́ющий / сверка́ть – to gleam
холм – hill
верхо́м – astraddle on horseback
гнедо́й – bay
непримéтный – insignificant-looking
мыша́стый – mouse-gray
иноходе́ц – pacer
галифе́ – riding-breeches
пришпо́рить – to apply spurs to
конь – steed
перегна́ть – to overtake
карье́ром – at a charging pace
пронести́сь – to dash up
ло́коть – elbow

**Работаем с текстом**

Определите, какие из высказываний соответствуют истине.
1. Иннокентий был некрасивым, губастым.
2. В лесу он много курил и думал.
3. Он ненавидел всё, что окружало летнюю жизнь Годуновых-Чердынцевых.

4. Он никогда не смотрел на дом, в котором жили Годуновы-Чердын-
цевы.

5. Впервые он увидел Годуновых-Чердынцевых, когда они ехали верхом.

**Ответьте на вопросы.**

1. Что делал Иннокентий по утрам в лесу?

2. Почему Иннокентию казалось омерзительным всё, что окружало
летнюю жизнь Годуновых-Чердынцевых?

3. Как Иннокентий увидел Годуновых-Чердынцевых в первый раз?

## Учимся говорить

**Расскажите, что Иннокентий делал в лесу, используя слова:**

идти в лес; курить; чувствовать социальную сторону вещей; увидеть
с холма; на высокой лошади; случайные встречи.

**Дайте примеры того, что не нравилось Иннокентию в жизни Годуно-
вых-Чердынцевых.**

## Учимся писать

**Напишите о характере Иннокентия и его отношении к семье Годуно-
вых-Чердынцевых.**

## Слова урока

сдвинуть набок; брови; раздумье; одинокий; обидчивый; сжимать
челюсти; сложить руки крестом; прислониться; (ездить) верхом.

| | | | | | |
|---|---|---|---|---|---|
| засунуть | св | *что? куда?* | // | засовывать | нсв |
| хмуриться | нсв | — | // | нахмуриться | св |
| окружать | нсв | *кого? что?* | // | окружить | св |
| сжимать | нсв | *что?* | // | сжать | св |
| предаваться | нсв | *чему?* | // | предаться | св |
| мешать | нсв | *кому? + inf.* | // | помешать | св |
| прислоняться | нсв | *к чему?* | // | прислониться | св |
| сверкать | нсв | — | // | засверкать | св |
| перегнать | св | *кого? что?* | // | перегонять | нсв |
| сдвинуть | св | *что? куда?* | // | сдвигать | нсв |

## Проверьте себя

| | | | |
|---|---|---|---|
| 1. село | | а. | женская высокая обувь |
| 2. ненависть | | б. | улица вдоль берега |
| 3. глубина | | в. | большая деревня |
| 4. образ | | г. | невысокая гора |
| 5. набережная | | д. | чувство стыда |
| 6. опасность | | е. | узкая дорожка в лесу или в парке |
| 7. сапожки | | ж. | то, как мы видим что-то или кого-то |
| 8. тропинка | | з. | высшая степень удовольствия |
| 9. неловкость | | и. | возможность какого-нибудь несчастья |
| 10. наслаждение | | к. | чувство сильной нелюбви |
| 11. холм | | л. | расстояние от поверхности до какой-нибудь точки внизу |

# 5

Жа́рким днём в середи́не ию́ня по сторона́м доро́ги разма́шисто дви́гались косари́. «Бог по́мощь», — сказа́л Илья́ Ильи́ч, проходя́; он был в пара́дной пана́ме, нёс буке́т ночны́х фиа́лок. Инноке́нтий мо́лча шага́л ря́дом. Приближа́лись к уса́дьбе.

Стол был накры́т в алле́е, ру́сский пятни́стый свет игра́л на ска́терти. Эконо́мка уже́ разлива́ла шокола́д по тёмно-си́ним ча́шкам, кото́рые разноси́ли лаке́и. Бы́ло лю́дно и шу́мно в саду́, мно́жество госте́й — ро́дственники и сосе́ди. Годуно́в-Черды́нцев (весьма́ пожило́й, с желтова́то-пе́пельной боро́дкой и морщи́нами у глаз), поста́вив но́гу на скамью́, игра́л с фокстерье́ром, заставля́я его́ пры́гать. Елизаве́та Па́вловна шла че́рез сад с друго́й да́мой, что́-то жи́во на ходу́ расска́зывая, — высо́кая, румя́ная, в большо́й дрожа́щей шля́пе. Илья́ Ильи́ч с буке́том стоя́л и кла́нялся... В пёстром ма́реве (и́бо Инноке́нтий, несмотря́ на небольшу́ю репети́цию гражда́нского презре́ния, проде́ланную накану́не, находи́лся в сильне́йшем замеша́тельстве) мелька́ли молоды́е лю́ди, бегу́щие де́ти, чья́-то шаль с я́ркими ма́ками по чёрному, второ́й фокстерье́р, — а гла́вное, гла́вное: скользя́щее сквозь тень и свет, ещё нея́сное, но уже́ грозя́щее роковы́м обая́нием, лицо́ Та́ни, кото́рой исполня́лось сего́дня шестна́дцать лет.

Усе́лись. Он оказа́лся в са́мом тени́стом конце́ стола́, где сиде́вшие не сто́лько говори́ли ме́жду собо́й, ско́лько смотре́ли, все одина́ково поверну́в го́ловы, туда́, где был го́вор и смех, и великоле́пный, атла́систо-ро́зовый пиро́г, уты́канный све́чками, и восклица́ния дете́й, и лай обо́их фокстерье́ров, чуть не пры́гнувших на стол... Сосе́дом Инноке́нтия оказа́лся брат управля́ющего, челове́к тупо́й, ску́чный, прито́м зайка; Инноке́нтий разгова́ривал с ним то́лько потому́,

разма́шисто – with broad sweeping movement
коса́рь – mower
пара́дный – здесь: лу́чший, но́вый
пана́ма – hat, panama
буке́т – bouquet
фиа́лка – violet
приближа́ться – to approach
накры́т / накры́ть (стол) – to set the table
пятни́стый – dappled
ска́терть – tablecloth
эконо́мка – housekeeper
разлива́ть – to pour out
лю́дно – мно́го люде́й
весьма́ – quite
пожило́й – elderly
пе́пельный – ashen
морщи́на – wrinkle
скамья́ – bench
заставля́я / заста́вить – to make, to force smb. to do smth.
румя́ный – rosy
дрожа́щий – здесь: fluttering
кла́няться – to bow
пёстрый – varicolored
ма́рево – haze
и́бо – потому́ что
репети́ция – rehearsal
презре́ние – contempt
накану́не – the day before
замеша́тельство – embarrassment
мелька́ть – to flit
шаль – shawl
мак – poppy
скользя́щий / скользи́ть – to glide
сквозь – че́рез
тень – shade
грозя́щий / грози́ть – to threaten
роково́й – fatal
обая́ние – charm
тени́стый – shady
поверну́в / поверну́ть – to turn
го́вор – разгово́р
великоле́пный – magnificent
атла́систый – satiny
уты́канный / уты́кать – to stick
све́чка – candle
восклица́ние – exclamation
лай – barking
управля́ющий – estate steward
тупо́й – dull, dim-witted
прито́м – moreover
зайка – stutterer

что смертéльно боя́лся молча́ть, — зато́ по́зже, когда́
уже́ зачасти́л сюда́ и случа́йно встреча́л бедня́гу, не
говори́л с ним никогда́, избега́я его́, как воспомина́-
ние позо́ра.

Там, где сиде́ла знать, Годуно́в-Черды́нцев гро́м-
ко говори́л че́рез стол со стару́хой в кружева́х, гово-
ри́л, держа́ за ги́бкую та́лию дочь, кото́рая стоя́ла
по́дле и подбра́сывала на ладо́ни мя́чик. Не́которое
вре́мя Иннокéнтий боро́лся с со́чным кусо́чком пи-
рога́, очути́вшимся вне таре́лки. Вдруг над са́мым
у́хом Иннокéнтия разда́лся бы́стрый задыха́ющийся
го́лос: Та́ня, гля́дя на него́ без улы́бки и держа́ в руке́
мяч, предлага́ла — хоти́те с на́ми пойти́? — и он жа́р-
ко смути́лся, вы́брался и́з-за стола́.

зачасти́ть – ходи́ть ча́сто куда́-ни-
    бу́дь
бедня́га – poor fellow
избега́ть – to avoid
позо́р – shame
знать – nobility
кружева́ – lace
ги́бкий – supple
та́лия – waist
по́дле – рядом
подбра́сывать – to toss
ладо́нь – palm
со́чный – juicy
кусо́чек / кусо́к – piece
очути́вшийся / очути́ться – ока-
    за́ться
вне – outside of
разда́ться – to be heard
задыха́ющийся – gasping
смути́ться – to be embarrassed
вы́браться и́з-за стола́ – встать и́з-
    за стола́ с трудо́м

## Работаем с текстом

Определите, какие из высказываний соответствуют истине.

1. В середине июня Иннокентий и его отец шли в усадьбу Годуновых-Чердынцевых.
2. В саду было множество гостей.
3. Иннокентий сильно волновался, поэтому плохо видел людей в саду.
4. Он видел только лицо Тани.
5. Он сидел в конце стола, где много говорили и смеялись.
6. Иннокентий не разговаривал со своим соседом – скучным и глупым человеком.
7. Таня предложила Иннокентию играть в мяч, но он смутился и отказался.

Ответьте на вопросы.

1. Что происходило в саду имения Годуновых-Чердынцевых?
2. Почему Иннокентий чувствовал замешательство, стоя среди гостей?
3. Как вели себя гости в той части стола, где сидел Иннокентий?
4. Почему Иннокентий разговаривал со скучным соседом по столу?
5. Почему Иннокентий смутился, когда Таня пригласила его?

## Учимся говорить

Расскажите о праздничном обеде, используя слова:

жаркий день в середине июня; шагать молча; накрыть стол; людно
и шумно; играть с собакой; исполняться; в конце стола; розовый
пирог; бояться молчать; предлагать пойти.

Найдите три доказательства того, что Иннокентий очень волновался
на праздничном обеде.

**Учимся писать**

Напишите о чувствах Иннокентия на праздничном обеде.

**Слова урока**

букет; скатерть; разливать шоколад; морщины у глаз; заставлять прыгать; кланяться; замешательство; сквозь тень и свет; повернуть голову; лай собак; подбрасывать на ладони; сочный кусок пирога.

| | | | | | |
|---|---|---|---|---|---|
| приближаться | нсв | к кому? к чему? | // | приблизиться | св |
| накрыть | св | что? / на что? | // | накрывать | нсв |
| разливать | нсв | что? | // | разлить | св |
| кланяться | нсв | кому? | // | поклониться | св |
| мелькать | нсв | где? | // | мелькнуть | св |
| скользить | нсв | сквозь что? по чему? | // | заскользить | св |
| повернуть | св | что? куда? | // | поворачивать | нсв |
| избегать | нсв | кого? чего? | // | избежать | св |
| подбрасывать | нсв | что? | // | подбросить | св |
| очутиться | св | где? | // | — | |
| раздаться | св | — | // | раздаваться | нсв |
| смутиться | св | — | // | смущаться | нсв |

# 6

О ней говори́ли: кака́я хоро́шенькая ба́рышня; у неё бы́ли све́тло-се́рые глаза́ под ко́тиковыми бровя́ми, дово́льно большо́й, не́жный и бле́дный рот. Она́ стра́стно люби́ла все ле́тние и́гры, во все игра́ла ло́вко, с како́й-то очарова́тельной сосредото́ченностью, — и, коне́чно, само́ собо́й прекрати́лось простоду́шное уже́ние пескаре́й с Васи́лием, кото́рый недоумева́л, — что случи́лось? — и тогда́ Инноке́нтий вну́тренне содрога́лся, сознава́я свою́ изме́ну наро́ду. Ме́жду тем от но́вых знако́мых ра́дости бы́ло ма́ло. Так случи́лось, что к це́нтру их жи́зни он всё равно́ не́ был допу́щен, а пребыва́я на её зелёной перифери́и, уча́ствуя в ле́тних заба́вах, но никогда́ не попада́я в са́мый дом. Это беси́ло его́; он жа́ждал приглаше́ния то́лько зате́м, что́бы высокоме́рно отказа́ться от него́, — да и вообще́ всё вре́мя был начеку́, — и вся́кое Та́нино сло́во как бы отбра́сывало в его́ сто́рону ма́-

хоро́шенькая – pretty
ба́рышня – young lady
ко́тиковый – sealskin
не́жный – tender
бле́дный – pale
стра́стно – passionately
ло́вко – deftly
сосредото́ченность – concentration
прекрати́ться – закончиться
простоду́шный – simple-hearted
уже́ние – fishing
песка́рь – gudgeon
недоумева́ть – не понима́ть
вну́тренне – inwardly
содрога́ться – to shudder
сознава́я / сознава́ть – понима́ть
изме́на – betrayal

допу́щен / допуска́ть – to admit
пребыва́я / пребыва́ть – находи́ться, быть
заба́ва – amusement
попада́я / попа́сть – to get
беси́ть – to infuriate
жа́ждать – to long for
высокоме́рно – haughty
начеку́ – on the alert
отбра́сывать – to cast

ленькую тень оскорбле́ния, и Бо́же мой, как он их всех
ненави́дел, — её двою́родных бра́тьев, подру́г, весё-
лых соба́к... Внеза́пно всё э́то бесшу́мно смеша́лось,
исчё́зло, — и вот, в ба́рхатной темноте́ а́вгустовской
но́чи, он сиди́т на па́рковой кали́тке и ждёт; пока́лы-
вает засу́нутая ме́жду руба́шкой и те́лом запи́ска,
кото́рую, как в ста́рых рома́нах, ему́ принесла́ боса́я
девчо́нка. Лакони́ческий призы́в на свида́ние показа́л-
ся ему́ издева́тельством, но всё-таки он подда́лся
ему́ — и был прав: от ро́вного шо́роха но́чи отдели́л-
ся лёгкий хруст шаго́в. Её прихо́д, её бормота́ние и
бли́зость бы́ли для него́ чу́дом; внеза́пное прикоснове́-
ние её холо́дных, прово́рных па́льцев изуми́ло его́ чи-
стоту́. Сквозь дере́вья горе́ла огро́мная, бы́стро под-
нима́вшаяся луна́. Облива́ясь слеза́ми, дрожа́ и солёными губа́ми слё́по ты́чась в него́, Та́ня говори́ла, что
за́втра уезжа́ет с ма́терью на юг и что всё ко́нчено, о,
как мо́жно бы́ло быть таки́м непоня́тливым... «Ос-
та́ньтесь, Та́ня», — взмоли́лся он, но подня́лся ве́тер,
она́ зарыда́ла ещё пу́ще... Когда́ же она́ убежа́ла, он
оста́лся сиде́ть неподви́жно, слу́шая шум в уша́х, а
погодя́ пошёл прочь по тёмной и как бу́дто ше-
вели́вшейся доро́ге, и пото́м была́ война́ с не́мцами[1],
и вообще́ всё ка́к-то расползло́сь, — но постепе́нно
стяну́лось сно́ва, и он уже́ был ассисте́нтом профе́с-
сора Бэ́ра (Behr) на че́шском куро́рте, а в 1924 году́,
что́ ли, рабо́тал у него́ же в Саво́йе[2], и одна́жды —
ка́жется в Шамони́[3]— попа́лся молодо́й сове́тский гео́-
лог, разговори́лись, и, упомяну́в о том, что тут пятьде-
ся́т лет тому́ наза́д поги́б сме́ртью просто́го тури́-
ста Фе́дченко[4] (иссле́дователь Ферга́ны![5]), гео́лог
доба́вил, что вот постоя́нно так случа́ется: э́тих

оскорбле́ние – insult
ненави́деть – to hate
двою́родный брат – cousin
внеза́пно – suddenly
смеша́ться – to get mixed up
исчё́знуть – to vanish
ба́рхатный – velvet
кали́тка – wicket-gate
пока́лывать – to prick
засу́нутый / засу́нуть – to stuff
босо́й – barefooted
призы́в – здесь: приглаше́ние
издева́тельство – malicious insult
подда́ться – to succumb
ро́вный – even
шо́рох – rustle
отдели́ться – to can be made out
хруст – crunch
шаг – footfall
бормота́ние – mutter
бли́зость – closeness
прикоснове́ние – touch
прово́рный – nimble
изуми́ть – to amaze
чистота́ – chastity
облива́ясь / облива́ться слеза́ми –
    to be drowned in tears
дрожа́ / дрожа́ть – to tremble
слё́по – blindly
ты́чась / ты́каться – to nuzzle
непоня́тливый – slow-witted
взмоли́ться – to beg, plead
зарыда́ть – to burst into sobs
пу́ще – бо́льше, сильне́е
неподви́жно – motionless
погодя́ – по́зже
прочь – away
как бу́дто – seemingly
шевели́вшийся / шевели́ться – to
    stir
расползти́сь – to disintegrate
постепе́нно – gradually
стяну́ться – to join, mend
ассисте́нт – assistant
че́шский – Czech
куро́рт – health resort
попа́сться – здесь: встре́титься
    случа́йно
гео́лог – geologist
разговори́ться – to get into conver-
    sation
упомяну́в / упомяну́ть – to mention
поги́бнуть – to perish
иссле́дователь – explorer
доба́вить – приба́вить

---

[1] Война́ с не́мцами – Пе́рвая мирова́я война́ 1914–1918 гг.
[2] Саво́й – Savoie – райо́н на ю́го-восто́ке Фра́нции.
[3] Шамони́ – Chamonix-Mont-Blanc – центр альпини́зма (mountain-climbing) во Фра́нции.
[4] Фе́дченко Алексе́й Па́влович (1844–1873) – ру́сский иссле́дователь Сре́дней А́зии.
[5] Ферга́на – го́род в Узбекиста́не.

отва́жных люде́й смерть так привы́кла пресле́довать в ди́ких гора́х и пусты́нях, что уже́ без осо́бого у́мысла, шутя́, задева́ет их при вся́ких други́х обстоя́тельствах и к своему́ же удивле́нию застаёт их врасплóх, — вот так поги́бли и Фе́дченко, и Се́верцев[1], и Годуно́в-Черды́нцев, не говоря́ уже́ об иностра́нных кла́ссиках, — Спик[2], Дюмо́н-Дюрви́ль[3]...

| | |
|---|---|
| отва́жный | – fearless |
| пресле́довать | – to pursue |
| ди́кий | – wild |
| пусты́ня | – desert |
| без у́мысла | – unintentionally |
| задева́ть | – to touch, affect |
| обстоя́тельство | – circumstance |
| застава́ть врасплóх | – to take smb. unawares |

**Работаем с текстом**

Определите, какие из высказываний соответствуют истине.

1. Все считали её хорошенькой барышней.
2. Она любила все летние игры, но играла плохо.
3. Иннокентий участвовал в играх, но его никогда не приглашали в дом.
4. Он мечтал о приглашении, чтобы отказаться от него.
5. Приглашение на свидание показалось ему издевательством, поэтому он не пошёл.
6. Таня плакала, потому что завтра вместе с матерью уезжала на юг и они не смогут вместе играть.
7. Он просил её остаться, но она только плакала.
8. Потом была война с немцами, и всё изменилось.
9. Молодой советский геолог рассказал Иннокентию, что Годунов-Чердынцев погиб как обычный турист.

Ответьте на вопросы.

1. Почему Иннокентий перестал ходить на реку с Василием?
2. Почему Иннокентий хотел, чтобы его пригласили в дом Годуновых-Чердынцевых?
3. Что случилось августовской ночью?
4. Какие события произошли после прощания с Таней?
5. Как Иннокентий узнал о гибели Годунова-Чердынцева?

Как вы понимаете: «...*и вообще всё как-то расползлось, — но постепенно стянулось снова...*»

**Учимся говорить**

Расскажите, что вы узнали о Тане Годуновой-Чердынцевой, используя слова:

светло-серые глаза; любить летние игры; мало радости; центр жизни; попасть в дом; ненавидеть всех; августовская ночь; сидеть и ждать; записка; уезжать на юг; слушать шум в ушах; война с немцами; ассистент профессора; советский геолог.

---

[1] Се́верцев Никола́й Алексе́евич (1827–1885) – русский исследователь Средней Азии.

[2] Спик – John Hanning Speke (1827–1864) – английский исследователь Центральной Африки (Africa).

[3] Дюмо́н-Дюрви́ль – Jules Dumont d'Urville (1790–1842) – французский исследователь Новой Зеландии (New Zealand).

Найдите в тексте три доказательства того, что Иннокентий был влюб-
лён в Таню.

**Учимся
писать**

Напишите, что вы думаете о чувствах Тани и Иннокентия.

**Слова
урока**

хорошенькая барышня; бледный; измена народу; оскорбление; бо-
сая девчонка; близость; неподвижно; пойти прочь; пустыня.

| | | | | | |
|---|---|---|---|---|---|
| прекратиться | св | — | // | прекращаться | нсв |
| недоумевать | нсв | ..., почему ... / что... | // | | |
| сознавать | нсв | что? | // | осознать | св |
| допускать | нсв | кого? что? | // | допустить | св |
| попадать | нсв | куда? | // | попасть | св |
| бесить | нсв | кого? чем? | // | взбесить | св |
| ненавидеть | нсв | кого? что? | // | возненавидеть | св |
| смешаться | св | —; с чем? | // | смешиваться | нсв |
| исчезнуть | св | —; откуда? | // | исчезать | нсв |
| изумить | св | кого? чем? | // | изумлять | нсв |
| обливаться | нсв | чем? | // | облиться | св |
| дрожать | нсв | —; от чего? | // | задрожать | св |
| зарыдать | св | —; как? | // | рыдать | нсв |
| попасться | св | кому? где? | // | попадаться | нсв |
| разговориться | св | с кем? о чём? | // | — | |
| погибнуть | св | где? как? | // | погибать | нсв |
| заставать врасплох | нсв | кого? | // | застать врасплох | св |

# 7

А ещё через несколько лет Иннокентий был проездом в Париже и, посетив по делу коллегу, уже бе-
жал вниз по лестнице, надевая перчатку, когда на одной из площадок вышла из лифта высокая сутулова-
тая дама, в которой он мгновенно узнал Елизавету
Павловну. «Конечно, помню вас, ещё бы не помнить», — произнесла она, глядя не в лицо ему, а как-
то через его плечо, точно за ним стоял кто-то (она
чуть косила). «Ну, пойдёмте к нам, голубчик», —
продолжала она. Иннокентий вошёл за ней, мучась,

проездом – passing through

площадка (лестничная) – landing
сутуловатый / сутулый – stoop-
   shouldered
мгновенно – instantly

глядя / глядеть – смотреть
точно – exactly as if
косить – to be cross-eyed
голубчик – dove
мучась / мучаясь / мучиться – to be
   tormented

ибо никак не мог вспомнить, что именно рассказыва-
ли ему по поводу того, как и когда погиб её муж.

ибо – потому что

А потом пришла домой Таня вся как-то уточнив-
шаяся за эти двадцать лет, с уменьшившимся лицом
и подобревшими глазами, — сразу закурила, засмея-
лась, без стеснения вспоминая с ним то отдалённое
лето, — и он всё дивился, что и Таня, и её мать не
поминают покойного и так просто говорят о прошлом, а не плачут навзрыд, как ему, чужому, хотелось плакать, — или может быть держали фасон?
Появилась бледная, темноголовая девочка лет десяти. «А вот моя дочка, — ну пойди сюда», — сказала
Таня. Вернулся домой Танин муж, Кутасов, — и
Елизавета Павловна, встретив его в соседней комнате,
предупредила о госте на своём вывезенном из России,
домашнем французском языке: «Le fils du maître d'école
chez nous au village»[1], — и тут Иннокентий вспомнил,
как Таня сказала раз подруге, намекая на его (красивые) руки, «regarde ses mains»[2], — и теперь, слушая,
как девочка, с чудесной, отечественной певучестью
отвечает на вопросы матери, он успел злорадно подумать: «Небось теперь не на что учить детей по-
иностранному», то есть не сообразил сразу, что ныне
в этом русском языке и состоит как раз самая праздная, самая лучшая роскошь.

уточнившийся / уточниться – to
  acquire definition, focus
уменьшившийся / уменьшиться –
  to become smaller
подобревший / подобреть – to become kinder
стеснение – embarrassment
отдалённый – distant
дивиться – удивляться
поминать – здесь: вспоминать
покойный – мёртвый, умерший
плакать навзрыд – to sob violently
держать фасон – здесь: to do what
  good manners require

предупредить – to warn

намекая / намекнуть – to hint

чудесный – wonderful
отечественный – здесь: русский
певучесть – здесь: musical intona-
  tion
успеть – to have time
злорадно – malevolently
небось – наверное
то есть – that is to say
сообразить – понять
ныне – сейчас
праздный – idle
роскошь – luxury

Беседа не ладилась; Таня, что-то спутав, уверяла,
что он её когда-то учил революционным стихам.
«Другими словами, первая стенгазета[3]», — сказал
Кутасов, любивший острить. Ещё выяснилось, что
Танин брат живёт в Берлине, и Елизавета Павловна
принялась рассказывать о нём... Вдруг Иннокентий
почувствовал: ничто-ничто не пропадает, в памяти
накопляются сокровища, растут скрытые склады в

ладиться – to succeed, go well
спутав / спутать – to confuse
уверять – to insist

острить – to be witty

приняться – начать
пропадать – to be lost, to vanish
накопляться – to accumulate
сокровище – treasure
скрытый – hidden
склад – store, warehouse

---

[1] «Le fils du maître d'école chez nous au village» (франц.) – «Сын директора школы в нашей деревне».

[2] «Regarde ses mains» (франц.) – «Посмотри на его руки».

[3] Стенгазета – стенная газета, форма политической агитации, которую использовали во время революции и в советское время.

темноте, в пыли, — и вот кто́-то прое́зжий вдруг тре́бует у библиоте́каря кни́гу, не выдава́вшуюся два́дцать лет. Он встал, прости́лся, его́ не о́чень заде́рживали. Стра́нно: дрожа́ли но́ги. Вот кака́я потряса́ющая встре́ча. Перейдя́ че́рез пло́щадь, он вошёл в кафе́, заказа́л напи́ток, привста́л, что́бы вы́нуть и́з-под себя́ свою́ же зада́вленную шля́пу. Како́е ужа́сное на душе́ беспоко́йство... А бы́ло ему́ беспоко́йно по не́скольким причи́нам. Во-пе́рвых, потому́ что Та́ня оказа́лась тако́й же привлека́тельной, тако́й же неуязви́мой, как и не́когда.

пыль – dust
прое́зжий – traveller, transient visitor
библиоте́карь – librarian
выдава́вшийся / выдава́ться – to be issued, taken out
прости́ться – to say good-bye
заде́рживать – to detain
дрожа́ть – to tremble
потряса́ющий – staggering
напи́ток – drink
вы́нуть – to take out, to extract
зада́вленный / задави́ть – to squash
беспоко́йство – uneasiness
беспоко́йно – uneasy
привлека́тельный – attractive, enchanting
неуязви́мый – invulnerable
не́когда – здесь: в про́шлом

**Работаем с текстом**

🗝

**Определите, какие из высказываний соответствуют истине.**

1. Через несколько лет Иннокентий был проездом в Париже.
2. Из лифта вышла дама, в которой он узнал Елизавету Павловну.
3. Она пригласила его к себе и рассказала о том, как погиб её муж.
4. Таня без стеснения вспоминала то далёкое лето.
5. Иннокентий удивлялся, что Таня и её мать не вспоминают покойного и так просто говорят о прошлом.
6. Иннокентий, слушая, как дочь Тани говорит по-русски, злорадно подумал, что у семьи нет денег, чтобы учить иностранным языкам.
7. Он не хотел уходить, но ему надо было ещё зайти в библиотеку.
8. Иннокентий чувствовал беспокойство, потому что Таня оказалась такой же привлекательной и неуязвимой, как и в прошлом.

**Ответьте на вопросы.**

1. Где Иннокентий встретил Елизавету Павловну Годунову-Чердынцеву?
2. Как изменилась Таня за 20 лет?
3. Что удивляло Иннокентия в поведении Тани и её матери?
4. Почему русский язык, на котором говорила дочь Тани, стал роскошью?
5. Почему Иннокентий чувствовал ужасное беспокойство?

**Как вы понимаете:** «*... не сообразил сразу, что ныне в этом русском языке и состоит как раз самая праздная, самая лучшая роскошь*».

**Учимся говорить**

**Расскажите о неожиданной встрече в Париже, используя слова:** через несколько лет; быть проездом; узнать; вспоминать отдалённое лето; просто говорить о прошлом; хотеть плакать; девочка лет десяти; беседа; почувствовать; войти в кафе.

**1. Докажите, что прошлое для Иннокентия значило больше, чем он думал.**

**2.** Найдите примеры разного отношения к прошлому Тани и Иннокентия.

**3.** Найдите в тексте три причины для беспокойства, которое чувствовал Иннокентий.

**Учимся писать**

Напишите историю жизни Иннокентия:
– когда родился, кто отец;  – первая любовь;
– где учился, что делал летом;  – где работал

**Слова урока**

посетить коллегу по делу; мгновенно; без стеснения; роскошь; сокровище; беспокойство; привлекательный.

| | | | | |
|---|---|---|---|---|
| мучиться | нсв | *от чего?* | // измучиться | св |
| уточниться | св | — | // уточняться | нсв |
| уменьшиться | св | — | // уменьшаться | нсв |
| подобреть | св | — | // добреть | нсв |
| плакать навзрыд | нсв | | // заплакать навзрыд | св |
| предупредить | св | *кого? о чём? о ком?* | // предупреждать | нсв |
| намекнуть | св | *кому? на что? о чём?* | // намекать | нсв |
| успеть | св | *куда?; + inf.* | // успевать | нсв |
| сообразить | св | *..., что ...* | // соображать | нсв |
| уверять | нсв | *кого? в чём? ..., что ...* | // уверить | св |
| острить | нсв | — | // — | |
| приняться | св | *+ inf.* | // приниматься | нсв |
| пропадать | нсв | *— ; где?* | // пропасть | св |
| накопляться/ накапливать | нсв | *— ; где?* | // накопиться | св |
| проститься | св | *— ; с кем?* | // прощаться | нсв |
| задерживать | нсв | *кого? что?* | // задержать | св |
| задавить | св | *кого? что?* | // давить | нсв |

**Проверьте себя**

1. скатерть
2. скамья/скамейка
3. тень
4. кусок
5. забава
6. записка
7. шаг
8. исследователь
9. пустыня
10. сокровище
11. пыль
12. напиток

а. ценная, дорогая вещь
б. место, где очень мало или нет растений
в. короткое письмо
г. то, чем накрывают стол
д. очень маленькие сухие частицы, которые обычно лежат на вещах и мебели
е. движение ногой при ходьбе и расстояние от одной ноги до другой
ж. место, где нет солнца
з. то, на чём могут сидеть несколько человек, обычно в саду или парке
и. игра, веселье
к. то, что можно пить
л. тот, кто занимается изучением чего-либо
м. часть чего-нибудь

## Задания и комментарии ко всему тексту

**1.** Прочитайте хронологию рассказа.

*Около 1900 г.* строилась школа в Лешино, где школьным учителем был Илья Ильич Бычков – отец Иннокентия.

Годунов-Чердынцев возвратился из пятого путешествия по Центральной Азии и провёл лето в петербургском имении с молодой женой.

В *1907–1910 гг.* Иннокентий живёт в Петербурге у тётки, учится в гимназии, летом приезжает к отцу в Лешино.

Годуновы-Чердынцевы в петербургское имение не приезжают. Зимой живут в Петербурге.

*Весна 1910 г.* Тане лет 12. Иннокентий встречает её в Петербурге на набережной.

*Лето 1913 г.* Иннокентий студент-медик. Каникулы провёл под Тверью.

*Июнь 1914 г.* Иннокентий приехал к отцу. Семья Годуновых-Чердынцевых тоже приехала в петербургское имение.

*Середина июня 1914 г.* Тане исполнилось 16 лет. Обед в имении Годуновых-Чердынцевых.

*Август 1914 г.* Таня уезжает с матерью на юг.

Началась Первая мировая война.

*1924 г.* Иннокентий – ассистент профессора Бэра (Behr) – работает в Савойе. Узнал о гибели Годунова-Чердынцева.

*Около 1934 г.* Встреча с Таней в Париже.

**2.** Обратите внимание на художественное время в рассказе. Найдите в тексте те моменты, когда время замедляет свой ход и, наоборот, когда оно ускоряется. Отметьте в хронологии рассказа эти моменты. К какому выводу вы пришли?

Набоков опишет историю семьи Годуновых-Чердынцевых в романе «Дар», в котором главным героем будет младший брат Тани Фёдор.

# Г. Газданов

Га́йто (Гео́ргий Ива́нович) Газда́нов (1903 г., Пе-
тербу́рг — 1971 г., Мю́нхен) по национа́льности осе-
ти́н[1], писа́л то́лько на ру́сском языке́. Во вре́мя Граж-
да́нской войны́[2] был солда́том Бе́лой а́рмии[3]. Эми-
гри́ровал в Ту́рцию. В 1923 г. перее́хал в Пари́ж. До́л-
гое вре́мя рабо́тал ночны́м такси́стом. Учи́лся в Сор-
бо́нне[4]. По́сле вы́хода лу́чшего рома́на Газда́нова «Ве́-
чер у Клэр» (1930) кри́тики сра́внивали его с В.В. На-
бо́ковым.

Во вре́мя оккупа́ции[5] Фра́нции уча́ствовал в Со-
противле́нии[6]. В 1953—1971 гг. рабо́тал на ра́дио
«Свобо́да» (Мю́нхен). Написа́л 9 рома́нов, не́сколько
деся́тков расска́зов. Мно́гие рома́ны переведены́ на
англи́йский, францу́зский и други́е языки́.

---

[1] осети́н – Osset, наро́д, кото́рый живёт на Се́верном Кавка́зе.
[2] Гражда́нская война́ – Civil War.
[3] Бе́лая а́рмия – так называ́ют а́рмию, кото́рая воева́ла про́тив револю́ции. Сравни́те: Кра́сная а́рмия.
[4] Сорбо́нна – Sorbonne са́мый изве́стный и большо́й университе́т во Фра́нции (Пари́ж).
[5] оккупа́ция – occupation – в 1940–1944 гг. во Фра́нции была́ неме́цкая а́рмия.
[6] Сопротивле́ние – Résistance (movement).

# ЧЁРНЫЕ ЛЕ́БЕДИ

Расска́з «Чёрные ле́беди» опублико́ван в Пари́же в ру́сском журна́ле в 1930 г. Расска́зчик пыта́ется поня́ть та́йну хара́ктера своего́ знако́мого Па́влова, кото́рый ко́нчил жизнь самоуби́йством. Расска́зчик вспомина́ет ра́зные слу́чаи из жи́зни Па́влова, их встре́чи и разгово́ры.

Расска́з публику́ется с сокраще́ниями.

ле́бедь – swan
опублико́ван / опубликова́ть – to publish
расска́зчик – narrator
пыта́ться – стара́ться
самоуби́йство – suicide

сокраще́ние – abridgement

## 1

Два́дцать шесто́го а́вгуста про́шлого го́да я раскры́л у́тром газе́ту и прочёл, что в Було́нском лесу́[1], недалеко́ от большо́го о́зера, был на́йден труп ру́сского, Па́влова. В бума́жнике его́ бы́ло полтора́ста фра́нков[2]; там же лежа́ла запи́ска, адресо́ванная его́ бра́ту:

«Ми́лый Фе́дя, жизнь здесь тяжела́ и неинтере́сна. Жела́ю тебе́ всего́ хоро́шего. Ма́тери я написа́л, что уе́хал в Австра́лию».

Я о́чень хорошо́ знал Па́влова и знал, что и́менно два́дцать пя́того а́вгуста он застре́лится: э́тот челове́к никогда́ не лгал и не хва́стался.

Числа́ деся́того того́ же ме́сяца я пришёл к нему́ за деньга́ми: мне ну́жно бы́ло взять в долг полтора́ста фра́нков.

— Когда́ вы смо́жете их верну́ть?

— Числа́ двадца́того, два́дцать пя́того.

— Два́дцать четвёртого.

— Хорошо́. Почему́ и́менно два́дцать четвёртого?

— Потому́, что два́дцать пя́того бу́дет по́здно. Два́дцать пя́того а́вгуста я застрелю́сь.

— У вас неприя́тности? — спроси́л я.

прочёсть – прочита́ть

труп – corpse

бума́жник – wallet
полтора́ста – 150

застрели́ться – to shoot oneself

лгать – to lie
хва́статься – to boast

взять в долг – to borrow

неприя́тность – trouble

---

[1] Було́нский лес – bois de Boulogne – парк на восто́ке Пари́жа.
[2] Франк – franc – де́ньги во Фра́нции до 2002 г.

Я нé был бы так лакони́чен, éсли бы не знал, что Па́влов никогда́ не меня́ет свои́х реше́ний и что отгова́ривать его́ — зна́чит по́пусту теря́ть вре́мя.

— Нет, осо́бенных неприя́тностей нет. Но живу́ я, как вы зна́ете, дово́льно скве́рно, в бу́дущем никаки́х измене́ний не предви́жу и нахожу́, что всё э́то о́чень неинтере́сно. Дальне́йшего смы́сла так же продолжа́ть есть и рабо́тать, как сейча́с, я не ви́жу.

— Но у вас есть родны́е...

— Родны́е? — сказа́л он.— Да, есть. Они́ осо́бенно не огорча́тся; то есть им, коне́чно, не́которое вре́мя бу́дет неприя́тно, но, в су́щности, никто́ из них во мне не нужда́ется.

— Ну хорошо́, — сказа́л я, — я всё-таки ду́маю, что вы не пра́вы. Мы ещё поговори́м об э́том, éсли вы хоти́те, коне́чно, вполне́ объекти́вно. Вы вечера́ми до́ма?

— Да, как всегда́. Приходи́те. Впро́чем, мне ка́жется я зна́ю, что вы мне ска́жете.

— Это мы уви́дим.

— Хорошо́, до свида́нья, — сказа́л он, открыва́я мне дверь и улыба́ясь свое́й обыкнове́нной, оби́дной и холо́дной улы́бкой.

лакони́чен / лакони́чный – terse, laconic

отгова́ривать – to dissuade
по́пусту – in vain
осо́бенный – осо́бый
дово́льно – доста́точно
скве́рно – пло́хо
предви́деть – to foresee

смысл – sense

огорча́ться – to be afflicted

в су́щности – in essence

нужда́ться – to have need

вполне́ – entirely
объекти́вно – objectively

впро́чем – though

оби́дный – здесь: annoying

## Работаем с текстом

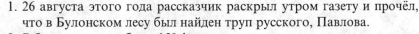

Определите, какие из высказываний соответствуют истине.

1. 26 августа этого года рассказчик раскрыл утром газету и прочёл, что в Булонском лесу был найден труп русского, Павлова.
2. В бумажнике его было 150 франков; там же лежала записка, адресованная его брату.
3. Числа десятого июля рассказчик пришёл к Павлову, чтобы взять деньги в долг.
4. Павлов попросил вернуть деньги 24 августа, потому что 25 он застрелится.
5. Рассказчик знал, что Павлов никогда не меняет своих решений.
6. Павлов хотел застрелиться, потому что у него были неприятности.
7. Павлов думал, что его родных не очень огорчит его смерть.

**Ответьте на вопросы.**

1. Что было написано в записке Павлова?
2. Как рассказчик узнал, что Павлов застрелится именно 25 августа?
3. Почему рассказчик не старался отговорить Павлова от самоубийства?
4. Как объяснил Павлов своё решение застрелиться?

## Учимся говорить

Расскажите, о чём вы узнали в этой части, используя слова:

газета; самоубийство; в Булонском лесу; записка брату; жизнь тяжела и неинтересна; застрелиться; никогда не менять своих решений; не видеть смысла так же есть и работать.

Докажите или опровергните, что Павлов не думал о родных, когда принимал решение о самоубийстве.

## Учимся писать

Напишите, о чём говорили рассказчик и Павлов 10 августа.

## Слова урока

лебедь; опубликовать; рассказчик; пытаться; самоубийство; бумажник; застрелиться; лгать; взять в долг; неприятность; отговаривать; довольно; предвидеть; смысл; огорчаться; в сущности; нуждаться; вполне; впрочем.

| | | | | | | |
|---|---|---|---|---|---|---|
| опубликовать | св | *что?* | // | публиковать | нсв |
| пытаться | нсв | *+ inf.* | // | попытаться | св |
| застрелиться | св | — | // | стреляться | нсв |
| лгать | нсв | *— ; кому?* | // | солгать | св |
| взять в долг | св | *что? у кого?* | // | брать в долг | нсв |
| отговаривать | нсв | *кого? + inf.* | // | отговорить | св |
| предвидеть | нсв | *что?* | // | — |
| огорчаться | нсв | — | // | огорчиться | св |
| нуждаться | нсв | *в ком? в чём?* | // | — |

# 2

После э́того разгово́ра я уже́ твёрдо знал, что Па́влов застре́лится: я был так же в э́том уве́рен, как в том, что, вы́йдя от Па́влова, пошёл по тротуа́ру. Одна́ко, е́сли бы о реше́нии Па́влова мне сказа́л кто́-нибудь друго́й, я счёл бы э́то невероя́тным. Я вспо́мнил тут же, что уже́ го́да два тому́ наза́д оди́н из на́ших о́бщих знако́мых говори́л мне:

твёрдо – то́чно

тротуа́р – sidewalk

счесть – to consider
невероя́тный – incredible

— Вот уви́дите, он пло́хо ко́нчит. У него́ не оста́-
лось ничего́ свято́го. Он бро́сится под авто́бус и́ли под
по́езд. Вот уви́дите...

— Друг мой, вы фантази́руете, — отве́тил я.

Из всех, кого́ я знал, Па́влов был са́мым удиви́тель-
ным челове́ком во мно́гих отноше́ниях; и, коне́чно,
са́мым выно́сливым физи́чески. Его́ те́ло не зна́ло
утомле́ния; по́сле оди́ннадцати часо́в рабо́ты он шёл
гуля́ть и, каза́лось, никогда́ не чу́вствовал уста́лости.
Он мог пита́ться одни́м хле́бом це́лые ме́сяцы и не
ощуща́ть от э́того ни недомога́ний, ни неудо́бств.
Рабо́тать он уме́л как никто́ друго́й и так же уме́л
эконо́мить де́ньги. Он мог жить не́сколько су́ток без
сна; вообще́ же он спал пять часо́в. Одна́жды я встре́-
тил его́ на у́лице в полови́не четвёртого утра́; он шёл
по бульва́ру неторопли́вой похо́дкой, заложи́в ру́ки
в карма́ны своего́ лёгкого плаща́, — а была́ зима́; но
он, ка́жется, и к хо́лоду был нечувстви́телен. Я знал,
что он рабо́тает на фа́брике и что до пе́рвого фаб-
ри́чного гудка́ остаётся всего́ четы́ре часа́.

— По́здно вы гуля́ете, — сказа́л я, — ведь вам ско́-
ро на рабо́ту.

— У меня́ ещё четы́ре часа́ вре́мени. Что вы ду́мае-
те о Сен-Симо́не[1]? Он, по-мо́ему, был интере́сный че-
лове́к.

— Почему́ вдруг Сен-Симо́н?

— А я сдаю́ полити́ческую исто́рию Фра́нции, —
сказа́л он, — и там, как вам изве́стно, фигури́рует Сен-
Симо́н. Я занима́лся с ве́чера до сих пор, тепе́рь ре-
ши́л пройти́сь.

— А вы сего́дня не рабо́таете?

— Нет, почему́ же, рабо́таю. Споко́йной но́чи.

— Споко́йной но́чи.

свято́й – sacred
бро́ситься – to throw oneself

фантази́ровать – to let one's fantasy run wild

во мно́гих отноше́ниях – in many respects
выно́сливый – hardly, enduring
утомле́ние – fatigue

пита́ться – есть

ощуща́ть – чу́вствовать
недомога́ние – lethargy
неудо́бство – discomfort

эконо́мить – to economize
су́тки – два́дцать четы́ре часа́

бульва́р – boulevard
неторопли́вый – unhurried
похо́дка – gait
заложи́в / заложи́ть – to put
карма́н – pocket
плащ – raincoat

гудо́к – siren

фигури́ровать – to appear, figure

пройти́сь – погуля́ть

---

[1] Сен-Симо́н – Claude Henry de Rouvroy Saint-Simon (1760–1825) – францу́зский фило́соф и экономи́ст.

И он продолжа́л так же ме́дленно шага́ть по бульва́ру. Но физи́ческие его́ ка́чества каза́лись несуще́ственными и нева́жными по сравне́нию с его́ душе́вной си́лой, пропада́вшей соверше́нно впусту́ю. Он сам не мог бы, пожа́луй, определи́ть, как он мог бы испо́льзовать свои́ необыкнове́нные да́нные; они́ остава́лись без приложе́ния. Он мог бы, я ду́маю, быть незамени́мым капита́ном корабля́, но при непреме́нном усло́вии, что́бы с корабле́м постоя́нно происходи́ли катастро́фы; он мог бы быть прекра́сным путеше́ственником че́рез го́род, подверга́ющийся землетрясе́нию, и́ли че́рез страну́, охва́ченную эпиде́мией чумы́, и́ли че́рез горя́щий лес. Но ничего́ э́того не́ было — ни чумы́, ни ле́са, ни корабля́; и Па́влов жил в дрянно́й пари́жской гости́нице и рабо́тал, как все други́е.

шага́ть – to stride
несуще́ственный – immaterial

душе́вный – inner, emotional

пропада́вший / пропада́ть – to be wasted
впусту́ю – in vain
да́нные – qualities

без приложе́ния – здесь: без испо́льзования / испо́льзовать
незамени́мый – irreplaceable
капита́н корабля́ – captain of ship
непреме́нное усло́вие – sine qua non
катастро́фа – catastrophe
подверга́ющийся / подверга́ться – to suffer, to fall victim to
охва́ченный / охвати́ть – to grip
эпиде́мия чумы́ – epidemic of plague

дрянно́й – плохо́й

## Работаем с текстом

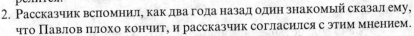

Определи́те, каки́е из выска́зываний соотве́тствуют и́стине.

1. После разговора с Павловым рассказчик твёрдо знал, что тот застрелится.
2. Рассказчик вспомнил, как два года назад один знакомый сказал ему, что Павлов плохо кончит, и рассказчик согласился с этим мнением.
3. Из всех, кого знал рассказчик, Павлов был самым удивительным человеком и самым выносливым физически.
4. Павлов шёл гулять после одиннадцати часов работы и питался одним хлебом целые месяцы.
5. Павлов был нечувствителен к холоду.
6. Физические качества Павлова казались несущественными и неважными по сравнению с его душевной силой.
7. Рассказчик не мог определить, как и где Павлов мог бы использовать свои необыкновенные данные.
8. Павлов думает, что мог бы быть капитаном корабля, с которым постоянно происходили катастрофы.

Отве́тьте на вопро́сы.

1. Почему один из знакомых рассказчика уже два года назад считал, что Павлов плохо кончит?
2. Почему рассказчик не поверил бы, если бы о решении Павлова ему рассказл кто-то другой?

**Учимся
говорить**

Расскажите о физических качествах Павлова, используя слова:

удивительный человек; не чувствовать усталости; гулять после одиннадцати часов работы; питаться одним хлебом; спать пять часов; нечувствителен к холоду.

Найдите в тексте примеры того, где способности Павлова могли бы быть необходимы.

**Учимся
писать**

Напишите, что вы думаете о физических качествах Павлова и сравните их со своими.

**Слова
урока**

тротуар; святой; выносливый; неудобство; сутки; походка; карман; плащ; впустую; незаменимый; капитан корабля.

| | | | | | | |
|---|---|---|---|---|---|---|
| броситься | св | *куда?* | | // | бросаться | нсв |
| счесть | св | *кого? что? кем? чем?* | | // | считать | нсв |
| фантазировать | нсв | — | | // | — | |
| ощущать | нсв | *что?* | | // | ощутить | св |
| шагать | нсв | *по чему?* | | // | зашагать | св |
| пропадать | нсв | *как? где?* | | // | пропасть | св |
| подвергаться | нсв | *чему?* | | // | подвергнуться | св |
| охватить | св | *кого? что? чем?* | | // | охватывать | нсв |

**Проверьте
себя**

1. сокращение
2. самоубийство
3. бумажник
4. неприятность
5. смысл
6. тротуар
7. сутки
8. карман
9. плащ

а. действие, при котором кто-нибудь убивает себя
б. значение чего-нибудь
в. действие, при котором что-нибудь становится меньше, короче
г. часть улицы по обеим сторонам дороги, по которой ходят люди
д. 24 часа
е. деталь одежды для мелких вещей, денег
ж. одежда для защиты от дождя
з. неприятное событие
и. то, в чём хранят деньги и кредитные карточки

# 3

У него была особенная улыбка, от которой вначале становилось неприятно: это была улыбка превосходства, причём чувствовалось — это ощущали почти все, даже самые тупые люди, — что у Павлова есть какое-то право так улыбаться.

превосходство – superiority
причём – moreover

тупой – dull

10 – 1251

Он никогда́ не говори́л непра́вды; э́то бы́ло совершéнно удиви́тельно. Он, кро́ме того́, никому́ не льстил и действи́тельно говори́л ка́ждому, что он о нём ду́мал; и э́то всегда́ быва́ло тяжело́ и нело́вко, и наибо́лее нахо́дчивые лю́ди стара́лись обрати́ть э́то в шу́тку и смея́лись; и он смея́лся вме́сте с ни́ми — сво́им осо́бенным, холо́дным сме́хом. И то́лько оди́н раз за всё вре́мя моего́ до́лгого знако́мства с ним я услы́шал в его́ го́лосе мгнове́нную мя́гкость, к кото́рой счита́л его́ неспосо́бным.

кро́ме того́ – besides
льстить – to flatter
нело́вко – awkward
наибо́лее – the most
нахо́дчивый – resourceful
обрати́ть – to turn into

мгнове́нный – momentary
мя́гкость – softness
неспосо́бный – incapable

У него́ не́ было душе́вной жа́лости, была́ жа́лость логи́ческая; мне ка́жется, э́то объясня́лось тем, что сам он никогда́ не нужда́лся в чьём бы то ни́ было сочу́вствии. Его́ не люби́ли това́рищи; и то́лько уж о́чень простоду́шные лю́ди бы́ли с ним хороши́: они́ его́ не понима́ли и счита́ли немно́го чудакова́тым, но, впро́чем, отли́чным челове́ком. Во вся́ком слу́чае, Па́влов был дово́льно щедр; и де́ньги, кото́рые он зараба́тывал, проводя́ де́сять-оди́ннадцать часо́в на фа́брике, он тра́тил легко́ и про́сто. Он дово́льно мно́го де́нег раздава́л, у него́ бы́ло мно́жество должнико́в; и неpе́дко он помога́л незнако́мым лю́дям, подходи́вшим к нему́ на у́лице.

жа́лость – compassion
логи́ческий – logical

сочу́вствие – sympathy
простоду́шный – ingenuous, artless
чудакова́тый – стра́нный
во вся́ком слу́чае – in any case
щедр / ще́дрый – generous
зараба́тывать – to earn

мно́жество – мно́го
должни́к – debtor

Па́влов жил в о́чень ма́ленькой ко́мнате одного́ из дешёвых отéлей Монпарна́са[1]. Он покра́сил сам её сте́ны, приби́л по́лки, поста́вил кни́ги, купи́л себé кероси́нку; и когда́ у него́ набира́лась изве́стная су́мма де́нег, позволя́вшая ему́ не́которое вре́мя не рабо́тать, он проводи́л в э́той ко́мнате це́лые ме́сяцы, оди́н с утра́ до ве́чера, выходя́ на у́лицу, то́лько что́бы купи́ть хле́ба, и́ли колбасы́, и́ли ча́ю.

отéль – hotel
покра́сить – to paint
приби́ть – to nail
кероси́нка – oil-stove
набира́ться – to accumulate
позволя́вший / позволя́ть – to allow

— Чем вы всё вре́мя занима́етесь? — спроси́л я его́ в оди́н из таки́х пери́одов.

— Я ду́маю, — отве́тил он.

---

[1] Монпарна́с – Montparnasse – райо́н на ю́ге Пари́жа.

Я не придал тогда значения его словам; но позже я узнал, что Павлов, этот непоколебимый и непогрешимый человек, был в сущности мечтателем. Это казалось чрезвычайно странным и менее всего на него похожим — и, однако, это было так. Я полагаю, что, кроме меня, никто об этом не подозревал, потому что никто не пытался расспрашивать Павлова, о чём он думает, никому не приходило в голову, тем более что сам Павлов был на редкость нелюбопытен; он делал опыты только над собой.

придать значение – to attach significance
непоколебимый – imperturable
непогрешимый – infallible
в сущности – in essence; essentially
мечтатель – dreamer
чрезвычайно – extraordinarily

подозревать – to suspect

на редкость – exceptionally
нелюбопытен / нелюбопытный – incurious

## Работаем с текстом

Определите, какие из высказываний соответствуют истине.

1. У Павлова была особая приятная улыбка.
2. Он никогда не говорил неправды и никому не льстил.
3. У Павлова не было душевной жалости, потому что сам он не нуждался в сочувствии.
4. Его любили товарищи, особенно простодушные люди были с ним хороши.
5. Павлов был щедр и деньги, которые он зарабатывал, тратил легко и просто.
6. Павлов жил в маленькой комнате одного из дешёвых отелей.
7. Когда у него не было работы, он проводил в своей комнате целые месяцы, один с утра до вечера.
8. Рассказчик узнал, что Павлов был в сущности мечтателем.

Ответьте на вопросы.

1. Почему улыбка Павлова была неприятна?
2. Как рассказчик объясняет то, что у Павлова не было душевной жалости к людям?
3. Почему только простодушные люди считали Павлова отличным человеком?
4. Как Павлов проводил время, когда у него появлялись деньги и он мог не работать?

## Учимся говорить

Расскажите о характере Павлова, используя слова:

улыбка превосходства; не говорить неправды; говорить то, что думаешь; душевная жалость; щедрый; проводить в комнате целые месяцы; мечтатель.

Докажите, что Павлов был не столько щедр, сколько равнодушен к деньгам.

**Учимся писать**

Напишите, что вы думаете о характере Павлова, используя конструкции: *я думаю, мне кажется, я уверен(а), я сомневаюсь.*

**Слова урока**

превосходство; причём; тупой; кроме того; неловко; наиболее; мягкость; жалость; сочувствие; во всяком случае; щедрый; должник; мечтатель; чрезвычайно; нелюбопытный.

| | | | | | |
|---|---|---|---|---|---|
| льстить | нсв | *кому?* | // | польстить | св |
| зарабатывать | нсв | *что?* | // | заработать | св |
| покрасить | св | *что?* | // | красить | нсв |
| прибить | св | *что?* | // | прибивать | нсв |
| позволять | нсв | *кому? + inf.* | // | позволить | св |
| придать (значение) | св | *чему?* | // | придавать (значение) | нсв |
| (не) подозревать | нсв | *кого? в чём? // о чём?* | | — | |

# 4

Он про́жил в Пари́же четы́ре го́да, рабо́тая с утра́ до ве́чера, почти́ ничего́ не чита́я и ниче́м осо́бенно не интересу́ясь. Пото́м вдруг он реши́л получи́ть вы́сшее образова́ние. Э́то произошло́ потому́, что кто́-то в разгово́ре с ним подчеркну́л, что око́нчил университе́т.

подчеркну́ть – to underscore

— Что же, университе́т — э́то не Бог весть что, — сказа́л Па́влов.

не Бог весть что – ничего́ осо́бенного

— Вы, одна́ко, его́ не ко́нчили.

— Да, но э́то случа́йно. Впро́чем, вы мне пода́ли мысль: я ко́нчу университе́т.

впро́чем – though

И он стал учи́ться: поступи́л на филосо́фское отделе́ние исто́рико-филологи́ческого факульте́та и занима́лся вечера́ми по́сле рабо́ты — что бы́ло бы вся́кому друго́му почти́ не под си́лу. Сам Па́влов хорошо́ э́то знал. Он говори́л мне:

отделе́ние – department

— Вот пи́шут о каки́х-то ру́сских, кото́рые но́чью рабо́тают на вокза́ле, а днём у́чатся. А пошли́те вы тако́го репортёра на ночну́ю рабо́ту, так он да́же

репортёр – reporter

своей хро́ники не смо́жет написа́ть, а не то что зани-
ма́ться серьёзными веща́ми.

Он заду́мался; пото́м улыбну́лся, как всегда́:

— Прия́тно всё-таки, что на све́те мно́го дурако́в.

— Почему́ э́то вам доставля́ет удово́льствие?

— Не зна́ю. Есть утеше́ние в том, что как вы ни
пло́хи и ни ничто́жны, существу́ют ещё лю́ди, стоя́щие
гора́здо ни́же вас.

Э́то был еди́нственный слу́чай, в кото́ром он пря́-
мо вы́разил своё стра́нное злора́дство; обы́чно он его́
не выска́зывал. Тру́дно вообще́ бы́ло суди́ть о нём по
его́ слова́м — тру́дно и сло́жно; мно́гие, зна́ющие его́
недоста́точно, ему́ про́сто не ве́рили — да э́то и бы́ло
поня́тно. Он сказа́л ка́к-то:

— Служа́ в Бе́лой а́рмии, я был отча́янным тру́сом;
я о́чень боя́лся за свою́ жизнь.

Э́то показа́лось мне невероя́тным, я спроси́л о
тру́сости Па́влова у одного́ из его́ сослужи́вцев, ко-
то́рого случа́йно знал.

— Па́влов? — сказа́л он. — Са́мый хра́брый чело-
ве́к вообще́, кото́рого я когда́-либо ви́дел.

Я сказа́л об э́том Па́влову.

— Ведь я не говори́л вам, — отве́тил он, — что
уклоня́лся от опа́сности. Я о́чень боя́лся — и бо́льше
ничего́. Но э́то не зна́чит, что я пря́тался. Я атакова́л
вдвоём с това́рищем пулемётный взвод и захвати́л два
пулемёта, хотя́ подо мно́й уби́ли ло́шадь. Я ходи́л в
разве́дки — и вообще́, ра́зве я мог поступа́ть ина́че?
Но всё э́то не меша́ло мне быть о́чень трусли́вым. Об
э́том знал то́лько я, а когда́ я говори́л други́м, они́
мне не ве́рили.

— Кста́ти, как ва́ши заня́тия?

— Че́рез два го́да я ко́нчу университе́т.

И я был свиде́телем того́, как че́рез два го́да он
разгова́ривал с тем свои́м собесе́дником, с кото́рым
он впервы́е заговори́л о вы́сшем уче́бном заведе́нии.

хро́ника – news items

дура́к – fool

доставля́ть – to give

утеше́ние – consolation

ничто́жный – worthless

гора́здо – намного

злора́дство – fiendish delight

суди́ть – to judge

служа́ / служи́ть – to serve
отча́янный – hopeless
трус – coward

невероя́тный – incredible

тру́сость – cowardice
сослужи́вец – здесь: brother in arms

хра́брый – brave

уклоня́ться – to evade

пря́таться – to hide
атакова́ть – to attack
пулемётный взвод – machine-gun
platoon
захвати́ть – to capture
разве́дка – reconnaissance
поступа́ть – здесь: to act

кста́ти – by the way

свиде́тель – witness

собесе́дник – interlocutor
вы́сшее уче́бное заведе́ние – вуз –
institution of higher education

Они́ говори́ли о ра́зных веща́х, и в конце́ разгово́ра
собесе́дник Па́влова спроси́л:

— Ну что же, вы продолжа́ете ду́мать, что
университе́тское образова́ние — э́то случа́йность и
пустя́к?

— Бо́льше чем когда́ бы то ни́ было.

И он пожа́л плеча́ми и перевёл речь на другу́ю те́му.
Он не сказа́л, что за э́то вре́мя он око́нчил исто́рико-
филологи́ческий факульте́т Сорбо́нны.

случа́йность – здесь: a matter of chance

пустя́к – trifle

пожа́ть плеча́ми – to shrug one's shoulders

## Работаем с текстом

**Определите, какие из высказываний соответствуют истине.**

1. Павлов прожил в Париже четыре года, работая с утра до вечера, почти ничего не читая и ничем не интересуясь.
2. Павлов решил получить высшее образование потому, что кто-то в разговоре подчеркнул, что окончил университет.
3. Он поступил на философское отделение историко-филологического факультета и занимался вечерами после работы.
4. Павлов говорил рассказчику, что хорошо знал каких-то русских, которые ночью работают на вокзале, а днём учатся.
5. Рассказчику было трудно судить о Павлове по его словам.
6. Рассказчик не поверил Павлову, что тот был трусом, когда служил в Белой армии.
7. Павлов очень боялся, но не прятался от опасности.
8. Павлов окончил университет, но продолжал думать, что университетское образование — это случайность и пустяк.

**Ответьте на вопросы.**

1. Почему Павлов решил получить высшее образование?
2. Почему Павлову доставляло удовольствие, что на свете много дураков?
3. Почему люди, знавшие Павлова, не верили, когда он говорил о своей трусости?

## Учимся говорить

**Расскажите, что Павлов думает о высшем образовании и своей трусости, используя слова:**

ничем не интересоваться; получить высшее образование; философское отделение; историко-филологический факультет; пустяк; случайность; самый храбрый человек; бояться за свою жизнь; прятаться; атаковать; убить лошадь.

**Найдите в тексте доказательства того, что Павлова трудно было понять по его словам.**

**Учимся писать**

Напишите, что для вас значит высшее образование.

**Слова урока**

не Бог весть что; впрочем; отделение; дурак; утешение; гораздо; злорадство; отчаянный; трус; невероятный; храбрый; кстати; свидетель; собеседник; высшее учебное заведение (вуз); пустяк.

| | | | | | |
|---|---|---|---|---|---|
| подчеркнуть | св | *что? чем? …, что …* | // | подчёркивать | нсв |
| доставлять | нсв | *что? кому?* | // | доставить | св |
| судить | нсв | *о чём? о ком? по чему?* | // | — | |
| служить | нсв | *где?* | // | — | |
| прятаться | нсв | *— ; где?* | // | спрятаться | св |
| атаковать | нсв / св | *кого? что?* | // | — | |
| поступать | нсв | *как?* | // | поступить | св |
| пожать плечами | св | *—* | // | пожимать плечами | нсв |

**Проверьте себя**

🔑

1. жалость
2. должник
3. мечтатель
4. отделение
5. утешение
6. трус
7. свидетель
8. собеседник
9. пустяк

а. тот, кто кому-нибудь что-нибудь должен
б. человек, который видел какое-нибудь событие
в. чувство печали к несчастью кого-нибудь, сочувствие
г. тот, кто участвует в беседе
д. то, что является частью какой-нибудь организации
е. действие или слова, которые успокаивают, радуют кого-нибудь
ж. тот, кто живёт мечтами
з. что-то неважное, мелкое, не стоящее внимания
и. человек, у которого победило чувство страха

# 5

Стра́нное впечатле́ние производи́ла его́ речь: никогда́ во всём, что он говори́л, я не замеча́л никако́го жела́ния сде́лать хотя́ бы небольшо́е уси́лие над собо́й, что́бы сказа́ть любе́зность и́ли комплиме́нт и́ли про́сто умолча́ть о неприя́тных веща́х; вот почему́ его́ мно́гие избега́ли. Оди́н раз, находя́сь в о́бществе не́скольких челове́к, он сказа́л вскользь, что у него́ ма́ло де́нег. Среди́ нас был не́кий Свистуно́в, молодо́й че-

хотя́ бы – even
уси́лие – effort
любе́зность – здесь: compliment

избега́ть – to avoid

вскользь – casually

ловéк, всегдá хорошó одéтый и нéсколько хвастли́вый: дéнег у негó бы́ло мнóго, и он постоя́нно говори́л, сопровождáя свои́ словá пренебрежи́тельными жéстами:

— Я не понимáю, господá, вы не умéете жить. Я ни у когó не прошý взаймы́, живý лýчше вас всех и никогдá не испы́тываю униженний. Я себé представля́ю, что дóлжен чýвствовать человéк, прося́щий дéньги в долг.

И вот э́тот Свистунóв, знáя, что Пáвлов исключи́тельно аккурáтен и что, предложи́в емý свою́ поддéржку, он ничéм не рискýет, сказáл, что он с удовóльствием даст Пáвлову стóлько, скóлько тот попрóсит.

— Нет, — отвéтил Пáвлов, — я у вас дéнег не возьмý.

— Почемý?

— Вы óчень скупы́, — сказáл Пáвлов. — И к томý же мне не нрáвится вáша услýжливость. Я ведь к вам не обращáлся.

Свистунóв побледнéл и смолчáл.

Пáвлов не знал и не люби́л жéнщин. На фáбрике, где он рабóтал, егó сосéдкой былá францýженка лет тридцати́ двух, не так давнó овдовéвшая. Он ей чрезвычáйно нрáвился: во-пéрвых, он был прекрáсным рабóтником; во-вторы́х, он был ей физи́чески прия́тен. Онá былá прóсто рабóтницей и считáла Пáвлова тóже рабóчим: он почти́ не говори́л со свои́ми товáрищами по мастерскóй. Онá неоднокрáтно пытáлась вы́звать егó на разговóр, но он отвечáл однослóжно.

— Il est timide [1], — говори́ла онá.

Наконéц ей э́то удалóсь. Он говори́л по-францýзски нéсколько кни́жным языкóм — он ни рáзу не

---

хвастли́вый – boastful

сопровождáя / сопровождáть – to accompany
пренебрежи́тельный – scornful
жест – gesture

проси́ть взаймы́ / в долг – to request a loan
испы́тывать – to experience
униженние – humiliation
представля́ть – to imagine

исключи́тельно – exceptionally
аккурáтный – responsible
поддéржка – support
рисковáть – to risk

скуп / скупóй – miserly
услýжливость – readiness to oblige

побледнéть – to turn pale

овдовéвший / овдовéть – to become a widow / widower
чрезвычáйно – extremely
рабóтник / рабóтница – рабóчий

мастерскáя – workshop
неоднокрáтно – нéсколько, мнóго раз
вы́звать на разговóр – начáть разговáривать
однослóжно – in monosyllables

удáться – to succeed at/in

---

[1] Il est timide (франц.) – Он рóбок / рóбкий (timid, shy).

употребил ни одного слова «арго». Это была странная беседа: и нельзя было себе представить более разных людей, чем эта работница и Павлов.

— Послушайте, — сказала она, — вы человек молодой, и я думаю, что вы не женаты.

— Да.

— Вам необходима жена или любовница, — продолжала она. — Écoute, mon vieux[1], — она перешла на «ты», — мы могли бы устроиться вместе. Я бы научила тебя многим вещам, я вижу, что ты неопытен. И потом — у тебя нет женщины. Что ты скажешь?

Он смотрел на неё и улыбался. У неё почти не осталось надежды на благополучный исход разговора. Но всё-таки — уже по инерции — она спросила его:

— Ну, что ты скажешь об этом?

— Вы мне не нужны, — ответил он.

*употребить – использовать*
*арго – argot, slang*

*любовница – mistress*

*устроиться – to set oneself up*

*благополучный – successful, favorable*
*исход – конец*
*инерция – inertia*

## Работаем с текстом

🔑

**Определите, какие из высказываний соответствуют истине.**

1. Павлов не делал никакого усилия над собой, чтобы умолчать о неприятных вещах в разговорах с людьми.
2. Свистунов был молодой человек, всегда хорошо одетый и несколько хвастливый: денег у него было много.
3. Свистунов предложил Павлову дать деньги в долг, потому что у Павлова было мало денег.
4. Павлов не взял деньги, потому что Свистунов был скуп и ему не нравилась его услужливость.
5. Павлов нравился француженке, с которой он работал на фабрике.
6. Француженка видела, что он не простой рабочий, поэтому пыталась вызвать его на разговор.
7. Павлов говорил по-французски несколько книжным языком — он ни разу не употребил ни одного слова «арго».
8. Француженка сказала, что Павлову необходима жена или любовница и они могли бы устроиться вместе.

**Ответьте на вопросы.**

1. Почему многие люди избегали разговаривать с Павловым?
2. Почему Свистунов предложил Павлову деньги взаймы?
3. Что ответил Павлов на предложение Свистунова?
4. Почему француженка считала Павлова простым рабочим?

---

[1] Écoute, mon vieux (франц.) – Послушай, старина (fellow).

**Учимся говорить**

Расскажите о том, как Павлов разговаривал с людьми, используя слова:

странное впечатление; умолчать о неприятных вещах; не уметь жить; не просить в долг; столько, сколько попросить; скупой; побледнеть; вызвать на разговор; необходима жена или любовница; улыбаться.

Приведите примеры того, что люди плохо понимали Павлова.

**Учимся писать**

Напишите, что вы думаете о манере Павлова говорить с людьми.

**Слова урока**

усилие; любезность; жест; исключительно; поддержка; скупой; мастерская; обходиться без; любовница; благополучный.

| избегать | нсв | *кого? чего?* | // | избежать | св |
|---|---|---|---|---|---|
| сопровождать | нсв | *кого? что?* | // | — | |
| просить взаймы | нсв | *у кого? что?* | // | попросить взаймы | св |
| испытывать | нсв | *что?* | // | испытать | св |
| представлять (себе) | нсв | *что? кого?* | // | представить | св |
| рисковать | нсв | *чем? кем?* | // | рискнуть | св |
| побледнеть | св | — | // | бледнеть | нсв |
| овдоветь | св | — | // | — | |
| удаться | св | *(Дат. п.) + inf.* | // | удаваться | нсв |
| употребить | св | *что?* | // | употреблять | нсв |
| устроиться | св | *где? как?* | // | устраиваться | нсв |

# 6

В нём была сильна́ ещё одна́ черта́, чрезвыча́йно ре́дкая: осо́бенная све́жесть его́ восприя́тия, осо́бенная незави́симость мы́сли — и по́лная свобо́да от тех предрассу́дков, кото́рые могла́ бы всели́ть в него́ среда́. Он был un déclassé[1], как и други́е: он не́ был ни рабо́чим, ни студе́нтом, ни вое́нным, ни крестья́нином, ни дворяни́ном — и он провёл свою́ жизнь вне каки́х бы то ни́ было сосло́вных ограниче́ний: все лю́ди всех кла́ссов бы́ли ему́ чу́жды. Но са́мым удиви́тельным мне каза́лось то, что, не бу́дучи награждён о́чень си́льным умо́м, он суме́л сохрани́ть таку́ю же незави́симость во всём, что каса́лось тех областе́й,

черта́ – trait

све́жесть – freshness
восприя́тие – perception

предрассу́док – prejudice
всели́ть – to imbue
среда́ – environment

дворяни́н – nobleman
вне – outside of
сосло́вный – caste, social
ограниче́ние – restriction

награждён / награди́ть – to endow

---

[1] Un déclassé (франц.) – деклассированный (classless).

где влия́ние авторите́тов осо́бенно си́льно — в литерату́ре, в нау́ках, в иску́сстве. Его́ сужде́ния об э́том быва́ли всегда́ не похо́жи на всё и́ли почти́ всё, что мне приходи́лось до тех пор слы́шать и́ли чита́ть.

— Что вы ду́маете о Достое́вском, Па́влов? — спроси́л его́ молодо́й поэ́т, увлека́вшийся филосо́фией, ру́сской траги́ческой литерату́рой и Ни́тчше[1].

— Он был мерза́вец, по-мо́ему, — сказа́л Па́влов.

— Как? Что вы сказа́ли?

— Мерза́вец, — повтори́л он. — Истери́ческий субъе́кт, счита́вший себя́ гениа́льным, ме́лочный, как же́нщина, лгун и картёжник на чужо́й счёт. Если бы он был немно́го благообра́знее, он поступи́л бы на содержа́ние к ста́рой купчи́хе.

— Но его́ литерату́ра?

— Это меня́ не интересу́ет, — сказа́л Па́влов, — я никогда́ не дочита́л ни одного́ его́ рома́на до конца́. Вы меня́ спроси́ли, что я ду́маю о Достое́вском. В ка́ждом челове́ке есть одно́ како́е-нибудь ка́чество, са́мое суще́ственное для него́, а остально́е — так, доба́вочное. У Достое́вского гла́вное то, что он мерза́вец.

— Вы говори́те чудо́вищные ве́щи.

— Я ду́маю, что чудо́вищных веще́й вообще́ не существу́ет, — сказа́л Па́влов.

| что каса́ется / каса́лось – as for |
| о́бласть – field |
| влия́ние – influence |
| авторите́т – authority |
| сужде́ние – мне́ние |

прихо́дится / приходи́лось (безли́чное / impersonal) – one has / had occasion to

траги́ческий – tragic

мерза́вец – scoundrel

истери́ческий – hysterical

субъе́кт – (иронично) челове́к
счита́вший / счита́ть – to consider
гениа́льный – genius (adj.)
ме́лочный – petty
лгун – liar
картёжник – card-player
на чужо́й счёт – at someone else's expense
благообра́зный – здесь: attractive
содержа́ние – support
купчи́ха / купе́ц – merchant

суще́ственный – essential, vital
доба́вочный – additional

чудо́вищный – monstrous

## Работаем с текстом

🔑

**Определите, какие из высказываний соответствуют истине.**

1. У Павлова была чрезвычайно редкая черта: особенная свежесть восприятия и независимость мысли.

2. Павлов не был свободен от тех предрассудков, которые вселила в него среда.

3. Он провёл свою жизнь вне каких бы то ни было сословных ограничений: все люди всех классов были ему чужды.

4. Рассказчик считал, что сильный ум помог Павлову сохранить независимость там, где влияние авторитетов было особенно сильно, — в литературе, в науках, в искусстве.

5. В разговоре с молодым поэтом Павлов назвал Достоевского мерзавцем.

---

[1] Ни́тчше / Ни́цше – Friedrich Nietzsche (1844–1900) – немецкий философ и писатель.

6. Павлов никогда не дочитал до конца ни одного романа Достоевского, поэтому он не хотел говорить о литературе Достоевского.

7. Павлов считал, что в каждом человеке есть одно качество, самое существенное для него, а остальные качества — добавочные.

**Ответьте на вопросы.**

1. Почему рассказчик называет Павлова деклассированным человеком?

2. Почему молодой поэт считал, что Павлов говорит чудовищные вещи?

3. Что Павлов думал о характере каждого человека?

**Учимся говорить**

**Расскажите о свободе и независимости мнений Павлова, используя слова:**

свежесть восприятия; независимость мысли; свобода от предрассудков; литература, науки, искусство; молодой поэт; мерзавец; считать себя гениальным; не дочитать ни одного романа.

**Найдите причину, по которой Павлов сохранил независимость мысли.**

**Учимся писать**

**Напишите, какое из ваших мнений отличается от мнения большинства людей, докажите, что вы правы.**

**Слова урока**

черта; свежесть; восприятие; предрассудок; дворянин; вне; ограничение; что касается/касалось; область; влияние; авторитет; суждение; субъект; гениальный; лгун; купец; существенный.

| наградить | св | *кого? чем?* | // | награждать | нсв |
| приходиться | нсв | *(Дат. п.)* + *inf.* | // | прийтись | св |
| считать | нсв | *кого? что? кем? чем?* | // | — | |

**Проверьте себя**

1. усилие
2. любезность
3. поддержка
4. мастерская
5. восприятие
6. предрассудок
7. дворянин
8. влияние
9. суждение
10. лгун
11. картёжник
12. купец

а. то же, что и мнение

б. власть или действие кого-нибудь или чего-нибудь на кого-нибудь

в. приятная, вежливая фраза или действие

г. помощь, содействие

д. место для производства чего-нибудь

е. ошибочное мнение, к которому привыкли

ж. человек, который принадлежит к высшему классу общества

з. тот, кто говорит неправду

и. человек, часто играющий в карты, обычно на деньги

к. так раньше называли человека, который имел свою торговлю

л. действие, требующее большой энергии

м. способность чувствовать, видеть, слышать действительность

# 7

Я пришёл к нему́ пятна́дцатого числа́, пил с ним чай и пото́м заговори́л о самоуби́йстве.

— Вам оста́лось де́сять дней, — на́чал я.

— Да, приблизи́тельно. Ну, каки́е же вы приведёте соображе́ния, что́бы доказа́ть нецелесообра́зность тако́го посту́пка? Вы мо́жете говори́ть всё, что вы ду́маете: вы зна́ете, что э́то ничего́ не изме́нит.

— Да, зна́ю. Но я хоте́л бы ещё раз услы́шать ва́ши до́воды.

— Они́ чрезвыча́йно просты́, — сказа́л он. — Вот суди́те сами́: я рабо́таю на фа́брике и живу́ дово́льно пло́хо. Ничего́ друго́го приду́мать нельзя́: я ду́мал об одно́й пое́здке, но тепе́рь мне ка́жется, что, е́сли бы она́ вдруг не оправда́ла мои́х наде́жд, э́то бы́ло бы для меня́ са́мым си́льным уда́ром. Да́льше: никому́ реши́тельно моя́ жизнь не нужна́. Моя́ мать успе́ла меня́ забы́ть, я для неё у́мер де́сять лет тому́ наза́д. Сёстры мои́ за́мужем и со мной не перепи́сываются. Брат мой, кото́рого вы зна́ете, обо́лтус двадцати́ пяти́ лет, обойдётся без меня́. В Бо́га я не ве́рю; ни одно́й же́нщины не люблю́. Жить мне ску́чно: рабо́тать и есть? Меня́ не интересу́ет ни поли́тика, ни иску́сство, ни судьба́ Росси́и, ни любо́вь: мне про́сто ску́чно. Карье́ры я никако́й не сде́лаю — да и карье́ра меня́ не соблазни́ла бы. Скажи́те, пожа́луйста, по́сле всего́ э́того: како́й смысл мне так жить? Е́сли бы я ещё заблужда́лся и счита́л, что у меня́ есть како́й-нибудь тала́нт. Но я зна́ю, что тала́нтов у меня́ нет. Вот и всё.

Он сиде́л про́тив меня́ и улыба́лся и то́чно говори́л всем свои́м высокоме́рным ви́дом: вы ви́дите, каки́е э́то всё просты́е ве́щи и вме́сте с тем я их по́нял, а вы не понима́ете и не поймёте. Я бы не мог сказа́ть, что мне бы́ло жаль Па́влова, как жаль бы́ло бы това́рища, у кото́рого я, мо́жет быть, вы́рвал бы из рук

приблизи́тельно – approximately

соображе́ние – reason, opinion
нецелесообра́зность – inexpediency
посту́пок – action

до́вод – argument

приду́мать – to invent, to come up with
пое́здка – путеше́ствие
оправда́ть наде́жды – to live up to smb.'s expectation
уда́р – blow
реши́тельно – decidedly

обо́лтус – (colloq.) blockhead
обойти́сь без – to get a long without

карье́ра – career
соблазни́ть – to tempt

смысл – career
заблужда́ться – ошиба́ться
тала́нт – talent

высокоме́рный – haughty

вы́рвать – to snatch

револьве́р. Па́влов был где́-то вне сожале́ния: он был то́чно окружён средо́й, сквозь кото́рую чу́вства други́х люде́й не могли́ прони́кнуть, как не проника́ют световы́е лучи́ че́рез непрозра́чный экра́н; он был сли́шком далёк и хо́лоден. Но я жале́л о том, что че́рез не́которое вре́мя переста́нет дви́гаться и исче́знет из жи́зни тако́й це́нный и дорого́й, тако́й незамени́мый челове́ческий механи́зм; и все его́ ка́чества — неутоми́мость, хра́брость и стра́шная душе́вная си́ла — всё э́то раствори́тся в во́здухе и поги́бнет, не найдя́ себе́ никако́го примене́ния.

— Тепе́рь скажи́те, что вы ду́маете по э́тому по́воду, — сказа́л Па́влов.

— Я ду́маю, — отве́тил я, — что вы не пра́вы, когда́ и́щете како́е-то логи́ческое оправда́ние всему́: э́то действи́тельно поте́ря вре́мени. Предста́вьте себе́, что я рабо́таю четы́рнадцать часо́в подря́д, устаю́ как соба́ка и становлю́сь го́лоден так, то́чно не ел три дня. Зате́м я иду́ в рестора́н, пло́тно обе́даю, прихожу́ домо́й, ложу́сь на дива́н и заку́риваю папиро́су. На кой чёрт мне смысл?

Он пожа́л плеча́ми.

— И́ли ещё, — продолжа́л я. — Предста́вьте себе́, что вы про́жили год без же́нщины и пото́м вы доби́лись благоскло́нности де́вушки, кото́рая стано́вится ва́шей любо́вницей. Неуже́ли и в э́том вас бу́дет интересова́ть смысл?

— Ну, э́то всё ве́щи вре́менные, — сказа́л он.

---

револьве́р – revolver
окружён / окружённый / окру-
жи́ть – to surround
среда́ – здесь: layer
сквозь – through
прони́кнуть – to penetrate
луч – ray
непрозра́чный – opaque
экра́н – screen
исче́знуть – to disappear

це́нный – valuable
незамени́мый – irreplaceable
механи́зм – mechanism
ка́чество – quality
неутоми́мость – tirelessness
хра́брость – courage
раствори́ться – to dissolve
поги́бнуть – to perish
примене́ние – application
по э́тому по́воду – along there lines

оправда́ние – здесь: объясне́ние

предста́вить – to imagine

подря́д – in a row

пло́тно – здесь: solidly

папиро́са – cigarette (with a card-
board holder)
на кой чёрт – заче́м; what the hell
пожа́ть плеча́ми – to shrug one's
shoulder

доби́ться – to succeed in getting

благоскло́нность – favour

---

## Работаем с текстом

Определи́те, какие из высказываний соответствуют истине.

1. Рассказчик пришёл к Павлову за десять дней до его самоубийства.
2. Рассказчик хотел бы ещё раз услышать доводы Павлова о необходимости самоубийства.
3. Павлов думал об одной поездке, но она не оправдала бы его надежд.
4. Павлов не верил в Бога и ни одной женщины не любил.
5. Павлов заблуждался, когда считал, что у него есть какой-нибудь талант.

6. Рассказчик не мог жалеть Павлова, так как считал его человеческим механизмом.
7. Рассказчик думал, что Павлов не прав, когда ищет какое-то логическое оправдание всему.

**Ответьте на вопросы.**

1. Почему рассказчику было трудно жалеть Павлова?
2. В чём, по мнению рассказчика, ошибался Павлов, говоря, что его жизнь не имеет смысла?

## Учимся говорить

**Расскажите, какие доводы привел Павлов в необходимости самоубийства, используя слова:**

работать; жить плохо; одна поездка; умереть десять лет назад; не переписываться; не верить в Бога; не любить; скучно; не интересоваться политикой; судьба России; карьера; талант.

**Найдите в тексте примеры того, что Павлов — это не человек, а человеческий механизм.**

## Учимся писать

**Напишите, что, по вашему мнению, могло бы помочь Павлову продолжать жить.**

## Слова урока

приблизительно; соображение; поступок; довод; поездка; решительно; карьера; талант; луч; экран; ценный; качество; храбрость; применение; представить; подряд.

| | | | | | |
|---|---|---|---|---|---|
| придумать | св | *что? кого?* | // | придумывать | нсв |
| оправдать (надежды) | св | — | // | оправдывать (надежды) | нсв |
| окружить | св | *кого? что? чем?* | // | окружать | нсв |
| проникнуть | св | *через / сквозь что? куда?* | // | проникать | нсв |
| исчезнуть | св | *— ; откуда?* | // | исчезать | нсв |
| погибнуть | св | *— ; где?* | // | погибать | нсв |
| добиться | св | *чего? кого?* | // | добиваться | нсв |
| обходиться | нсв | *без кого? без чего?* | // | обойтись | св |

# 8

Меня́ удивля́ло то, что физи́ческая любо́вь к жи́зни не была́ сильна́ у э́того челове́ка. Е́сли бы он был боле́зненным ю́ношей, э́то бы́ло бы поня́тно. Ничего́ похо́жего ни на отча́яние, ни на разочарова́ние у Па́влова не́ было. Я знал э́того челове́ка мно́го лет, знал его́ бли́же, чем други́е, и мог то́лько ду́мать в результа-

боле́зненный – delicate, sickly

отча́яние – despair
разочарова́ние – disillusionment

те, что передо мно́й возни́кло и прошло́ таи́нствен-
ное явле́ние, для определе́ния кото́рого у меня́ не
оказа́лось ни мы́слей, ни слов, ни да́же интуити́вного
понима́ния.

— Есть что́-нибудь на све́те, что вы лю́бите? —
спроси́л я. Я ожида́л отрица́тельного отве́та. Но Па́в-
лов сказа́л:

— Есть.

— Что же э́то тако́е?

И вдруг он заговори́л. Я по́мню, каки́ми стра́нны-
ми показа́лись мне его́ призна́ния в тот ве́чер. Он на-
чал издалека́ и рассказа́л мне исто́рию де́тства, до́л-
гие го́ды воровства́, и он каза́лся я́вно взволно́ван-
ным, когда́ заговори́л о лебедя́х, кото́рых называ́л
са́мыми прекра́сными пти́цами в ми́ре. «Зна́ете ли
вы, — сказа́л он зате́м, — что в Австра́лии во́дятся чёрные ле́беди? В изве́стное вре́мя го́да, над вну́тренни-
ми озёрами э́той страны́ они́ появля́ются деся́тками
ты́сяч». И он говори́л о не́бе, покры́том могу́чими
чёрными кры́льями. «Э́то кака́я-то друга́я исто́рия
ми́ра, э́то возмо́жность ино́го понима́ния всего́, что
существу́ет, — говори́л он, — и э́то я никогда́ не
уви́жу».

— Чёрные ле́беди! — повтори́л он. — Когда́ на-
ступа́ет пери́од любви́, ле́беди начина́ют крича́ть.
Крик им тру́ден; и для того́, что́бы изда́ть бо́лее си́ль-
ный и чи́стый звук, ле́бедь кладёт ше́ю на во́ду во всю
длину́ и пото́м поднима́ет го́лову и кричи́т. На вну́т-
ренних озёрах Австра́лии! Э́ти слова́ для меня́ лу́чше
му́зыки.

Он до́лго говори́л ещё об Австра́лии и чёрных ле-
бедя́х. Он знал мно́жество подро́бностей об их жи́з-
ни; он чита́л всё, что бы́ло о них напи́сано, проводя́
це́лые дни за перево́дами англи́йских и неме́цких
те́кстов, со словарём и с записно́й кни́жкой в рука́х.
Австра́лия была́ еди́нственной иллю́зией э́того чело-

---

возни́кнуть – появи́ться
таи́нственный – mysterious
явле́ние – phenomenon
определе́ние – definition
интуити́вный – intuitive

отрица́тельный – negative

призна́ние – admission
издалека́ – from afar
воровство́ – theft
взволно́ванный – agitated

води́ться – to be found
вну́тренний – interior
деся́ток – де́сять
покры́тый / покры́ть – to cover
могу́чий – mighty
крыло́, кры́лья – wing
ино́й - entirely different

наступа́ть – начина́ться
крича́ть – to screech
крик – cry, screech
изда́ть – здесь: to emit

подро́бность – detail

записна́я кни́жка – notebook
иллю́зия – illusion

ве́ка. Она́ соедини́ла в себе́ все жела́ния, кото́рые ког-
да́-либо у него́ появля́лись, все его́ мечты́ и наде́жды.
Мне каза́лось, что е́сли бы он вложи́л всю си́лу свои́х
чувств в оди́н взгляд и устреми́л бы глаза́ на э́тот о́ст-
ров, то вокру́г него́ закипе́ла бы вода́.

соедини́ть – to join

взгляд – glance
устреми́ть – to direct, fix
закипе́ть – to boil

Я просиде́л с ним почти́ до утра́ — и ушёл, томи́-
мый стра́нными чу́вствами.

томи́мый / томи́ться – to be tormented

— Всего́ хоро́шего, — сказа́л мне Па́влов. —
Споко́йной но́чи. А мне че́рез час на фа́брику.

— Заче́м э́то вам тепе́рь? — про́тив во́ли спро-
си́л я.

про́тив во́ли – against (one's) will

— Де́ньги, де́ньги. Я их не унесу́ с собо́й, коне́чно,
но я до́лжен заплати́ть не́скольким лю́дям. Неудо́бно
по́льзоваться преиму́ществами своего́ положе́ния.

неудо́бно – awkward

преиму́щество – advantage
положе́ние – situation

Я промолча́л.

— В су́щности, я уезжа́ю в Австра́лию, — сказа́л он.

Я вы́шел на у́лицу, бы́ло у́тро, уже́ начала́сь обы́ч-
ная жизнь; я смотре́л на проезжа́вших и проходи́вших
ми́мо меня́ люде́й и ду́мал с исступле́нием, что они́
никогда́ не пойму́т са́мых ва́жных веще́й; мне каза́лось
в то у́тро, что я их то́лько что услы́шал и по́нял.

исступле́ние – rage

Два́дцать четвёртого а́вгуста я принёс Па́влову
полтора́ста фра́нков.

— Спаси́бо, — сказа́л он, подава́я мне ру́ку.

Я сиде́л у него́ це́лый ве́чер, мы говори́ли о ра́зных
предме́тах, не име́вших отноше́ния к его́ самоуби́й-
ству. Тому́, что он был соверше́нно споко́ен, я не
удивля́лся: мо́жет быть, впервы́е он попа́л в таки́е
обстоя́тельства, в кото́рых ему́ пригоди́лось его́ ду-
хо́вное могу́щество — и в кото́рых ему́ сле́довало бы
провести́ всю свою́ жизнь. Он пошёл со мной до
пло́щади с ка́менным льво́м, где мы расста́лись. Я
си́льно сжал его́ ру́ку: я знал, что э́то на́ша после́дняя
встре́ча.

обстоя́тельства – circumstances
пригоди́ться – to be of use
духо́вный – spiritual
могу́щество – might
сле́довало бы – на́до бы́ло бы
лев – lion
расста́ться – to part
сжать – здесь: to shake

— До свида́нья, — по привы́чке сказа́л я. — До
свида́нья.

по привы́чке – by force of habit

— Всего́ хоро́шего, — отве́тил Па́влов.

Я уходи́л, обора́чиваясь. Когда́ я дошёл уже́ почти́ до середи́ны пло́щади, то по́днял ру́ку, и до меня́ донёсся его́ споко́йный, смею́щийся го́лос:

обора́чиваясь / обора́чиваться – to turn round

донести́сь – to reach

— Вспо́мните когда́-нибудь о чёрных лебедя́х!

## Работаем с текстом

**Определите, какие из высказываний соответствуют истине.**

1. Рассказчика удивляло то, что физическая любовь к жизни не была сильна у Павлова.
2. Рассказчик думал, что перед ним возникло и прошло таинственное явление, для определения которого у него не оказалось ни мыслей, ни слов, ни интуитивного понимания.
3. Рассказчик не ждал отрицательного ответа на вопрос, любит ли Павлов что-нибудь на свете.
4. Павлов говорил о небе, покрытом могучими чёрными крыльями, что это какая-то другая история мира, возможность иного понимания всего, что существует.
5. Австралия была единственной иллюзией Павлова, она соединила в себе все желания, все мечты и надежды.
6. Павлов собирался идти на фабрику, чтобы заплатить там нескольким людям.
7. После разговора с Павловым рассказчику казалось, что он услышал и понял самые важные вещи.
8. Рассказчик принёс деньги двадцать четвёртого августа и удивился, что Павлов был совершенно спокоен.
9. Павлов проводил рассказчика до площади и попросил вспомнить когда-нибудь чёрных лебедей.

**Ответьте на вопросы.**

1. Почему рассказчика удивляло, что у Павлова не было физической любви к жизни?
2. Почему рассказчик ожидал отрицательного ответа на свой вопрос о том, любит ли Павлов что-нибудь?
3. Почему Павлов работал даже в последние дни жизни?
4. Почему рассказчик не удивлялся спокойствию Павлова перед самоубийством?

**Как вы понимаете фразу: «До свидания, — *по привычке* сказал я»? Что надо было сказать в этой ситуации?**

## Учимся говорить

**Расскажите о мечте Павлова, используя слова:**

самые прекрасные птицы в мире; чёрные лебеди; озёра Австралии; другая история мира; период любви; кричать; сильный и чистый звук; говорить долго; читать всё, что было написано; переводы; мечты и надежды; уехать в Австралию.

1. Докажите, что Австралия была единственной иллюзией Павлова.

2. Найдите в тексте примеры духовной силы Павлова.

3. Как вы думаете, почему Павлов не поехал в Австралию?

**Учимся писать**

Напишите, что вы думаете о Павлове, сравните ваше мнение с мнением рассказчика.

**Слова урока**

болезненный; отчаяние; разочарование; таинственный; явление; определение; отрицательный; издалека; воровство; внутренний; десяток; крыло; подробность; записная книжка; взгляд; преимущество; положение; обстоятельства; духовный; лев; по привычке.

| возникнуть | св | *когда? где?* | // | возникать | нсв |
|---|---|---|---|---|---|
| покрыть | св | *что? чем?* | // | покрывать | нсв |
| наступать | нсв | *— ; когда?* | // | наступить | св |
| кричать | нсв | *— ; что? кому?* | // | крикнуть | св |
| соединить | св | *что? во что?* | // | соединять | нсв |
| закипеть | св | *— ; где?* | // | кипеть | нсв |
| пригодиться | св | *кому? где?* | // | — | |
| расстаться | св | *— ; с кем?* | // | расставаться | нсв |
| сжать | св | *что? кому?* | // | жать | нсв |
| оборачиваться | нсв | *— ; куда?* | // | обернуться | св |

**Проверьте себя**

1. соображение
2. поступок
3. довод
4. поездка
5. луч
6. храбрость
7. отчаяние
8. разочарование
9. явление
10. определение
11. крыло
12. крик
13. взгляд
14. обстоятельства

а. мысль, которую приводят, чтобы доказать что-нибудь

б. короткое путешествие

в. отсутствие страха перед опасностью

г. узкая полоса света

д. состояние полной безнадёжности

е. мысль, продуманная идея

ж. чувство, которое появляется от несбывшихся надежд

з. событие, случай

и. объяснение, которое раскрывает значение, содержание чего-нибудь

к. громкий, сильный звук голоса

л. выражение глаз

м. условия существования кого-нибудь или чего-нибудь

н. законченное действие

о. то, что даёт возможность птицам летать

## Задания и комментарии ко всему тексту

В русской литературе XIX века появились герои, которых называли «лишними людьми». Будучи незаурядными людьми, они не могли найти своего места в жизни. Например, Печорин из романа М.Ю. Лермонтова «Герой нашего времени» (1840).

В американской литературе писателей, появившихся после Первой мировой войны, называли «потерянным поколением» (lost generation).

1. Какие исторические обстоятельства становятся причиной появления «лишних людей» или «потерянных поколений»? Приведите примеры.

2. Как бы вы могли определить трагедию Павлова?

3. Что могло заставить Павлова жить дальше?

# С.Д. Довлатов

Серге́й Дона́тович Довла́тов (1941, Уфа́ — 1990, Нью-Йорк) учи́лся в Ленингра́дском университе́те, затем служи́л в Сове́тской а́рмии. Рабо́тал журнали́стом в газе́тах Ленингра́да и Та́ллинна[1]. Его́ расска́зы печа́тались ре́дко, с конца́ 60-х годо́в они́ появля́лись в самизда́те[2]. В 1978 г. Довла́тов уе́хал снача́ла в Ве́ну, затем в США, где на́чал мно́го публикова́ться. В Аме́рике у него́ вы́шло 12 книг на ру́сском языке́, его́ на́чали переводи́ть на англи́йский, неме́цкий, япо́нский и други́е языки́. Лу́чшие его́ кни́ги — «Компроми́сс» (о рабо́те в сове́тских газе́тах), «Иностра́нка» (о жи́зни эмигра́нтов из СССР), «Чемода́н».

публикова́ться – to be published

Произведе́ния Довла́това автобиографи́чны. Их стиль прост и я́сен, как просты́ ситуа́ции, в кото́рых ока́зываются его́ геро́и.

автобиографи́чный – autobiographical
стиль – style
ситуа́ция – situation

---

[1] Та́ллинн – столица Эстонии (Estonia), которая до 1991 г. была частью СССР.
[2] Самизда́т – самому издавать (печатать на машинке) произведения в небольшом количестве. В самиздате выходили книги, которые не могли быть напечатаны официально.

# КУ́РТКА ФЕРНА́НА ЛЕЖЕ́

Расска́з «Ку́ртка Ферна́на Леже́»[1] вхо́дит в сбо́р-
ник «Чемода́н». Гла́вный геро́й эмигри́ровал из СССР
в Аме́рику и взял с собо́й то́лько оди́н чемода́н веще́й.
Э́тот чемода́н до́лгое вре́мя стоя́л в шкафу́. Че́рез не́-
сколько лет геро́й откры́л его́ и на́чал вспомина́ть
исто́рию ка́ждой ве́щи. В э́том расска́зе — исто́рия
ку́ртки.

*сбо́рник – collection*

## 1

Э́та глава́ — расска́з о при́нце и ни́щем.

глава́ – chapter
принц – prince
ни́щий – pauper

В ма́рте со́рок пе́рвого го́да роди́лся Андрю́ша
Черка́сов. В сентябре́ э́того же го́да роди́лся я.

Андрю́ша был сы́ном выдаю́щегося челове́ка. Мой
оте́ц выделя́лся то́лько свое́й худобо́й.

выдаю́щийся – outstanding; promi-
    nent
выделя́ться – to stand out
худоба́ – skinniness

Никола́й Константи́нович Черка́сов[2] был замеча́-
тельным арти́стом и депута́том Верхо́вного Сове́та[3].
Мой оте́ц — рядовы́м театра́льным де́ятелем и сы́ном
буржуа́зного националиста.

депута́т – deputy

рядово́й – ordinary
де́ятель – здесь: performer
буржуа́зный – bourgeois
националист – nationalist
восхища́ться – to be delighted by
вызыва́ть сомне́ние – to raise doubts

Тала́нтом Черка́сова восхища́лись Пи́тер Брук[4],
Фелли́ни[5] и Де Си́ка[6]. Тала́нт моего́ отца́ вызыва́л со-
мне́ние да́же у его́ роди́телей.

Черка́сова зна́ла вся страна́ как арти́ста, депута́та
и борца́ за мир. Моего́ отца́ зна́ли то́лько сосе́ди как
челове́ка пью́щего и не́рвного.

бо́рец – fighter

не́рвный – nervous

сла́ва – fame

а́стма – asthma

У Черка́сова была́ да́ча, маши́на, кварти́ра и сла́-
ва. У моего́ отца́ была́ то́лько а́стма.

Их жёны дружи́ли. Да́же, ка́жется, вме́сте зака́н-
чивали театра́льный институ́т.

---

[1] Ферна́н Леже́ – Ferdnand Léger (1881–1955) – францу́зский худо́жник.
[2] Черка́сов Никола́й Константи́нович (1903–1966) игра́л в теа́тре и кино́. В фи́льме Серге́я Эйзенштей-
на снялся в ро́ли Ива́на Гро́зного.
[3] Верхо́вный Сове́т – Supreme Soviet – законада́тельный о́рган (legislative body) в СССР.
[4] Пи́тер Брук – Peter Brook (род. в 1925) – англи́йский театра́льный режиссёр.
[5] Фелли́ни – Frederico Fellini (1920–1993) – италья́нский кинорежиссёр.
[6] Де Си́ка – Vittorio De Sica (1901–1974) – италья́нский киноактёр и режиссёр.

Мать была́ рядово́й актри́сой, зате́м корре́ктором, и наконе́ц — пенсионе́ркой. Ни́на Черка́сова то́же была́ рядово́й актри́сой. По́сле сме́рти му́жа её уво́лили из теа́тра.

Разуме́ется, у Черка́совых бы́ли друзья́ из вы́сшего социа́льного кру́га: Шостако́вич[1], Мрави́нский[2], Эйзенште́йн[3]... Мои́ роди́тели принадлежа́ли к бытово́му окруже́нию Черка́совых.

Всю жизнь мы чу́вствовали забо́ту и покрови́тельство э́той семьи́. Черка́сов дава́л рекоменда́ции моему́ отцу́. Его́ жена́ дари́ла ма́ме пла́тья и ту́фли.

Мои́ роди́тели ча́сто ссо́рились. Пото́м они́ развели́сь. Причём разво́д был чуть ли не еди́нственным миролюби́вым а́ктом их совме́стной жи́зни. Одни́м из немно́гих слу́чаев, когда́ мои́ роди́тели де́йствовали единоду́шно.

Андрю́ша был мои́м пе́рвым дру́гом. Познако́мились мы в эвакуа́ции. Точне́е, не познако́мились, а лежа́ли ря́дом в де́тских коля́сках. У Андрю́ши была́ заграни́чная коля́ска. У меня́ — оте́чественного произво́дства.

Пита́лись мы, я ду́маю, одина́ково скве́рно. Шла война́.

Пото́м война́ зако́нчилась. На́ши се́мьи оказа́лись в Ленингра́де. Черка́совы жи́ли в прави́тельственном до́ме на Кро́нверкской у́лице. Мы — в коммуна́лке на у́лице Рубинште́йна.

Ви́делись мы с Андрю́шей дово́льно ча́сто. Вме́сте ходи́ли на де́тские у́тренники. Пра́здновали все дни рожде́нья.

Я е́здил с ма́терью на Кро́нверкскую трамва́ем. Андрю́шу привози́л шофёр на трофе́йной маши́не «Буга́тти».

корре́ктор – proof-reader

уво́лить – to dismiss, fire

разуме́ется – it makes sense (that)

круг – circle

бытово́й – everyday
окруже́ние – milieu, circle

покрови́тельство – protection

рекоменда́ция – recommendation

ссо́риться – to quarrel
развести́сь – to divorce
причём – moreover
разво́д – divorce
акт – act
совме́стный – collaborative, together
де́йствовать – to act
единоду́шно – unanimously

эвакуа́ция – evacuation
точне́е / то́чный – precise
де́тская коля́ска – baby carriage
заграни́чный – foreign; здесь: imported
оте́чественный – domestically produced
пита́ться – есть
скве́рно – пло́хо

коммуна́лка (коммуна́льная кварти́ра) – communal flat

дово́льно – rather; sufficiently

у́тренник – matinee

трофе́йный – war-spoils; captured

---

[1] Шостако́вич Дми́трий Дми́триевич (1906–1975) – сове́тский композитор.
[2] Мрави́нский Евге́ний Алекса́ндрович (1903–1988) – сове́тский дирижёр (conductor).
[3] Эйзенште́йн Серге́й Миха́йлович (1898–1948) – сове́тский кинорежиссёр.

Мы с Андрю́шей бы́ли одного́ ро́ста. Приме́рно одного́ во́зраста. О́ба росли́ здоро́выми и энерги́чными.

рост – height
приме́рно – about
энерги́чный – energetic

Андрю́ша, наско́лько я по́мню, был смеле́е, вспы́льчивее, ре́зче. Я был немно́го сильне́е физи́чески и, ка́жется, чу́точку разу́мнее.

вспы́льчивый – hot-tempered
ре́зкий – abrupt
чу́точку – чуть-чуть
разу́мный – sensible

## Работаем с текстом

**Определите, какие из высказываний соответствуют истине.**

1. Рассказчик родился в том же году, что и Андрей Черкасов.
2. Отец Андрея и отец рассказчика были выдающимися людьми.
3. Матери Андрея Черкасова и рассказчика были рядовыми актрисами.
4. Всю жизнь семья рассказчика чувствовала заботу Черкасовых.
5. Развод был чуть ли не единственным миролюбивым актом в жизни родителей рассказчика.
6. После войны семьи Черкасовых и рассказчика жили в Ленинграде, в правительственном доме.
7. Рассказчик с Андреем был одного роста и примерно одного возраста.

**Ответьте на вопросы.**

1. Кем были родители рассказчика и Андрея Черкасова?
2. Какие отношения были между двумя семьями?
3. Где и когда рассказчик познакомился с Андреем Черкасовым?

## Учимся говорить

**Расскажите о семье рассказчика и семье Андрюши Черкасова, используя слова:**

родиться; сын выдающегося человека; замечательный артист; пьющий человек; дача, машина, квартира; окончить театральный институт; чувствовать заботу; давать рекомендации; развестись; первый друг; жить в коммуналке; видеться часто; праздновать дни рождения; одного роста и возраста.

**1. Почему рассказчик говорит, что эта глава о принце и нищем?**

**2. Найдите в тексте по три примера сходства и различия между рассказчиком и Андрюшей Черкасовым.**

## Учимся писать

Напишите, что вы узнали о Николае Черкасове.

## Слова урока

глава; слава; круг; окружение; точный; коммуналка; довольно; рост; примерно; энергичный; резкий; разумный.

| | | | | | |
|---|---|---|---|---|---|
| публиковаться | нсв | *где? когда?* | // | опубликоваться | св |
| выделяться | нсв | *чем?* | // | выделиться | св |
| восхищаться | нсв | *кем? чем?* | // | восхититься | св |
| вызывать сомнение | нсв | *у кого?* | // | вызвать сомнение | св |
| уволить | св | *откуда?* | // | увольнять | нвс |
| ссориться | нсв | *— ; с кем?* | // | поссориться | св |
| развестись | св | *— ; с кем?* | // | разводиться | нсв |
| действовать | нсв | *как? где?* | // | — | |

# 2

Ка́ждое ле́то мы жи́ли на да́че. У Черка́совых на Каре́льском переше́йке[1] была́ да́ча, окружённая со́снами. Из о́кон был ви́ден Фи́нский зали́в[2], над кото́рым пари́ли ча́йки.

окружённый – encircled
сосна́ – pine

пари́ть – to soar
ча́йка – seagull
приста́влен / приста́вить – to appoint
очередно́й – just another in a row
домрабо́тница – housemaid
как пра́вило – as a rule
увольня́ть – to dismiss
воровство́ – theft
открове́нно – frankly
повсю́ду – везде
заста́влен / заста́вить – to clutter
духи́ – perfumes
косме́тика – cosmetics
возбужда́ть – to arouse
пропа́жа – loss, disappearance
хму́рить бро́ви – to frown
поша́ливать / шали́ть – to be naughty

К Андрю́ше была́ приста́влена очередна́я домрабо́тница. Домрабо́тницы ча́сто меня́лись. Как пра́вило, их увольня́ли за воровство́. Открове́нно говоря́, их мо́жно бы́ло поня́ть.

У Ни́ны Черка́совой повсю́ду лежа́ли заграни́чные ве́щи. Все по́лки бы́ли заста́влены духа́ми и косме́тикой. Моло́деньких домрабо́тниц э́то возбужда́ло. Заме́тив очередну́ю пропа́жу, Ни́на Черка́сова хму́рила бро́ви:

— Люба́ша поша́ливает!

Наза́втра Люба́шу сменя́ла Зину́ля...

У меня́ была́ ня́ня Луи́за Ге́нриховна. Как не́мке ей грози́л аре́ст. Луи́за Ге́нриховна пря́талась у нас. То́ есть по́просту с на́ми жила́. И заодно́ осуществля́ла моё воспита́ние. Ка́жется, мы ей соверше́нно не плати́ли.

ня́ня – nanny
грози́ть – to threaten
аре́ст – arrest
пря́таться – to hide
по́просту – просто
заодно́ – at the same time
осуществля́ть – to carry out
соверше́нно – здесь: at all

Ýтром я шёл к Андрю́ше. Мы бе́гали по уча́стку, е́ли сморо́дину, игра́ли в насто́льный те́ннис, лови́ли

уча́сток – property
сморо́дина – currant
насто́льный те́ннис – table tennis

---

[1] Каре́льский переше́ек – the Karelian Isthmus – курортный район на север от Санкт-Петербурга вдоль Финского залива.
[2] Фи́нский зали́в – the Gulf of Finland – в восточной части Балтийского моря.

жуко́в. В тёплые дни ходи́ли на пляж. Éсли шёл дождь, лепи́ли на вера́нде из пластили́на.

Иногда́ приезжа́ли Андрю́шины роди́тели. Мать — почти́ ка́ждое воскресе́нье. Оте́ц — ра́за четы́ре за ле́то, вы́спаться.

Са́ми Черка́совы относи́лись ко мне хорошо́. А вот домрабо́тницы — ху́же. Ведь я был дополни́тельной нагру́зкой. Причём без дополни́тельной опла́ты.

Поэ́тому Андрю́ше разреша́лось шали́ть, а мне — нет. Верне́е, Андрю́шины ша́лости каза́лись есте́ственными, а мои́ — не совсе́м. Мне говори́ли: «Ты умне́е. Ты до́лжен быть приме́ром для Андрю́ши...» Таки́м о́бразом, я превраща́лся на ле́то в ма́ленького гуверне́ра.

Я ощуща́л нера́венство. Хотя́ на Андрю́шу ча́ще повыша́ли го́лос. Его́ бо́лее суро́во нака́зывали. А меня́ неизме́нно ста́вили ему́ в приме́р.

И всё-таки я чу́вствовал оби́ду. Андрю́ша был главне́е. Че́лядь поба́ивалась его́ как хозя́ина. А я был, что называ́ется, из просты́х. И хотя́ домрабо́тница была́ ещё про́ще, она́ меня́ я́вно недолю́бливала.

Теорети́чески всё должно́ быть ина́че. Домрабо́тнице сле́довало бы люби́ть меня́. Люби́ть как социа́льно бли́зкого. Симпатизи́ровать мне как разночи́нцу. В действи́тельности же слу́ги лю́бят ненави́стных хозя́ев гора́здо бо́льше, чем ка́жется. И уж коне́чно, бо́льше, чем себя́.

Ни́на Черка́сова была́ интеллиге́нтной, у́мной, хорошо́ воспи́танной же́нщиной. Разуме́ется, она́ не дала́ бы уни́зить шестиле́тнего сы́на её подру́ги. Éсли Андрю́ша брал я́блоко, мне полага́лось тако́е же. Éсли Андрю́ша шёл в кино́, биле́ты покупа́ли нам обо́им.

жук – beetle
пляж – beach
лепи́ть – to model
вера́нда – veranda
пластили́н – clay

вы́спаться – to get a good sleep

дополни́тельный – additional
нагру́зка – работа
опла́та – payment

верне́е – rather
ша́лость – prank

превраща́ться – to be turned into; to become
гуверне́р – resident tutor-companion
ощуща́ть – чу́вствовать
нера́венство – inequality
повыша́ть – to raise
суро́во – severely
нака́зывать – to punish
неизме́нно – всегда́
всё-таки – still, all the same
оби́да – offence
че́лядь – servant staff
поба́иваться – боя́ться
просто́й – здесь: common folk
недолю́бливать – не люби́ть
теорети́чески – theoretically
ина́че – по-друго́му
сле́довало бы – до́лжен был / должна́ была́
симпатизи́ровать – to be in sympathy with
разночи́нец – classless intellectual
в действи́тельности – in reality
слуга́ – servant
ненави́стный – hated
гора́здо – much more

уни́зить – to humiliate
полага́ться – to be due

**Работаем с текстом**

Определите, какие из высказываний соответствуют истине.

1. Каждое лето Андрюша Черкасов и рассказчик жили на даче.
2. Домработницы у Черкасовых менялись нечасто, как правило, их увольняли за воровство.
3. Черкасовы относились к рассказчику хорошо, а вот домработницы — хуже.
4. Рассказчику и Андрею не разрешалось шалить.
5. В действительности слуги любят хозяев больше, чем себя.
6. Нина Черкасова не дала бы унизить шестилетнего сына её подруги.

Ответьте на вопросы.

1. Почему домработницы в семье Черкасовых часто менялись?
2. Почему Луиза Генриховна жила в семье рассказчика?
3. Как часто на дачу приезжали родители Андрея?
4. Почему домработницы Черкасовых недолюбливали рассказчика?

**Учимся говорить**

Расскажите об отношениях рассказчика и Андрея Черкасова в детстве, используя следующие слова:

жить на даче; домработница; заграничные вещи; играть в настольный теннис; ходить на пляж; шалить; быть примером; ощущать неравенство; быть из простых; брать яблоко; полагаться; покупать билеты в кино обоим.

Найдите в тексте три примера неравенства в положении рассказчика и Андрюши Черкасова.

**Учимся писать**

Напишите о жизни детей на даче.

**Слова урока**

очередной; как правило; воровство; откровенно; заграничный; духи; пропажа; шалить; заодно; пляж; оплата; неравенство; всё-таки; обида; в действительности; слуга; миролюбивый; вспыльчивый; резкий; разумный; воспитанный; разумеется.

| | | | | | |
|---|---|---|---|---|---|
| приставить | св | *кого? что? к кому? к чему?* | // | приставлять | нсв |
| заставить | св | *что? чем?* | // | заставлять | нсв |
| возбуждать | нсв | *кого? что?* | // | возбудить | св |
| прятаться | нсв | *где?* | // | спрятаться | св |
| осуществлять | нсв | *что?* | // | осуществить | св |
| лепить | нсв | *что? из чего?* | // | слепить | св |
| выспаться | св | — | // | высыпаться | нсв |
| превращаться | нсв | *в кого? во что?* | // | превратиться | св |
| ощущать | нсв | *что?* | // | ощутить | св |
| повышать | нсв | *что?* | // | повысить | св |
| наказывать | нсв | *кого? за что?* | // | наказать | св |
| побаиваться | нсв | *кого?* | // | — | |
| недолюбливать | нсв | *кого? за что?* | // | — | |
| унизить | св | *кого?* | // | унижать | нсв |

**Проверьте себя**

Образуйте формы сравнительной (comparative) и превосходной (super-lative) степеней прилагательных.

*главный — главнее*; **самый** *главный/главнейший*

| | | |
|---|---|---|
| замечательный | сильный | частый |
| миролюбивый | разумный | главный |
| здоровый | тёплый | простой |
| энергичный | плохой | близкий |
| смелый | естественный | большой |
| вспыльчивый | умный | интеллигентный |
| резкий | маленький | воспитанный |

Подберите определения к словам в левой колонке.

1. глава
2. слава
3. обида
4. развод
5. слуга
6. пропажа
7. пляж
8. оплата
9. неравенство
10. окружение
11. рост

а. общепринятое мнение, известность как сви-детельство таланта
б. люди, которые находятся вокруг нас
в. официальное решение, по которому жена и муж могут не жить вместе
г. размер человека в высоту
д. исчезновение предмета неизвестно куда
е. берег, удобный для купания и отдыха
ж. деньги, которые дают за работу, вещи и т.д.
з. отсутствие одинаковых возможностей, прав
и. чувство, которое появляется от несправед-ливых слов или действий кого-либо
к. работник в доме хозяина, господина
л. часть книги или статьи

# 3

Как я сейча́с понима́ю, Ни́на Черка́сова облада́ла все́ми досто́инствами и недоста́тками богаче́й. Она́ была́ му́жественной, реши́тельной, целеустремлённой. При э́том холо́дной, зано́счивой и аристократи́чески наи́вной. Наприме́р, она́ счита́ла де́ньги тя́жким бре́менем. Она́ говори́ла ма́ме:

— Кака́я ты счастли́вая, Но́ра! Твоему́ Серёже ири́ску протя́нешь, он дово́лен. А мой обо́лтус лю́бит то́лько шокола́д...

Коне́чно, я то́же люби́л шокола́д. Но де́лал вид, что предпочита́ю ири́ски.

обла́да́ть – име́ть
досто́инство – positive quality, virtue
недоста́ток – shortcoming
бога́ч – бога́тый челове́к
му́жественный – courageous
целеустремлённый – purposeful
зано́счивый – haughty
аристократи́чески – in aristocratic fashion
наи́вный – naive
счита́ть – to consider
тя́жкий – тяжёлый
бре́мя – burden
ири́ска – дешёвая конфе́та
протяну́ть – здесь: дать
обо́лтус – (разговорн.) blockhead
де́лать вид – to pretend
предпочита́ть – to prefer

Я не жалею о пережитой бедности. Если верить Хемингуэю[1], бедность — незаменимая школа для писателя. Бедность делает человека зорким. И так далее.

Любопытно, что Хемингуэй это понял, как только разбогател...

В семь лет я уверял маму, что ненавижу фрукты. К девяти годам отказывался примерить в магазине новые ботинки. В одиннадцать — полюбил читать. В шестнадцать — научился зарабатывать деньги.

С Андреем Черкасовым мы поддерживали тесные отношения лет до шестнадцати. Он заканчивал английскую школу. Я — обыкновенную. Он любил математику. Я предпочитал менее точные науки. Оба мы, впрочем, были изрядными лентяями.

Виделись мы довольно часто. Английская школа была в пяти минутах ходьбы от нашего дома. Бывало, Андрюша заходил к нам после занятий. И я, случалось, заезжал к нему посмотреть цветной телевизор. Андрей был инфантилен, рассеян, полон дружелюбия. Я уже тогда был злым и внимательным к человеческим слабостям.

В школьные годы у каждого из нас появились друзья. Причём у каждого — свой. Среди моих преобладали юноши криминального типа. Андрей тянулся к мальчикам из хороших семей.

Значит, что-то есть в марксистско-ленинском учении[2]. Наверное, живут в человеке социальные инстинкты. Всю сознательную жизнь меня инстинктивно тянуло к ущербным людям — беднякам, хулиганам, начинающим поэтам. Тысячу раз я заводил приличную компанию, и всё неудачно. Только в об-

жалеть – to regret
пережитый / пережить – to endure, to experience
бедность – poverty
незаменимый – indispensable
зоркий – sharp-sighted, observant

любопытно – здесь: интересно

разбогатеть – to become rich

уверять – to assure
ненавидеть – to hate
примерить – to try on for size

зарабатывать – to earn

поддерживать тесные отношения – быть друзьями

точные науки – exact sciences
впрочем – though
изрядный – hard-core
лентяй – slacker, lazy-bones

ходьба – walk

инфантильный – infantile
рассеянный – absentminded
дружелюбие – goodwill
слабость – weakness

преобладать – to predominate
криминальный – criminal
тип – type
тянуться – to be drawn

инстинкт – instinct

сознательный – conscious
ущербный – disadvantaged
бедняк – poor person
хулиган – trouble-maker
заводить – to initiate, form
приличный – decent
неудачно – unsuccessfully

---

[1] Хемингуэй – Ernest Miller Hemingway (1899–1961) – американский писатель.
[2] Марксистско-ленинское учение – Marxist-Leninist teaching – коммунистическая идеология, которая сформировалась после революции в России.

ществе дикаре́й, шизофре́ников и подо́нков я чу́вство-
вал себя́ уве́ренно.

дика́рь – savage
шизофре́ник – schizophrenic
подо́нок – loser
уве́ренно – confidently

Прили́чные знако́мые мне говори́ли:

— Не обижа́йся, ты распространя́ешь вокру́г себя́
ужа́сное беспоко́йство. Ря́дом с тобо́й заража́ешься
всевозмо́жными ко́мплексами...

обижа́ться – to take offence
распространя́ть – to spread, disse-
   minate
беспоко́йство – trouble, anxiety
заража́ться – to get infected
всевозмо́жный – all kinds
ко́мплекс – psychological complex
неудержи́мо – irresistibly
влечь – to draw, attract

Я не обижа́лся. Я лет с двена́дцати ощуща́л, что
меня́ неудержи́мо влечёт к подо́нкам. Не удиви́тель-
но, что се́меро из мои́х шко́льных знако́мых прошли́
в дальне́йшем че́рез лагеря́.

ла́герь – здесь: prison camp

Мои́ друзья́ внуша́ли Андрю́ше Черка́сову трево́-
гу и беспоко́йство. Ка́ждому из них постоя́нно что́-то
угрожа́ло. Все они́ признава́ли еди́нственную фо́рму
самоутвержде́ния — конфронта́цию.

внуша́ть – to instil
трево́га – anxiety

угрожа́ть – to threaten
признава́ть – to recognize
самоутвержде́ние – self-affirmation
конфронта́ция – confrontation
прия́тель – знакомый, друг
неуве́ренность – insecurity
тоска́ – misery
доброжела́тельный – well-meaning
компроми́сс – compromise
единобо́рство – lone struggle

Мне же его́ прия́тели внуша́ли ощуще́ние неуве́рен-
ности и тоски́. Все они́ бы́ли че́стными, разу́мными
и доброжела́тельными. Все предпочита́ли компро-
ми́сс — единобо́рству.

## Работаем с текстом

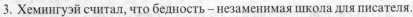

**Определите, какие из высказываний соответствуют истине.**

1. Нина Черкасова обладала всеми достоинствами и недостатками богачей.
2. Рассказчик любил шоколад, но делал вид, что предпочитает ириски.
3. Хемингуэй считал, что бедность – незаменимая школа для писателя.
4. Рассказчик и Андрей Черкасов заканчивали английскую школу.
5. Среди друзей Андрея и рассказчика были мальчики из хороших семей.
6. Приличные знакомые говорили, что рассказчик распространяет вокруг себя ужасное беспокойство.
7. Друзья Андрея Черкасова внушали рассказчику тревогу и беспокойство.

**Ответьте на вопросы.**

1. Какими достоинствами обладала Нина Черкасова?
2. В чём проявлялась наивность Нины Черкасовой?
3. Почему рассказчик не жалеет о пережитой бедности?
4. Где обычно встречались мальчики?
5. Почему друзья рассказчика внушали Андрею Черкасову чувство беспокойства?

**Учимся говорить**

Расскажите о друзьях Андрея Черкасова и рассказчика, используя следующие слова:

быть решительной, холодной; ириска; шоколад; бедность — школа для писателя; научиться зарабатывать деньги; заканчивать школу; любить математику; мальчики из хороших семей; начинающие поэты; приличные знакомые; дикари; шизофреники; беспокойство; ощущение неуверенности; предпочитать компромисс.

**1.** Найдите три-четыре примера различий между рассказчиком и Андреем Черкасовым.

**2.** Объясните причину, по которой рассказчик предпочитал ириски шоколаду и отказывался от фруктов и новых ботинок.

**Учимся писать**

Напишите, что бы думал и чувствовал мальчик из хорошей семьи в компании рассказчика.

**Слова урока**

достоинство; недостаток; решительный; бедность; незаменимый; точные науки; лентяй; сознательный; приличный; неудачно; беспокойство; тревога; приятель; неуверенность; разумный.

| обладать | нсв | *чем?* | // | — | |
| считать | нсв | *что? кого? кем? чем?* | // | — | |
| протянуть | св | *что? кому?* | // | протягивать | нсв |
| делать вид | нсв | *..., что ...* | // | сделать вид | св |
| предпочитать | нсв | *что? кого?* | // | предпочесть | св |
| жалеть | нсв | *кого? о чём?* | // | пожалеть | св |
| разбогатеть | св | — | // | богатеть | нсв |
| уверять | нсв | *кого? в чём? ..., что ...* | // | уверить | св |
| ненавидеть | нсв | *кого? что?* | // | — | |
| примерить | св | *что?* | // | примерять | нсв |
| зарабатывать | нсв | *что?* | // | заработать | св |
| преобладать | нсв | *где?* | // | — | |
| тянуться | нсв | *к кому? к чему?* | // | потянуться | св |
| заводить | нсв | *кого? что?* | // | завести | св |
| обижаться | нсв | *—; на кого? за что?* | // | обидеться | св |
| распространять | нсв | *что? где?* | // | распространить | св |
| заражаться | нсв | *чем?* | // | заразиться | св |
| угрожать | нсв | *кому?* | // | — | |
| внушать | нсв | *кому? что?* | // | внушить | св |
| признавать | нсв | *кого? что?* | // | признать | св |

# 4

Óба мы жени́лись сравни́тельно ра́но. Я, есте́ственно, на бе́дной де́вушке. Андре́й — на Да́ше, вну́чке хи́мика Ипа́тьева, приумно́жившей семе́йное благосостоя́ние.

По́мню, я чита́л насчёт взаи́мной тя́ги антипо́дов. По-мо́ему, есть в э́той тео́рии что́-то сомни́тельное. И́ли как ми́нимум спо́рное. Наприме́р, Да́ша с Андре́ем бы́ли похо́жи. Óба ро́слые, краси́вые, доброжела́тельные и практи́чные. Óба бо́льше всего́ цени́ли споко́йствие и поря́док. Óба жи́ли со вку́сом и без пробле́м.

Да и мы с Ле́ной бы́ли похо́жи. Óба — хрони́ческие неуда́чники. Óба — в разла́де с действи́тельностью. Да́же на За́паде умудря́емся жи́ть вопреки́ существу́ющим пра́вилам...

Ка́к-то Андрю́ша и Да́рья позва́ли нас в го́сти. Приезжа́ем на Кро́нверкскую. В подъе́зде сиди́т милиционе́р. Снима́ет телефо́нную тру́бку:

— Андре́й Никола́евич, к вам! — И зате́м, поменя́в выраже́ние лица́ на чуть бо́лее стро́гое:

— Пройди́те...

Поднима́емся в ли́фте. Захо́дим.

В прихо́жей Да́ша шепну́ла:

— Извини́те, у нас медсестра́.

Я снача́ла не по́нял. Я ду́мал, кому́-то из роди́телей пло́хо. Мне да́же показа́лось, что ну́жно уходи́ть.

Нам поясни́ли:

— Ге́на Лавре́нтьев привёл медсестру́. Это у́жас. Деви́ца в сове́тской циге́йковой шу́бе. Четвёртый раз спра́шивает, бу́дут ли та́нцы. То́лько что вы́пила це́лую буты́лку холо́дного пи́ва... Ра́ди бо́га, не серди́тесь...

— Ничего́, — говорю́, — мы привы́кшие...

---

сравни́тельно – comparatively

приумно́живший / приумно́жить – to increase, to multiply
благосостоя́ние – well-being, fortune
насчёт – about
взаи́мный – mutual
тя́га – attraction
антипо́д – opposite, antipode
сомни́тельный – dubious
как ми́нимум – at least
ро́слый – высо́кий
практи́чный – practical
цени́ть – to value
споко́йствие – quiet
со вку́сом – with taste

хрони́ческий – chronic
неуда́чник – failure
разла́д – discord

умудря́ться – to figure out a way to
вопреки́ – contrary

подъе́зд – entrance
снима́ть тру́бку – to pick up the phone

выраже́ние – expression

прихо́жая – foyer
шепну́ть – to whisper
медсестра́ / медици́нская сестра́ – nurse

поясни́ть – объясни́ть

деви́ца – де́вушка
циге́йковый – lambskin
шу́ба – fur-coat
ра́ди бо́га – for God's sake
серди́ться – to be angry

привы́кший / привы́кнуть – to be used to

Я тогда́ рабо́тал в заводско́й многотира́жке. Моя́ жена́ была́ да́мским парикма́хером. Едва́ ли что́-то могло́ нас шоки́ровать.

А медсестру́ я пото́м разгляде́л. У неё бы́ли краси́вые ру́ки, то́нкие щи́колотки, зелёные глаза́ и блестя́щий лоб. Она́ мне понра́вилась. Она́ мно́го е́ла и да́же за столо́м незаме́тно припля́сывала.

Её спу́тник, Лавре́нтьев, вы́глядел ху́же. У него́ бы́ли пы́шные во́лосы и ме́лкие черты́ лица́ — сочета́ние гну́сное. Кро́ме того́, он мне надое́л. Сли́шком до́лго расска́зывал о пое́здке в Румы́нию[1]. Ка́жется, я сказа́л ему́, что Румы́ния мне ненави́стна...

многотира́жка – заводска́я газе́та
да́мский парикма́хер – ladies' hair-
    dresser
едва́ ли – it's unlikely
шоки́ровать – to shock
разгляде́ть – to look over
щи́колотка – ankle
блестя́щий – shiny
незаме́тно – inconspicuously
припля́сывать – танцева́ть
спу́тник – здесь: друг
вы́глядеть – to look
пы́шный – sumptuous
ме́лкий – ма́ленький
черты́ (лица́) – features
сочета́ние – combination
гну́сный – vile
надое́сть – to be sick of
ненави́стный – hated

**Работаем с текстом**

**Определите, какие из высказываний соответствуют истине.**
1. Рассказчик и Андрей женились сравнительно рано.
2. Рассказчик не сомневается в правильности теории взаимной тяги антиподов.
3. Андрей и Даша ценили спокойствие и порядок, жили со вкусом и без проблем.
4. Медсестра пришла потому, что кому-то из родителей стало плохо.
5. Медсестра спрашивала, когда будут танцы, пила пиво и много ела.
6. Лаврентьев надоел рассказчику, потому что долго рассказывал о поездке в Румынию.

**Ответьте на вопросы.**
1. Что больше всего ценили Андрей и Даша Черкасовы?
2. Как жили рассказчик и его жена?
3. Почему Даша извинялась перед рассказчиком и его женой, когда они пришли в гости?
4. Почему для рассказчика и его жены приход медсестры не был чем-то ужасным?

**Учимся говорить**

**Расскажите о гостях Андрея и Даши Черкасовых, используя следующие слова:**
жениться рано; бедная девушка; быть похожим; ценить спокойствие; неудачники; позвать в гости; прихожая; медсестра; советская шуба; бутылка пива; дамский парикмахер; красивые руки; зелёные глаза; рассказывать о поездке; надоесть.

---

[1] Румы́ния – Romania.

**1.** Найдите в тексте примеры различий между женой рассказчика и женой Андрея Черкасова.

**2.** Дайте примеры того, что медсестра принадлежала к другому социальному кругу.

**Учимся писать**

Напишите письмо знакомому о том, с кем вы познакомились у Даши и Андрея Черкасовых, кто вам понравился или не понравился и почему.

**Слова урока**

сравнительно; насчёт; как минимум; спорный; доброжелательный; спокойствие; со вкусом; неудачник; подъезд; выражение; прихожая; медсестра; ужас; шуба; ради бога; дамский парикмахер; едва ли; черты лица.

| | | | | | |
|---|---|---|---|---|---|
| приумножить | св | *что?* | // | приумножать | нсв |
| ценить | нсв | *кого? что?* | // | оценить | св |
| умудряться | нсв | *+ inf.* | // | умудриться | св |
| снимать трубку | нсв | — | // | снять трубку | св |
| шепнуть | св | *кому? о чём?/…, что…* | // | шептать | нсв |
| сердиться | нсв | *— ; на кого?* | // | рассердиться | св |
| привыкнуть | св | *+ inf.; к кому? к чему?* | // | привыкать | нсв |
| разглядеть | св | *кого? что?* | // | разглядывать | нсв |
| выглядеть | нсв | *как?* | // | — | |
| надоесть | св | *кому?* | // | надоедать | нсв |

**Проверьте себя**

Подберите определения к словам в левой колонке.

1. достоинство

2. недостаток

3. бедность

4. лентяй

5. беспокойство

6. неуверенность

7. спокойствие

8. неудачник

9. подъезд

10. ужас

11. шуба

а. человек, который не любит работать

б. чувство, которое появляется, когда кто-то не знает, что его ждёт

в. хорошее, положительное качество кого-нибудь или чего-нибудь

г. чувство, которое появляется, когда у кого-то нет причины для волнения

д. вход в здание

е. чувство сильного страха

ж. чувство, которое появляется, когда кто-то мало верит в кого-нибудь или что-нибудь

з. меховое пальто

и. неправильность в ком-нибудь или чём-нибудь

к. отсутствие необходимых для жизни денег

л. человек, у которого никогда ничего не получается

# 5

Шли го́ды. Ви́делись мы с Андре́ем дово́льно ре́дко. С ка́ждым го́дом всё ре́же.

Мы не поссо́рились. Не испыта́ли взаи́много разочарова́ния. Мы про́сто разошли́сь.

К э́тому вре́мени я уже́ что́-то писа́л. Андре́й зака́нчивал свою́ кандида́тскую диссерта́цию.

Его́ окружа́ли весёлые, у́мные, добродушные фи́зики. Меня́ — сумасше́дшие, гря́зные, претенцио́зные ли́рики. Его́ знако́мые и́зредка пи́ли конья́к с шампа́нским. Мой — системати́чески употребля́ли ро́зовый портве́йн. Его́ прия́тели деклами́ровали в компа́нии — Гумилёва[1] и Бро́дского[2]. Мой чита́ли исключи́тельно со́бственные произведе́ния.

Вско́ре у́мер Никола́й Константи́нович Черка́сов. О́коло Пу́шкинского теа́тра состоя́лся ми́тинг. Наро́ду бы́ло так мно́го, что приостанови́лось у́личное движе́ние.

Черка́сов был наро́дным арти́стом. И не то́лько по зва́нию. Его́ люби́ли профессора́ и крестья́не, генера́лы и уголо́вники. Така́я же сла́ва была́ у Есе́нина[3], Зо́щенко[4] и Высо́цкого[5].

Год спустя́ Ни́ну Черка́сову уво́лили из теа́тра. Зате́м отобра́ли призы́ её му́жа. Заста́вили отда́ть междунаро́дные награ́ды, полу́ченные Черка́совым в Евро́пе. Среди́ них бы́ли це́нные ве́щи из зо́лота. Нача́льство заста́вило вдову́ переда́ть их театра́льному музе́ю.

испы́тать – to feel, to experience
взаи́мный – mutual
разочарова́ние – disappointment

кандида́тская диссерта́ция – dissertation
окружа́ть – to surround
добродушный – good-natured
сумасше́дший – crazy
претенцио́зный – pretentious
ли́рик – по́эт
и́зредка – ре́дко
конья́к – cognac
шампа́нское – champagne
системати́чески – systematically
употребля́ть – здесь: пить
портве́йн – port, здесь: дешёвое вино́
деклами́ровать – to recite
исключи́тельно – то́лько
со́бственный – own
состоя́ться – to take place
ми́тинг – public meeting

зва́ние – title

уголо́вник – criminal

год спустя́ – a year later
уво́лить – to fire
отобра́ть – to take away
приз – prize
заста́вить – to force, to make
награ́да – award

нача́льство – authorities

---

[1] Гумилёв Никола́й Серге́евич (1886–1921) – русский поэт. Расстрелян (to be executed by firing squad) во время Гражданской войны. В СССР его стихи не публиковались.

[2] Бро́дский Ио́сиф Алекса́ндрович – (1940–1996) русский поэт, Нобелевская премия 1987 г. В СССР его стихи не публиковались.

[3] Есе́нин Серге́й Алекса́ндрович (1895–1925) – русский поэт.

[4] Зо́щенко Михаи́л Миха́йлович (1894–1958) – русский советский писатель.

[5] Высо́цкий Влади́мир Семёнович (1938–1980) – советский актёр театра и кино, автор и исполнитель (performer) собственных песен.

Вдова́, коне́чно, не бе́дствовала. У неё была́ да́ча, маши́на, кварти́ра. Кро́ме того́, у неё бы́ли сбереже́ния. Да́ша с Андре́ем рабо́тали.

вдова́ – widow
бе́дствовать – to live in poverty
сбереже́ния – savings

Ма́ма и́зредка навеща́ла вдову́. Часа́ми говори́ла с ней по телефо́ну. Та жа́ловалась на сы́на. Говори́ла, что он невнима́тельный и эгоисти́чный.

навеща́ть – to visit
жа́ловаться – to complain
эгоисти́чный – egotistical

Мать вздыха́ла;

— Твой хоть не пьёт...

вздыха́ть – to sigh
хоть – здесь: at least

Коро́че, на́ши ма́тери преврати́лись в одина́ково гру́стных и тро́гательных стару́х. А мы — в одина́ково чёрствых и невнима́тельных сынове́й. Хотя́ Андрю́ша был преуспева́ющим фи́зиком, я же — диссиде́нтствующим ли́риком.

коро́че – in short
преврати́ться – to turn into
гру́стный – sad
тро́гательный – touching
стару́ха – ста́рая же́нщина
чёрствый – hard-hearted
хотя́ – although
преуспева́ющий – successful
диссиде́нтствующий – dissident

На́ши ма́тери ста́ли похо́жи. Одна́ко не совсе́м. Моя́ почти́ не выходи́ла из до́ма. Ни́на Черка́сова быва́ла на всех премье́рах. Кро́ме того́, она́ собира́лась в Пари́ж.

премье́ра – premier

Она́ быва́ла за грани́цей и ра́ньше. И вот тепе́рь ей захоте́лось навести́ть ста́рых друзе́й.

Происходи́ло что́-то стра́нное. Пока́ был жив Черка́сов, в до́ме ежедне́вно сиде́ли го́сти. Э́то бы́ли знамени́тые, тала́нтливые лю́ди — Мрави́нский, Ра́йкин[1], Шостако́вич. Все они́ каза́лись друзья́ми семьи́. По́сле сме́рти Никола́я Константи́новича вы́яснилось, что э́то бы́ли его́ ли́чные друзья́.

вы́ясниться – to become clear

В о́бщем, сове́тские знамени́тости куда́-то пропа́ли. Остава́лись заграни́чные — Сартр[2], Ив Монта́н[3], вдова́ худо́жника Леже́. И Ни́на Черка́сова реши́ла сно́ва побыва́ть во Фра́нции.

знамени́тость – celebrity
пропа́сть – to disappear

---

[1] Ра́йкин Арка́дий Ио́сифович (1911–1987) – сове́тский актёр, исполни́тель сати́рических моноло́гов.
[2] Сартр – Jean-Paul Sartre (1905–1980) – францу́зский писа́тель и фило́соф.
[3] Ив Монта́н – Ives Montand (1921–1991) – францу́зский актёр и певе́ц.

**Работаем с текстом**

Определите, какие из высказываний соответствуют истине.

1. Рассказчик виделся с Андреем с каждым годом всё реже.
2. Рассказчика окружали весёлые, умные, добродушные физики.
3. Черкасова любили профессора и крестьяне, генералы и уголовники.
4. После смерти мужа Нину Черкасову уволили из театра, она бедствовала.
5. Рассказчик и Андрей Черкасов превратились в одинаково чёрствых и невнимательных сыновей.
6. Пока был жив Черкасов, в доме ежедневно сидели знаменитые талантливые люди.
7. Нина Черкасова не бывала за границей, и теперь ей захотелось навестить друзей в Париже.

Ответьте на вопросы.

1. Почему рассказчик и Андрей Черкасов стали видеться реже?
2. Почему Николай Черкасов был действительно народным артистом?
3. Почему Нина Черкасова после смерти мужа не работала в театре?
4. Почему Нина Черкасова решила поехать во Францию?

**Учимся говорить**

Расскажите о жизни Нины Черкасовой после смерти мужа, используя слова

видеться редко; заканчивать диссертацию; умереть; быть народным артистом; уволить из театра; ценные вещи из золота; говорить по телефону; бывать на премьерах; собираться в Париж; знаменитые, талантливые люди; друзья семьи.

Найдите в тексте примеры сходства и различий между матерью рассказчика и Ниной Черкасовой.

**Учимся писать**

Напишите, как изменилось отношение людей к Нине Черкасовой после смерти мужа.

**Слова урока**

разочарование; сумасшедший; изредка; собственный; слава; уволить; награда; начальство; вдова; превратиться; грустный; знаменитость.

| | | | | | |
|---|---|---|---|---|---|
| испытывать | нсв | *что?* | // | испытать | св |
| окружать | нсв | *что? кого?* | // | окружить | св |
| состояться | св | *— ; где?* | // | — | |
| отобрать | св | *у кого? что?* | // | отбирать | нсв |
| заставить | св | *кого? + inf.* | // | заставлять | нсв |
| бедствовать | нсв | | // | — | |
| навещать | нсв | *кого?* | // | навестить | св |
| жаловаться | нсв | *кому? на кого? на что?* | // | пожаловаться | св |
| вздыхать | нсв | *—* | // | вздохнуть | св |
| выясниться | св | *…, что …* | // | выясняться | нсв |
| пропасть | св | *—* | // | пропадать | нсв |

# 6

За неде́лю до её отъе́зда мы случа́йно встре́тились. Я сиде́л в библиоте́ке До́ма журнали́стов, редакти́ровал мемуа́ры одного́ покори́теля ту́ндры. Де́вять глав из четы́рнадцати в э́тих мемуа́рах начина́лись одина́ково: «Е́сли говори́ть без ло́жной скро́мности...» Кро́ме того́, я обя́зан был све́рить ле́нинские цита́ты.

И вдруг захо́дит Ни́на Черка́сова. Я и не знал, что мы по́льзуемся одно́й библиоте́кой.

Она́ постаре́ла. Оде́та была́, как всегда́, с незаме́тной, проду́манной ро́скошью.

Мы поздоро́вались. Она́ спроси́ла:

— Говоря́т, ты стал писа́телем?

Я растеря́лся. Я не был гото́в к тако́й постано́вке вопро́са. Уж лу́чше бы она́ спроси́ла: «Ты ге́ний?» Я бы отве́тил споко́йно и положи́тельно. Все мои́ друзья́ изныва́ли под бре́менем гениа́льности. Все они́ называ́ли себя́ ге́ниями. А вот назва́ть себя́ писа́телем оказа́лось трудне́е.

Я сказа́л:

— Пишу́ ко́е-что для заба́вы...

В чита́льном за́ле бы́ло дво́е посети́телей. О́ба погля́дывали в на́шу сто́рону. Не потому́, что узнава́ли вдову́ Черка́сова. Скоре́е потому́, что ощуща́ли за́пах францу́зских духо́в.

Она́ сказа́ла:

— Зна́ешь, мне давно́ хоте́лось написа́ть о Ко́ле. Что́-то наподо́бие воспомина́ний.

— Напиши́те.

— Бою́сь, что у меня́ нет тала́нта. Хотя́ всем знако́мым нра́вились мои́ пи́сьма.

— Вот и напиши́те дли́нное письмо́.

— Са́мое тру́дное — нача́ть. Действи́тельно, с чего́ всё э́то начало́сь? Мо́жет быть, со дня на́шего знако́мства? И́ли гора́здо ра́ньше?

редакти́ровать – to edit
мемуа́ры – memoirs
покори́тель – conqueror
ту́ндра – tundra
ло́жный – false
скро́мность – modesty
обя́зан / обя́занный – здесь: responsible for
све́рить – to verify
ле́нинский – Lenin
цита́та – quotation
по́льзоваться – испо́льзовать
постаре́ть – to age
незаме́тный – subtle
проду́манный – planned, with forethought
ро́скошь – magnificence

растеря́ться – to be taken aback
постано́вка вопро́са – formulation of the question
ге́ний – genius
положи́тельно – affirmatively
изныва́ть – to languish
бре́мя – burden
гениа́льность – genius

заба́ва – amusement, fun

посети́тель – patron

погля́дывать – to glance

ощуща́ть за́пах – to sense the smell

наподо́бие – like

гора́здо – much

— А вы так и начни́те.

— Как?

— «Са́мое тру́дное — нача́ть. Действи́тельно, с чего́ всё э́то начало́сь...»

— Пойми́, Ко́ля был всей мое́й жи́знью. Он был мои́м дру́гом. Он был мои́м учи́телем... Как ты ду́маешь, э́то грех — люби́ть му́жа бо́льше, чем сы́на?

грех – sin

— Не зна́ю. Я ду́маю, у любви́ вообще́ нет разме́ров. Есть то́лько — да и́ли нет.

— Ты я́вно поумне́л, — сказа́ла она́.

я́вно – obviously

Пото́м мы бесе́довали о литерату́ре. Я мог бы, не спра́шивая, угада́ть её куми́ров — Пруст[1], Го́лсуорси[2], Фейхтва́нгер[3]... Вы́яснилось, что она́ лю́бит Пастерна́ка[4] и Цвета́еву[5].

угада́ть – to guess
куми́р – idol
вы́ясниться – to become clear

Тогда́ я сказа́л, что Пастерна́ку не хвата́ло вку́са. А Цвета́ева, при всей её гениа́льности, была́ клини́ческой идио́ткой...

не хвата́ть – to lack
клини́ческий – clinical
идио́тка – idiot (f.)

Зате́м мы перешли́ на жи́вопись. Я был уве́рен, что она́ восхища́ется импрессиони́стами. И не оши́бся.

жи́вопись – painting
восхища́ться – to adore, to be delighted by
импрессиони́ст – Impressionist

Тогда́ я сказа́л, что импрессиони́сты предпочита́ли мину́тное — ве́чному. Что лишь у Моне́[6] родовы́е тенде́нции преоблада́ли над видовы́ми...

ве́чный – eternal
лишь – то́лько
родово́й – generic
тенде́нция – tendency
преоблада́ть – to predominate
видово́й – specific
гру́стно – sadly
вздохну́ть – to sigh

Черка́сова гру́стно вздохну́ла:

— Мне каза́лось, что ты поумне́л...

Мы проговори́ли бо́лее ча́са. Зате́м она́ попроща́лась и вы́шла. Мне уже́ не хоте́лось редакти́ровать воспомина́ния покори́теля ту́ндры. Я ду́мал о нищете́ и бога́тстве. О жа́лкой и рани́мой челове́ческой душе́...

нищета́ – poverty
бога́тство – wealth
жа́лкий – pathetic
рани́мый – vulnerable

---

[1] Пруст – Marcel Proust (1871–1922) – францу́зский писа́тель.

[2] Го́лсуорси – John Galsworthy (1867–1933) – англи́йский писа́тель.

[3] Фейхтва́нгер – Lion Feuchtwanger (1884–1958) – неме́цкий писа́тель.

[4] Пастерна́к Бори́с Леони́дович (1890–1960) – ру́сский поэ́т, писа́тель, перево́дчик; Нобелевская пре́мия 1958 г.

[5] Цвета́ева Мари́на Ива́новна (1993–1941) – ру́сский поэ́т. В 1922–1939 гг. находи́лась в эмигра́ции.

[6] Моне́ – Claude Monet (1840–1926) – францу́зский худо́жник-импрессиони́ст.

## Работаем с текстом

Определите, какие из высказываний соответствуют истине.

1. За неделю до отъезда Нины Черкасовой рассказчик встретил её в библиотеке.
2. Нина Черкасова одета была, как всегда, с незаметной, продуманной роскошью.
3. Рассказчику было трудно назвать себя писателем.
4. Посетители смотрели в сторону Нины Черкасовой, потому что узнавали вдову Черкасова.
5. Нина Черкасова хотела бы написать воспоминания о муже, но не знала, как начать.
6. Рассказчик и Нина Черкасова восхищались импрессионистами.

Ответьте на вопросы.

1. Чем занимался рассказчик в библиотеке Дома журналистов?
2. Почему посетители библиотеки смотрели на Нину Черкасову?
3. Какой совет дал рассказчик Нине Черкасовой?
4. Почему Нина Черкасова решила, что ей только показалось, что рассказчик поумнел?

## Учимся говорить

Расскажите о разговоре рассказчика и Нины Черкасовой, используя слова:

встретиться случайно; постареть; стать писателем; читальный зал; написать воспоминания; длинное письмо; быть другом и учителем; поумнеть; беседовать о литературе; перейти на живопись; проговорить более часа.

**1. Докажите, что рассказчик поумнел.**

**2. Найдите в тексте примеры интересов Нины Черкасовой в живописи и литературе.**

## Учимся писать

Напишите, каких писателей, художников, музыкантов, режиссёров и актёров вы любите и почему.

## Слова урока

глава; ложный; скромность; обязанный; незаметный; забава; посетитель; ощущать запах; наподобие; гораздо; грех; явно; выясниться; живопись; восхищаться; вечный; богатство.

| | | | | | |
|---|---|---|---|---|---|
| редактировать | нсв | *что?* | // | отредактировать | св |
| сверить | св | *что?* | // | сверять | нсв |
| постареть | св | — | // | стареть | нсв |
| растеряться | св | — | // | теряться | нсв |
| поглядывать | нсв | *куда?* | // | — | |
| угадать | св | *что?* | // | угадывать | нсв |
| не хватать | нсв | *кому? чего?* | // | — | |
| преобладать | нсв | — ; *над чем?* | // | — | |

**Проверьте себя**

Подберите определения к словам в левой колонке.

1. разочарование
2. приятель
3. награда
4. начальство
5. знаменитость
6. забава
7. грех
8. живопись
9. богатство

а. группа людей, которые руководят чем-нибудь или кем-нибудь

б. известный человек

в. чувство, которое появляется, когда не происходит то, чего ждали, на что надеялись

г. игра, развлечение

д. много ценностей, денег

е. плохое действие, которое нарушает моральные, религиозные правила

ж. близкий знакомый, к которому относятся дружески

з. специальный знак, который дают кому-нибудь за дела, важные для общества, государства

и. искусство рисовать красками и произведения этого искусства

**1.** Подберите антонимы к прилагательным.

Весёлый, умный, грязный, ценный, невнимательный, чёрствый, старый, знаменитый, незаметный.

**2.** Замените выражение «прилагательное + существительное» на «существительное + (предлог) + существительное».

**Например:** *книжный шкаф — шкаф для книг*; *пушкинские письма — письма Пушкина*

1. уличное движение
2. театральный музей
3. золотые вещи
4. ленинские цитаты
5. советские знаменитости
6. французские духи

# 7

Прошло́ неде́ли три. Разда́лся телефо́нный звоно́к. Черка́сова верну́лась из Пари́жа. Сказа́ла, что зае́дет.

Мы купи́ли халвы́ и пече́нья.

Она́ вы́глядела помолоде́вшей и немно́го таи́нственной. Францу́зские знамени́тости оказа́лись гора́здо благоро́днее на́ших. При́няли её хорошо́.

Ма́ма спроси́ла:

— Как оде́ты в Пари́же?

Ни́на Черка́сова отве́тила:

— Так, как счита́ют ну́жным.

разда́ться – to be heard
звоно́к – ring

халва́ – halvah
вы́глядеть – to look
помолоде́вший / помолоде́ть – to grow younger-looking
таи́нственный – mysterious
благоро́дный – generous, noble
приня́ть – здесь: встре́тить

как счита́ют ну́жным – as they see fit

Затем она рассказывала про Сартра и его немыслимые выходки. Про репетиции в театре «Соле»[1]. Про семейные неурядицы Ива Монтана.

Она вручила нам подарки. Маме — изящную театральную сумочку. Лёне — косметический набор. Мне досталась старая вельветовая куртка.

Откровенно говоря, я был немного растерян. Куртка явно требовала чистки и ремонта. Локти блестели. Пуговиц не хватало. У ворота и на рукаве я заметил следы масляной краски.

Я даже подумал — лучше бы привезла авторучку. Но вслух произнёс:

— Спасибо. Зря беспокоились.

Не мог же я крикнуть: «Где вам удалось приобрести такое старьё?!»

А куртка действительно была старая. Такие куртки, если верить советским плакатам, носят американские безработные.

Черкасова как-то странно поглядела на меня и говорит:

— Это куртка Фернана Леже. Он был приблизительно твоей комплекции.

Я с удивлением переспросил:

— Леже? Тот самый?

— Когда-то мы были с ним очень дружны. Потом я дружила с его вдовой. Рассказала ей о твоём существовании. Надя полезла в шкаф. Достала эту куртку и протянула мне. Она говорит, что Фернан завещал ей быть другом всякого сброда...

Я надел куртку. Она была мне впору. Её можно было носить поверх тёплого свитера. Это было что-то вроде короткого осеннего пальто.

Нина Черкасова просидела у нас до одиннадцати. Затем она вызвала такси.

немыслимый – incredible
выходка – prank
репетиция – rehearsal
неурядицы – problems
вручить – дать, подарить
изящный – elegant
косметический набор – makeup set
достаться – to fall to smb.'s share
вельветовый – velveteen
откровенно – frankly
растерян / растеряться – to be taken aback
требовать – to need, require
чистка – cleaning
ремонт – repair
локоть – elbow
блестеть – to shine
пуговица – button
ворот – collar
рукав – sleeve
след – trace
масляная краска – oil paint
авторучка – ballpoint pen
зря – for nothing
беспокоиться – to bother
крикнуть – to cry
удаться – to manage to
приобрести – купить
старьё – old rag
плакат – poster
безработный – unemployed

приблизительно – approximately
комплекция – constitution

существование – existence
полезть – to go into
достать – to take out
протянуть – to hold out
завещать – to leave in one's will
сброд – riffraff
быть впору – to fit

вроде – like

вызвать – to call

---

[1] Театр «Соле» – Théâtre du Soleil – театр в Париже, был знаменит в 1960–70-е годы.

## Работаем с текстом 🔑

**Определите, какие из высказываний соответствуют истине.**

1. Нина Черкасова вернулась из Парижа помолодевшей и немного таинственной.
2. Французские знаменитости приняли её хорошо.
3. Рассказчик был растерян, получив в подарок старую куртку.
4. Куртка была старая, но не требовала чистки и ремонта.
5. Когда-то Черкасовы дружили с Ф. Леже, потом с его вдовой.
6. Рассказчик и Ф. Леже были одинаковой комплекции.

**Ответьте на вопросы.**

1. О чём рассказывала Нина Черкасова, вернувшись из Парижа?
2. Что бы хотел получить рассказчик в подарок вместо куртки?
3. Где рассказчик видел подобные куртки?
4. Почему вдова Фернана Леже отдала куртку Нине Черкасовой?

## Учимся говорить

**Расскажите о подарках Нины Черкасовой, используя слова:**

вернуться из Парижа; помолодеть; вручить подарки; театральная сумочка; косметический набор; старая куртка; авторучка; дружить с вдовой; надеть куртку; быть впору.

**Подтвердите примерами, что Нина Черкасова привезла рассказчику странный подарок.**

## Учимся писать

**Напишите о самом необычном, неожиданном или смешном подарке, который вы или вам подарили.**

## Слова урока

звонок; таинственный; благородный; как считают нужным; изящный; откровенно; чистка; ремонт; локоть; пуговица; ворот; рукав; след; плакат; безработный; существование.

| | | | | | | |
|---|---|---|---|---|---|---|
| раздаться | св | — | // | раздаваться | нсв |
| помолодеть | св | — | // | молодеть | нсв |
| принять | св | *кого? как?* | // | принимать | нсв |
| вручить | св | *кому? что?* | // | вручать | нсв |
| достаться | св | *кому?* | // | доставаться | нсв |
| требовать | нсв | *кого? чего?* | // | потребовать | св |
| блестеть | нсв | — | // | заблестеть | св |
| беспокоиться | нсв | — ; *о ком? о чём?* | // | забеспокоиться | св |
| крикнуть | св | — ; *кому? ..., что ...* | // | кричать | нсв |
| удаться | св | *(Дат. п.)* + *inf.* | // | удаваться | нсв |
| приобрести | св | *что?* | // | приобретать | нсв |
| полезть | св | *куда?* | // | лезть | нсв |
| достать | св | *что? откуда?* | // | доставать | нсв |
| протянуть | св | *что? кому?* | // | протягивать | нсв |
| завещать | св | *кому? что?* | // | — |
| быть впору | нсв | *кому?* | // | — |
| вызвать | св | *кого? что?* | // | вызывать | нсв |

# 8

Я до́лго разгля́дывал пя́тна ма́сляной кра́ски. Те-
пе́рь я жале́л, что их ма́ло. То́лько два — на рукаве́ и
у во́рота.

разгля́дывать – to examine
пятно́ – spot

Я стал вспомина́ть, что мне изве́стно про Ферна́на
Леже́?

Э́то был высо́кий, си́льный челове́к, норма́ндец[1],
из крестья́н. В пятна́дцатом году́ отпра́вился на фро́нт.
Там ему́ случа́лось ре́зать хлеб штыко́м, испа́чканным
в крови́. Фронтовы́е рису́нки Леже́ прони́кнуты у́жа-
сом.

фронт – front

ре́зать – to slice
штык – bayonet
испа́чканный / испа́чкать – to soil,
    to stain

В дальне́йшем он, подо́бно Маяко́вскому[2], боро́л-
ся с иску́сством. Но Маяко́вский застрели́лся, а Леже́
вы́стоял и победи́л.

прони́кнут / прони́кнутый – im-
    bued
подо́бно – like
застрели́ться – to shoot oneself
вы́стоять – to persevere

Он мечта́л рисова́ть на стена́х зда́ний и ваго́нов.
Че́рез полве́ка его́ мечту́ осуществи́ла нью-йо́ркская
шпана́.

осуществи́ть – to fulfil
нью-йо́ркский – New York
шпана́ – ruffians

Ему́ каза́лось, что ли́ния важне́е цве́та. Что иску́сст-
во, от Шекспи́ра[3] до Эди́т Пиа́ф[4], живёт контра́стами.

ли́ния – line

контра́ст – contrast

Его́ люби́мые слова́:

«Ренуа́р[5] изобража́л то, что ви́дел. Я изобража́ю
то, что по́нял...»

изобража́ть – to depict

У́мер Леже́ коммуни́стом, раз и навсегда́ пове́рив
велича́йшему, беспрецеде́нтному шарлата́нству. Не
исключено́, что, как мно́гие худо́жники, он был глуп.

беспрецеде́нтный – unprecedented
шарлата́нство – charlatanism
не исключено́ – мо́жет быть

Я носи́л ку́ртку лет во́семь. Надева́л её в осо́бо
торже́ственных слу́чаях. Хотя́ вельве́т за э́ти го́ды ис-
тёрся так, что следы́ ма́сляной кра́ски пропа́ли.

торже́ственный – ceremonial
истере́ться – to wear out
пропа́сть – to disappear

О том, что ку́ртка принадлежа́ла Ферна́ну Леже́,
зна́ли немно́гие. Ма́ло кому́ я об э́том расска́зывал.
Мне бы́ло прия́тно храни́ть э́ту жа́лкую та́йну.

храни́ть – to keep
жа́лкий – pathetic

---

[1] Норма́ндец – Norman, жи́тель прови́нции Normandie во Фра́нции.
[2] Маяко́вский Влади́мир Влади́мирович (1893–1930) – ру́сский поэ́т.
[3] Шекспи́р – William Shakespeare (1564–1615) – англи́йский драмату́рг и поэ́т.
[4] Пиа́ф – Edith Piaf (1915–1963) – францу́зская певи́ца.
[5] Ренуа́р – Pierre-Auguste Renoir (1841–1919) – францу́зский худо́жник-импрессиони́ст.

Шло вре́мя. Мы оказа́лись в Аме́рике. Ни́на Черка́сова умерла́, завеща́в ма́ме полторы́ ты́сячи рубле́й. В Сою́зе э́то больши́е де́ньги.

Получи́ть их в Нью-Йо́рке оказа́лось дово́льно тру́дно. Э́то потре́бовало бы невероя́тных хлопо́т и уси́лий.

Мы реши́ли поступи́ть ина́че. Офо́рмили дове́ренность на и́мя моего́ ста́ршего бра́та. Но и э́то оказа́лось де́лом хло́потным и нелёгким. Ме́сяца два я вози́лся с бума́гами.

В а́вгусте брат сообщи́л мне, что де́ньги полу́чены. Выраже́ний благода́рности не после́довало. Мо́жет быть, де́ньги того́ и не сто́ят.

Брат иногда́ звони́т мне ра́но у́тром. То́ есть по ленингра́дскому вре́мени — глубо́кой но́чью. Го́лос у него́ в таки́х слу́чаях быва́ет подозри́тельно хри́плый. Кро́ме того́, доно́сятся же́нские восклица́ния:

— Спроси́ насчёт косме́тики!.. — И́ли:

— Объясни́ ему́, дураку́, что лу́чше всего́ иду́т синтети́ческие шу́бы под но́рку...

Вме́сто э́того бра́тец мой спра́шивает:

— Ну как дела́ в Аме́рике? Говоря́т, там во́дка продаётся круглосу́точно?

— Сомнева́юсь. Но ба́ры, есте́ственно, откры́ты.

— А пи́во?

— Пи́ва в ночны́х магази́нах ско́лько уго́дно.

Сле́дует уважи́тельная па́уза. И зате́м:

— Молодцы́ капитали́сты, де́ло зна́ют!..

Я спра́шиваю:

— Как ты?

— На бу́кву ха, — отвеча́ет, — в смы́сле — хорошо́...

Впро́чем, мы отвлекли́сь. У Андре́я Черка́сова то́же всё хорошо́. Зимо́й он ста́нет до́ктором физи́ческих нау́к. И́ли фи́зико-математи́ческих... Кака́я ра́зница?

---

**Glossary (margin notes):**

завеща́в / завеща́ть – to leave in one's will

потре́бовать – to require
невероя́тный – incredible
хло́поты – trouble, fuss
уси́лие – effort
поступи́ть – здесь: сде́лать
офо́рмить дове́ренность – to give a power of attorney to
вози́ться – to deal with
бума́ги – здесь: документы

выраже́ние – expression
благода́рность – gratitude
после́довать – to follow

подозри́тельно – suspiciously
хри́плый – husky
доноси́ться – to be heard
восклица́ние – exclamation
насчёт – здесь: о
дура́к – fool
лу́чше всего́ иду́т... – здесь: лу́чше продаю́тся
синтети́ческий – synthetic / man-made
шу́ба – fur coat
под но́рку – imitation-mink
круглосу́точно – 24 часа́
сомнева́ться – to doubt

ско́лько уго́дно – as much as you want
сле́довать – to follow
уважи́тельный – respectful
па́уза – pause
капитали́ст – capitalist

в смы́сле – in the sense of

впро́чем – though
отвле́чься – to digress

ра́зница – difference

**Работаем
с текстом**

Определите, какие из высказываний соответствуют истине.

1. Рассказчик жалел, что на куртке было только два пятна масляной краски.
2. Ф. Леже, подобно Маяковскому, боролся с искусством, но не победил.
3. Леже мечтал рисовать на стенах зданий и вагонов.
4. Рассказчик думает, что, возможно, Леже, как многие художники, был глуп.
5. Рассказчик надевал куртку в особо торжественных случаях.
6. Брат рассказчика не смог получить деньги, завещанные Ниной Черкасовой.
7. Рассказчику неинтересно, доктором каких наук станет Андрей Черкасов.

Ответьте на вопросы.

1. Что рассказчику было известно о Фернане Леже?
2. Почему рассказчик думает, что Фернан Леже, возможно, был глуп?
3. Когда рассказчик надевал куртку Леже?
4. Почему деньги, которые завещала Нина Черкасова матери рассказчика, было трудно получить?
5. О чём старший брат спрашивал рассказчика, когда звонил ему в Нью-Йорк?

Как вы поняли фразу «Леже, подобно Маяковскому, боролся с искусством»?

**Учимся
говорить**

Расскажите, что вы узнали в последней части, используя слова:

пятна масляной краски; высокий, сильный человек; отправиться на фронт; бороться с искусством; победить; умереть коммунистом; носить куртку; хранить тайну; завещать полторы тысячи рублей; возиться; оформить доверенность; звонить рано утром; доктор физических наук.

Найдите в тексте примеры того, что рассказчик ценил куртку.

**Учимся
писать**

Напишите историю (на выбор): Нины Черкасовой; Андрея Черкасова; рассказчика; куртки.

**Слова
урока**

пятно; подобно; усилие; дурак; шуба; сколько угодно; разница.

| | | | | | |
|---|---|---|---|---|---|
| разглядывать | нсв | *кого? что?* | // | разглядеть | св |
| резать | нсв | *что? чем?* | // | нарезать | св |
| испачкать | св | *что? чем?* | // | пачкать | нсв |
| застрелиться | св | — | // | стреляться | нсв |
| выстоять | св | | // | — | |
| осуществить | св | *что?* | // | осуществлять | нсв |
| изображать | нсв | *что? кого?* | // | изобразить | св |
| истереться | св | — | // | истираться | нсв |

| пропасть | св | — | // | пропадать | нсв |
|----------|----|----|----|-----------|-----|
| хранить | нсв | *что?* | // | сохранить | св |
| возиться | нсв | *с кем? с чем?* | // | — | |
| последовать | св | *за кем? за чем?* | // | следовать | нсв |
| доноситься | нсв | *до кого? до чего?* | // | донестись | св |
| сомневаться | нсв | *— ; в ком? в чём?* | // | засомневаться | св |
| отвлечься | св | *— ; от чего?* | // | отвлекаться | нсв |

**Проверьте себя**

Замените выражения «прилагательное + существительное» на «существительное + (предлог) + существительное»

1. телефонный звонок
2. семейные неурядицы
3. театральная сумочка
4. косметический набор
5. вельветовая куртка
6. осеннее пальто
7. ленинградское время
8. синтетическая шуба

Подберите определения к словам в левой колонке.

1. благодарность
2. рукав
3. пятно
4. звонок
5. разница
6. плакат
7. дурак
8. ворот

а. звук, звуковой сигнал телефона
б. часть одежды вокруг шеи
в. часть одежды, которая закрывает руку
г. цветной рисунок с политическим или рекламным текстом
д. то, что иногда появляется на одежде, мебели
е. различие в чём-нибудь
ж. слова, которые говорят кому-нибудь за добро и внимание
з. неумный, глупый человек

# Задания ко всему тексту

1. Работа в газетах повлияла на стиль художественных произведений С. Довлатова.
   Найдите в рассказе черты, подтверждающие это наблюдение.

2. Прочитайте ещё раз первую часть рассказа. Обратите внимание, что вся она построена по принципу контраста: принц и нищий. Однако этот контраст возможен при условии определённого сходства, потому что сравнивать можно только похожие предметы и явления: рассказчик и Андрей Черкасов родились *в одном году*, жили *в одном городе*, были *одного роста* и т. д.
   Найдите в тексте рассказа наибольшее количество примеров, в которых автор сравнивает что-то или кого-то.
   В каких из этих примеров используется принцип контраста? Почему?

3. Согласны ли вы с мнением Ф. Леже, что искусство живёт контрастами? Докажите вашу точку зрения известными вам примерами.

# ПРИЛОЖЕНИЕ

## Из истории русской эмиграции

В истории России явление политической эмиграции было известно давно. Ещё в XVI веке князь Андрей Курбский предпочёл жизнь на чужбине смерти на родине. Его эмоциональная переписка с Иваном Грозным стала, может быть, первым образцом литературы, созданной в эмиграции.

Бурные события последующих веков: церковный раскол, реформы Петра, крестьянские восстания – заставляли искать недовольных спасения или на окраинах огромной империи, или за её пределами. Раскольники уходили в глубь ещё неосвоенной Сибири, позже стали уезжать в Америку.

В XIX веке русская политическая эмиграция была уже достаточно многочисленна и объединяла людей разных взглядов. Отъезд за границу навсегда или на длительное время выбрали А. Герцен и Н. Огарёв. Уехали в Париж после 30 лет, проведенных в Сибири, Сергей и Мария Волконские. Он – декабрист и участник войны с Наполеоном.

К концу XIX века в Швейцарии, Франции и Германии легально и нелегально жили сотни эмигрантов, чьи политические взгляды на настоящее и будущее России отличались от официальных. За границей они издавали газеты, устраивали партийные съезды. В их числе много тех, кто будет позже стоять во главе Октябрьской революции 1917 г., и в первую очередь В.И. Ленин.

Революция 1917 г. разделила всё российское общество на тех, кто «за», и на тех, кто «против». В октябре к власти в России пришла самая радикальная политическая партия, которая требовала «разрушить старый мир до основания». Гражданская война, которая продолжалась на всей территории Российской империи более 3 лет, а в некоторых местах и дольше, закончилась массовой эмиграцией.

История русской эмиграции XX века полна трагических историй, когда решение оставить страну принимали не сами люди, а обстоятельства заставляли их следовать по воле случая. Кто-то уезжал из Москвы и Петербурга на хлебный юг и Украину, спасаясь от голода, и оказывался в центре Гражданской войны и должен был следовать за Белой армией, чтобы не оказаться жертвой красного террора. Кто-то оказался в эмиграции, потому что Финляндия, Польша и Балтийские государства стали независимыми. Кого-то выслали из России, объявив их врагами новой власти. Кто-то уезжал с убеждением, что это только временное явление, что всё скоро будет по-прежнему и можно будет вернуться в свой дом. Безусловно, были и такие, кто сознательно отвергал власть, которая строилась на абсолютном насилии, на отрицании свободы личности.

Но что бы ни стало причиной отъезда, главным было то, что эмиграция воспринималась как трагедия, жизненная катастрофа. Россия представала как «потерянный рай» или Атлантида. Жизнь в новой России, о которой эмигранты узнавали из газет, писем родных и знакомых, оставшихся «там», и рассказов приезжавших «оттуда», настолько отличалась от привычной, что можно было говорить о другой стране. В Советской России поменялись не только столица, календарь, названия улиц и городов, праздники и традиции, но активно вводился новый язык – «новояз». Трагическое осознание того, что жить в чужой стране придётся не временно, а навсегда, приходило ко многим эмигрантам спустя годы.

# Русская литература в эмиграции: принципы периодизации

История русской литературной эмиграции XX века охватывает большой промежуток времени, начавшийся с 1918-го и продолжавшийся до начала 80-х годов. Принципы периодизации находятся в непосредственной зависимости от тех исторических, политических и идеологических событий, которые стали причиной выезда из страны творческой интеллигенции.

Границы первого периода – с 1918-го до середины 30-х годов – связаны с началом революции и Гражданской войны. Этот период характерен наиболее массовым исходом из России не только представителей высших слоёв общества и интеллигенции, но и всех других социальных классов и групп. Первый период окончился с началом Второй мировой войны.

Литература этого периода слагалась из писателей разных поколений и эстетических направлений. К старшему поколению, чьи творческие биографии сформировались ещё в России, принадлежали И. Бунин, Д. Мережковский, А. Аверченко, Н. Тэффи, Б. Зайцев, М. Цветаева, И. Шмелёв, А. Ремизов. В. Набоков (Сирин), М. Алданов, Б. Поплавский, Г. Газданов вошли в литературу уже в эмиграции.

Для литературы этого периода также характерна большая пестрота географического расселения эмигрантов. Признанный литературный центр – Париж. Но существовали писательские организации в Берлине, Праге, Белграде, Софии, Риге, Харбине (Китай), позже, с 30-х годов, в Америке и Канаде.

Второй период начался во время войны с Германией и был тесно связан с ходом военных действий: длительное отступление советских войск, огромная территория, оккупированная неприятелем, суровость законов о военнопленных и пр. Этот период русской эмиграции, совпавший по времени со сроками войны, характеризуется отсутствием ярких, известных имён среди эмигрантов, большинство которых являлись бывшими военнопленными, населением, вывезенным на работу в Германию с оккупированных территорий, или по разным причинам ушедшим вместе с отступавшими немецкими войсками.

Литературные биографии писателей и поэтов второй волны эмиграции создавались уже за рубежом: в Западной Германии, Америке. Среди них: И. Елагин, Н. Ржевский, Н. Моршен.

Третий период эмиграции совпал с окончанием «оттепели» начала 60-х годов и продолжался до середины 80-х. В сравнении с предыдущим периодом он имеет ярко выраженный «литературно-артистический» состав. Третья волна эмиграции, имея сходство по яркости и разнообразию талантов с первой, несла в себе совершенно новое восприятие мира, новый исторический опыт и новое понимание задач, стоящих перед ней. Писатели и поэты третьей волны: А. Солженицын, В. Максимов, С. Довлатов, С. Соколов, И. Бродский.

# Хронология событий
# в истории России XX века

Июль 1914 г. – начало Первой мировой войны.

Февраль 1917 г. – буржуазно-демократическая революция в России. Император Николай II отказался от власти. Временное правительство в России.

Октябрь 1917 г. – социалистическая революция в России. Власть у большевиков.

Февраль 1918 г. – Россия объявила о своём неучастии в продолжении Первой мировой войны.

Весна 1918 г. – начало Гражданской войны. Перенос столицы в Москву. Создание Красной армии.

Сентябрь 1918 г. – начало красного террора. Проблемы с продуктами в крупных промышленных городах, особенно в Петрограде и Москве. Массовый отъезд противников новой власти на юг России, где формировалась Белая армия.

Лето 1919 г. – Красной армией разгромлена армия адмирала А.В. Колчака на Урале и в Сибири.

Осень 1919 г. – Красные разгромили войска генерала А.И. Деникина в Южной России. Начало эмиграции.

Осень 1920 г. – В Крыму разбита армия адмирала П.Н. Врангеля. Массовая эмиграция из России. Эмигрировало около 2 миллионов человек.

Основные маршруты эмигрантов: через Турцию (Константинополь) в Югославию, Болгарию и дальше – во Францию; через Прибалтику – в Германию, Чехию.

Основные понятия: Белая армия, Белое движение, белые – Красная армия, красные.

Середина 1920-х—1930-е гг. – эмиграция прекратилась. Выехать из СССР стало почти невозможно.

Сентябрь 1939 г. – начало Второй мировой войны.

Июнь 1941 г. – начало Великой Отечественной войны. Отступление советских войск, быстрое движение германских армий на восток.

Октябрь 1941 г. – Оккупация Белоруссии, Украины и западной части России. В плену оказались более 3 миллионов солдат и офицеров Советской армии.

1942—1944 гг. – на работу в Германию и другие страны Европы отправляли молодых людей с оккупированной части СССР. Вместе с отступавшими на запад немецкими войсками уходили люди, которые не хотели оставаться в СССР, – это было начало второй волны эмиграции.

Февраль 1945 г. – Ялтинская конференция (Крым): встреча глав государств СССР, Великобритании и США. Обсуждение вопросов послевоенного устройства Европы.

Май 1945 г. – конец войны с Германией. Бывшие военнопленные и люди, вывезенные на работу и не желавшие возвращаться на родину, уезжали в США, страны Южной Америки, Австралию.

Основные понятия: военнопленные, перемещенные лица, жители оккупированных территорий.

1947 г. – начало «холодной» войны.

1956 г. – начало «оттепели» – попытки демократизации во внутренней и внешней политике СССР.

Начало 1960-х гг. – конец «оттепели».

Конец 1960-х—начало 1980-х гг. – годы «застоя». Усиление идеологического давления на творческую интеллигенцию. Невозможность публиковать произведения на родине стало причиной развития «тамиздата» и «самиздата». Правозащитная деятельность (диссидентство). Третья волна эмиграции.

Основные понятия: «оттепель», диссидентство, «самиздат».

# КЛЮЧИ К ЗАДАНИЯМ

**И.А. Бунин. «Холодная осень»**

**1.** с. 11.  1. нет; 2. да; 3. да; 4. нет; 5. нет; 6. да; 7. нет; 8. да.
**2.** с. 15.  1. да; 2. да; 3. нет; 4. да; 5. нет; 6. да; 7. да; 8. нет; 9. нет.
  с. 16.  1ж; 2д; 3е; 4з; 5а; 6б; 7г; 8в.
  с. 16.  1. из-за убийства австрийского кронпринца; 2. из-за войны; 3. от пара; 4. от холода; 5. из-за отъезда жениха; 6. благодаря торговле мелкими вещами; 7. благодаря крестьянской одежде; 8. от тифа; 9. благодаря тяжёлому чёрному труду.

**И.А. Бунин. «В Париже»**

**1.** с. 18.  1. нет; 2. да; 3. нет; 4. да; 5. нет; 6. да.
**2.** с. 21.  1. да; 2. да; 3. нет; 4. да; 5. да; 6. нет; 7. нет; 8. да; 9. да.
**3.** с. 25.  1. нет; 2. да; 3. да; 4. нет; 5. да; 6. да; 7. нет; 8. нет; 9. да.
**4.** с. 29.  1. да; 2. да; 3. да; 4. нет; 5. нет; 6. да; 7. да; 8. нет; 9. нет.
**5.** с. 33.  1. да; 2. да; 3. нет; 4. да; 5. да; 6. нет; 7. да; 8. нет; 9. нет.
  с. 35.  1в; 2ж; 3г; 4е; 5л; 6д; 7и; 8з; 9а; 10к; 11б.

**А.Е. Аверченко. «Оккультные тайны Востока»**

**1.** с. 38.  1. да; 2. нет; 3. да; 4. нет; 5. нет.
  с. 39.  Знакомая рассказчика **предложила** ему пойти к хироманту.
    Рассказчик очень **удивился.**
    Знакомая **сказала**, что оккультизм – это прелесть. И очень **просила** рассказчика пойти к хироманту, потому что хироманты в Константинополе замечательные.
    Рассказчик **отказывался и говорил,** что ни за что не пойдёт туда и что ноги его не будет... или, вернее, руки его не будет у хироманта.
    Знакомая **спросила**, пойдёт ли рассказчик к хироманту, если она поцелует его.
    Рассказчик **согласился** с этим предложением и **спросил**, когда надо идти.
    Знакомая **ответила**, что идти надо сегодня же, сейчас.
    И рассказчик пошёл.
**2.** с. 42.  1. нет; 2. да; 3. да; 4. да; 5. да.
  с. 43.  1. Хиромант приветливо заявил, **что** хиромантия – очень точная наука.
    2. Рассказчик попросил, **чтобы** хиромант погадал сему молодому человеку.
    3. Мой новый знакомый застенчиво протянул хироманту правую руку, но тот отстранил её и сказал, **чтобы** тот дал левую / попросил дать левую.
    4. Хиромант сказал, **что** молодому человеку пятьдесят два года.
    Молодой человек мягко возразил, **что** ему будет 52 года, а пока только двадцать четыре.
    5. Хиромант наклонился над рукой ещё ниже и сказал, **чтобы** мы смотрели сюда и сюда.
    6. Хиромант кричал в отчаянии, **что** он не знает, ничего не знает и **что** проклятая рука молодого человека сведёт его с ума.
**3.** с. 45.  1. да; 2. нет; 3. да; 4. да; 5. нет; 6. да; 7. да; 8. да; 9. да.
  с. 46.  1в; 2д; 3г; 4б; 5з; 6к; 7е; 8а; 9ж; 10и.

### Н.А. Тэффи. «Банальная история»

**1.** с. 49. 1. нет; 2. да; 3. да; 4. да; 5. нет; 6. нет.
**2.** с. 51. 1. да; 2. нет; 3. нет; 4. да; 5. нет; 6. нет.
**3.** с. 53. 1. да; 2. да; 3. да; 4. нет; 5. да.
    с. 54. 1з; 2л; 3в; 4а; 5д; 6б; 7е; 8ж; 9и; 10к; 11г.
**4.** с. 55. 1. да; 2. да; 3. нет; 4. да; 5. да; 6. да.
    с. 56. 1. пишет / напишет, заклеивает / заклеит, перепутывает / перепутает; 2. сдержать, прийти; 3. говорил / сказал, давать / дать, терять / потерять; 4. замолчи, не суй; 5. приходил / пришёл, подходила / подошла, подслушивать / подслушать; 6. пугался / испугался, вспоминать; 7. есть, заставлять; 8. заходил, не застал; 9. вошёл, пригласила, присоединяться / присоединиться.
**5.** с. 58. 1. да; 2. да; 3. да; 4. да; 5. да.
**6.** с. 60. 1. да; 2. да; 3. нет; 4. да; 5. нет; 6. да.
**7.** с. 63. 1. да; 2. да; 3. да; 4. нет; 5. нет; 6. да.
    с. 64. 1б; 2г; 3е; 4ж; 5а; 6з; 7в; 8и; 9д.
    с. 64. 1. возмущался / возмутился; 2. решил, распоряжаться; 3. запретить; 4. выставили; 5. достал, написал; 6. не оборачивайтесь; 7. входили / вошли, жали / пожали, садились / сели; 8. поправился, есть.

### Н.А. Тэффи. «Вскрытые тайники»

**1.** с. 66. 1. да; 2. да; 3. нет; 4. да; 5. нет; 6. нет.
**2.** с. 67. 1. да; 2. да; 3. нет; 4. да; 5. нет; 6. да.
    с. 68. 1в; 2б; 3е; 4ж; 5а; 6д; 7г.
**3.** с. 70. 1. нет; 2. да; 3. да; 4. нет; 5. нет; 6. да; 7. нет.
**4.** с. 73. 1. да; 2. да; 3. да; 4. нет; 5. нет; 6. нет; 7. да.
    с. 74. 1г; 2д; 3е; 4б; 5ж; 6в; 7а.
    с. 74. 1. закрепила; 2. разделили; 3. нагнулся, поднял, прочитал; 4. пахло; 5. подчёркивал / подчеркнул; 6. покупал / купил, досталась; 7. брал / взял, возвращает, присвоить.

### М.А. Алданов. «Истребитель»

**1.** с. 77. 1. да; 2. да; 3. нет; 4. да; 5. да.
**2.** с. 80. 1. да; 2. да; 3. да; 4. да; 5. нет.
**3.** с. 82. 1. да; 2. да; 3. нет; 4. да; 5. нет; 6. да; 7. да.
**4.** с. 85. 1. да; 2. да; 3. нет; 4. да; 5. нет; 6. да; 7. да; 8. нет; 9. да.
    с. 87. 1. **Несмотря на осложнения и долгие споры**, незаметно соглашение было достигнуто. 2. Понемногу улучшилось и настроение у Черчилля **благодаря прекрасной весенней погоде.** 3. Черчилль не хотел ехать в Крым **из-за уверенности**, что там мороз, вши, тиф. 4. **Благодаря изобретению атомной бомбы**, американцы **могли получить** господство над миром. 5. **Несмотря на их дружбу**, чарующая улыбка президента в последнее время раздражала Черчилля. 6. **Из-за тяжёлой болезни Рузвельт** изменился за несколько месяцев.
**5.** с. 89. 1. да; 2. да; 3. да; 4. нет; 5. да; 6. нет; 7. нет.
**6.** с. 92. 1. нет; 2. да; 3. да; 4. нет; 5. да; 6. нет; 7. да.
**7.** с. 95. 1. да; 2. да; 3. да; 4. нет; 5. да; 6. нет; 7. да.
**8.** с. 97. 1. да; 2. да; 3. да; 4. да; 5. нет; 6. нет; 7. да.
    с. 98. 1. **В отличие от** Черчилля, для которого религия не имела никакого отношения к его работе, у Рузвельта какая-то связь между верой и работой была. 2. **По сравнению с** Линкольном врагов у Рузвельта было немногим меньше. 3. Рузвельт предпочитал простых бедных людей богатым и высокопоставленным: **в отличие от** богатых простые обычно, как люди, лучше и чище. 4. **В отличие от** Черчилля, много писавшего и

дорожившего своей литературной известностью, Рузвельт писать не любил и знал, что не успеет написать воспоминания. 5. **По сравнению с** Америкой, дела в которой Рузвельт оставлял в порядке, дела в мире шли не так хорошо. 6. **Так же как и** Рузвельт, уверенный в своём превосходстве над Черчиллем, Черчилль был уверен в своём превосходстве над ним. 7. Дела в Америке Рузвельт оставлял в порядке – **так же как и** история, это должны были признать и отдать ему должное и враги.

**9.** с. 101. 1. да; 2. нет; 3. да; 4. да; 5. да.

**10.** с. 104. 1. да; 2. нет; 3. да; 4. да; 5. да; 6. нет; 7. да; 8. да.

с. 105. 1. **Несмотря на то что** после революции во дворце находились разные учреждения, во время войны там хозяйничали немцы, дворец и волшебные сады, в которых росли кипарисы, магнолии, лавры, остались целы. 2. **Благодаря** стоявшей в Ялте прекрасной весенней погоде настроение Черчилля улучшилось. 3. **Несмотря на то что** Черчилль обладал высокой культурой и прекрасным образованием, он почти ничего не знал о России. 4. На конференции Сталин признал независимость Польши, **благодаря** короткой, но эмоциональной речи Черчилля. 5. Рузвельт изменился за несколько месяцев **из-за того, что**, очевидно, он был тяжело болен. 6. **Несмотря на** серьёзное лицо, Сталина многое забавляло на конференции.

### В.В. Набоков. «Красавица»

**1.** с. 109. 1. да; 2. да; 3. нет; 4. да; 5. нет; 6. нет; 7. да.

**2.** с. 112. 1. да; 2. нет; 3. нет; 4. да; 5. да; 6. нет; 7. да.

**3.** с. 114. 1 задание: 1. да; 2. нет; 3. да; 4. нет; 5. нет; 6. да; 7 нет; 8. да.

**4.** с. 117. 1. да; 2. нет; 3. да; 4. да; 5. нет; 6. нет; 7. нет; 8. да; 9. нет.

с. 118. 1в; 2г; 3а; 4и; 5е; 6ж; 7д; 8б; 9з.

### В.В. Набоков. «Круг»

**1.** с. 121. 1. да; 2. да; 3. нет; 4. нет; 5. нет; 6. да; 7. да.

**2.** с. 123. 1. нет; 2. да; 3. да; 4. да; 5. да; 6. да.

**3.** с. 125. 1. да; 2. нет; 3. нет; 4. да; 5. да.

**4.** с. 127. 1. нет; 2. да; 3. да; 4. нет; 5. да.

с. 128. 1в; 2к; 3л; 4ж; 5б; 6и; 7а; 8е; 9д; 10з; 11г.

**5.** с. 130. 1. да; 2. да; 3. да; 4. да; 5. нет; 6 нет; 7. нет.

**6.** с. 133. 1. да; 2. нет; 3. да; 4. да; 5. нет; 6. нет; 7. нет; 8. да; 9. да.

**7.** с. 136. 1. да; 2. да; 3. нет; 4. да; 5. да; 6. да; 7. нет; 8. да.

с. 137. 1г; 2з; 3ж; 4м; 5и; 6в; 7е; 8л; 9б; 10а; 11д; 12к.

### Г.И. Газданов. «Черные лебеди»

**1.** с. 141. 1. нет; 2. да; 3. да; 4. да; 5. да; 6. нет; 7. да.

**2.** с. 144. 1. да; 2. нет; 3. да; 4. да; 5. да; 6. да; 7. нет; 8. нет.

с. 145. 1в; 2а; 3и; 4з; 5б; 6г; 7д; 8е; 9ж.

**3.** с. 147. 1. нет; 2. да; 3. да; 4. нет; 5. да; 6. да; 7. да; 8. да.

**4.** с. 150. 1. да; 2. да; 3. да; 4. нет; 5. да; 6. да; 7. да; 8. да.

с. 151. 1в; 2а; 3ж; 4д; 5е; 6и; 7б; 8г; 9з.

**5.** с. 153. 1. да; 2. да; 3. нет; 4. да; 5. да; 6. нет; 7. да; 8. да.

**6.** с. 155. 1. да; 2. нет; 3. да; 4. нет; 5. да; 6. да; 7. да.

с. 156. 1л; 2в; 3г; 4д; 5м; 6е; 7ж; 8б; 9а; 10з; 11и; 12к.

**7.** с. 158. 1. да; 2. да; 3. нет; 4. да; 5. нет; 6. да; 7. да.

**8.** с. 162. 1. да; 2. нет; 3. нет; 4. да; 5. да; 6. да; 7. да; 8. нет; 9. да.

с. 163. 1е; 2н; 3а; 4б; 5г; 6в; 7д; 8ж; 9з; 10и; 11о; 12к; 13л; 14м.

**С.Д. Довлатов. «Куртка Фернана Леже»**

1. с. 168. 1. да; 2. нет; 3. да; 4. да; 5. да; 6. нет; 7. да.
2. с. 171. 1. да; 2. нет; 3. да; 4. нет; 5. да; 6. да.

   с. 172. Замечательнее, замечательнейший; миролюбивее, миролюбивейший; здоровее, самый здоровый; энергичнее, энергичнейший; смелее, смелейший; вспыльчивее, самый вспыльчивый; резче, самый резкий; сильнее, сильнейший; разумнее, разумнейший; теплее, теплейший; хуже, самый плохой /худший; естественнее, естественнейший; умнее, умнейший; меньше, самый маленький / наименьший; чаще, самый частый; главнее, главнейший; проще, простейший; ближе, ближайший; больше, самый большой / наибольший; интеллигентнее, интеллигентнейший; воспитаннее, воспитаннейший

   с. 172. 1л; 2а; 3и; 4в; 5к; 6д; 7е; 8ж; 9з; 10б; 11г.
3. с. 174. 1. да; 2. да; 3. да; 4. нет; 5. нет; 6. да; 7. нет.
4. с. 177. 1. да; 2. нет; 3. да; 4. нет; 5. да; 6. да.

   с. 178. 1в; 2и; 3к; 4а; 5б; 6ж; 7г; 8л; 9д; 10е; 11з.
5. с. 181. 1. да; 2. нет; 3. да; 4. нет; 5. да; 6. да; 7. нет.
6. с. 184. 1. да; 2. да; 3. да; 4. нет; 5. да; 6. нет.

   с. 185. 1в; 2ж; 3з; 4а; 5б; 6г; 7е; 8и; 9д.

   с. 185.
   | Весёлый | грустный |
   |---|---|
   | умный | глупый |
   | грязный | чистый |
   | ценный | дешёвый |
   | невнимательный | заботливый |
   | чёрствый | мягкий, нежный |
   | старый | новый, молодой |
   | знаменитый | безвестный, неизвестный |
   | незаметный | видный |

   с. 185. движение на улице; музей театра; вещи из золота; цитаты из (произведений) Ленина; знаменитости из Советского Союза; духи из Франции.
7. с. 187. 1. да; 2. да; 3. да; 4. нет; 5. да; 6. да.
8. с. 190. 1. да; 2. нет; 3. да; 4. да; 5. да; 6. нет; 7. да.

   с. 191. звонок телефона; неурядицы в семье; сумочка для театра; набор косметики; куртка из вельвета; пальто для осени; время в Ленинграде; шуба из синтетики.

   с. 191. 1ж; 2в; 3д; 4а; 5е; 6г; 7з; 8б.

*Учебное издание*

*Жукова Наталья Николаевна*

# ДЕСЯТЬ РАССКАЗОВ

## КНИГА ДЛЯ ЧТЕНИЯ

Учебное пособие по русскому языку
как иностранному

2-е издание

Редактор: *М.А. Кастрикина*
Корректор: *В.К. Ячковская*

Гигиенический сертификат № 77.99.02.953.Д000603.02.04 от 03.02.2004.

Подписано в печать 28.06.2006 г.
Формат 70x100/16. Тираж 1 000 экз.
Зак. 1251.

Издательство ЗАО «Русский язык». Курсы.
125047, Москва, 1-я Тверская-Ямская ул., д. 18.
Тел./факс: (495) 251 0845
e-mail: kursy@online.ru
www.rus-lang.ru/eng/

Отпечатано в ОАО «Щербинская типография»
117623, Москва, ул. Типографская, д. 10
Тел.: 659-23-27.